PENSE E ENRIQUEÇA

Pense e Enriqueça para Mulheres
Tradução: 2014

Epílogo
Fabiana G. Conte

Capa
Pâmela Siqueira
Dharana Rivas

Projeto Gráfico e editoração
Rodrigo Saldanha Abreu

DADOS INTERNACIONAIS DE CATALOGAÇÃO NA PUBLICAÇÃO (CIP)

L459p Lechter, Sharon.
Pense e enriqueça para mulheres / Sharon Lechter. – Porto Alegre : CDG, 2014.
308 p.

Publicação oficial autorizada pela Fundação Napoleon Hill.
1. Psicologia aplicada. 2. Mulher moderna. 3. Auto-realização. 4. Auto-ajuda. I. Título.

CDD – 158.1

Bibliotecária Andreli Dalbosco – CRB 10-2272

ISBN: 978-85-68014-01-1

Fontes: Minion Pro, Century751 BT, Arial
Papel: Polen / 80g (miolo) e Cartão / 250g (capa)
Medidas: 15,8x23cm

Produção editorial e distribuição:

CDG EDITORA
Site: www.cdgeditora.com.br
E-mail: contato@cdgeditora.com.br

SHARON LECHTER

COAUTORA DO BEST-SELLER PAI RICO PAI POBRE

MAIS DE 30 MILHÕES de cópias vendidas

PENSE E ENRIQUEÇA

EPÍLOGO
FABIANA G. CONTE

PUBLICAÇÃO OFICIAL AUTORIZADA PELA
FUNDAÇÃO NAPOLEON HILL

Sumário

A filosofia de meu avô Napoleon Hill permeia tudo que eu faço como mulher, esposa e mãe. Estou encantada por Sharon Lechter ter trazido a público *Pense e enriqueça para mulheres*, um livro que pode ajudar todas as mulheres a atingir o sucesso em qualquer coisa a que aspirem.

Havia livros de Napoleon Hill espalhados por nossa casa muito antes de eu ir para a faculdade. Formei-me em farmácia e química e me tornei uma farmacêutica registrada. Em poucos anos, me vi muito ocupada com quatro filhos. Decidi que criar meus meninos seria minha profissão principal.

Nos vinte anos seguintes, adaptei os princípios do sucesso de Napoleon Hill para ter um auxílio na formação do caráter de meus filhos e ao mesmo tempo dar a eles as ferramentas necessárias para serem bem-sucedidos na vida, inclusive estabelecendo metas para que eles nunca ficassem sem um objetivo.

Meus filhos reagiram bem a essa abordagem, e todos foram bem-sucedidos. Três deles são médicos, e o outro é um funcionário de primeiro escalão numa empresa. Uma vez meu irmão James Blair Hill me disse que achava que o livro era uma chave para tudo – segurança financeira, relacionamentos pessoais e felicidade, e que podia ser usado para se obter qualquer coisa de valor. A família Hill fez bom uso do legado de Napoleon Hill.

Eu sei que toda mulher que ler *Pense e enriqueça para mulheres* vai obter *insight* que ajudará em muitos aspectos *da vida de uma mulher*, seja dentro ou fora de casa.

Terry Hill Gocke
Neta de Napoleon Hill

Introdução

E ENTÃO, POR QUE ESCREVER *PENSE E ENRIQUEÇA PARA MULHERES*?

As regras do sucesso são as mesmas para todos. Por que mexer com o brilhantismo do livro original de Napoleon Hill, *Pense e enriqueça*? Por que escrever algo especial apenas para as mulheres?

Essas perguntas, e muitas outras, com certeza, devem ser feitas. De fato, durante a maior parte de minha carreira tive essa mesma sensação. Li *Pense e enriqueça* pela primeira vez aos dezenove anos de idade, li muitas vezes durante minha carreira, e isso teve um enorme impacto positivo em minha vida.

Meus pais me ensinaram que eu poderia ser ou fazer qualquer coisa que quisesse, contanto que trabalhasse duro e focada em minhas metas. Eles trabalharam arduamente a vida inteira e foram exemplos fabulosos. Apenas quando comecei minha carreira, totalmente sozinha em uma cidade diferente, a realidade começou a se definir. Era o final dos anos 1970, e eu era uma das poucas mulheres no meu campo. Aprendi depressa que eu decididamente teria que trabalhar mais duro que meus colegas homens se quisesse chegar à frente. Foi o que eu fiz.

Ninguém disse que seria fácil – e não foi. Ninguém disse que seria um trajeto suave – e não tem sido. Mas a resiliência e as lições que aprendi por encarar e sobreviver a tempos difíceis deram uma contribuição essencial para o meu sucesso de agora.

Hoje, passados mais de 35 anos, continuo a me maravilhar com as histórias de empresárias incríveis que conheci e de como elas também encontraram maneiras de avançar face à barreira invisível da discriminação de gênero. Muitas delas tinham lido e seguido os ensinamentos de *Pense e enriqueça* e criado grande sucesso em suas vidas, mas foram ainda mais longe. Todas elas assimilaram o sucesso sem se abalar e seguiram em frente para abrir novos caminhos para as mulheres que vinham atrás delas, expandindo suas vidas de sucesso para vidas de significado.

Pense e enriqueça para mulheres é uma celebração dessas mulheres e de cada mulher que teve êxito a despeito dos obstáculos com que se deparou – mulheres que mudaram a história, criaram grandes sucessos nos negócios e proporcionaram grandes oportunidades para outras.

Além disso, houve alguns incríveis desdobramentos econômicos que atraíram grande atenção para as mulheres de sucesso e, com isso, revelaram que, embora as regras possam ser as mesmas, as mulheres abordam tais regras de modo diferente e as aplicam de modo diferente dos homens. Embora ainda haja muito progresso a ser feito, houve uma "revolução silenciosa" à medida que as mulheres ganharam ímpeto em cada aspecto da vida. As seguintes estatísticas mostrando o poder crescente das mulheres eram as mais recentes disponíveis na época da redação deste livro.

NA ECONOMIA

Essas estatísticas financeiras provam, sem sombra de dúvida, que as mulheres possuem um tremendo poder e influência globais. Você pode imaginar o que aconteceria se as mulheres se unissem e usassem seu poder econômico para criar uma mudança positiva?

- 60% de toda a riqueza pessoal dos Estados Unidos está em posse de mulheres.
- 85% de todas as compras de consumidores dos Estados Unidos são feitas por mulheres.
- Mulheres acima dos cinquenta anos de idade possuem um patrimônio líquido conjunto de US$ 19 trilhões.
- Dois terços da riqueza dos consumidores dos Estados Unidos vão pertencer às mulheres na próxima década.
- As mulheres dos Estados Unidos gastam US$ 7 trilhões em despesas domésticas e profissionais.
- Em termos globais, as mulheres são responsáveis por US$ 20 trilhões dos gastos, e era esperado que este número subisse para US$ 24 trilhões no final de 2014.
- Em termos globais, as mulheres estão habilitadas a herdar 70% dos

US$ 41 trilhões em transferência de riqueza entre gerações projetados para os próximos quarenta anos.

NA EDUCAÇÃO

O Departamento de Educação dos Estados Unidos estimou que em 2013 as mulheres obtiveram:

- 61,6% de todos os diplomas associados;
- 56,7% de todos os diplomas de bacharelado;
- 59,9% de todos os diplomas de mestrado;
- 51,6% de todos os diplomas de doutorado.

Para resumir: em 2013, 140 mulheres obtiveram um diploma universitário de algum nível para cada cem homens.

NO MUNDO CORPORATIVO

Embora tenha havido um tremendo progresso nos níveis inferiores de gestão, ainda existe uma grande necessidade de que as mulheres avancem aos níveis superiores de liderança nas corporações, o que é uma evidência de que a barreira da discriminação de gênero ainda precisa ser rompida:

- Existem 23 mulheres – 4,6% – no cargo de CEO das companhias Fortune 500.
- As mulheres detêm 14,6% dos cargos executivos.
  - De acordo com um relatório do *Catalyst* intitulado "Resultado final: desempenho corporativo e representação feminina nos conselhos", as companhias Fortune 500 com maior representação feminina nos conselhos de administração atingiram desempenho financeiro significativamente superior, na média, que aquelas com menor presença feminina no conselho de administração. Além disso, o relatório destaca que os conselhos de administração com três ou mais mulheres mostram desempenho notadamente acima da média. Eles compartilharam três indicadores essenciais:
    - Rentabilidade do capital: em média, companhias com

percentuais maiores de mulheres no conselho de administração superaram aquelas com índices menores em 53%.

    - Rentabilidade nas vendas: em média, companhias com percentuais maiores de mulheres no conselho de administração superaram aquelas com índices menores em 42%.
    - Rentabilidade do capital investido: em média, companhias com percentuais maiores de mulheres no conselho de administração superaram aquelas com índices menores em 66%.

- As mulheres detêm 16,9% das cadeiras dos conselhos nos Estados Unidos, contra 40,9% na Noruega e 6% na Ásia.
    - É importante observar que a Noruega aprovou uma lei em 2003 exigindo que as companhias nomeiem mulheres para 40% dos cargos nos conselhos.
    - Um estudo de companhias do MSCI AC, um indicador projetado para medir o desempenho do mercado de ações em 24 países verificou que companhias com conselhos mistos superaram aquelas com conselhos só de homens em 26% ao longo de seis anos.

NOS RENDIMENTOS

Embora as estatísticas no geral ainda sejam perturbadoras, quando você examina os detalhes, surge uma tendência positiva:

- As mulheres recebem em média 77 centavos para cada dólar ganho pelos homens. Em 1979, recebiam 59 centavos.
- Embora a estatística dos 77 centavos tenha permanecido constante nos últimos anos, um total de dezesseis estados reportou que suas mulheres estão recebendo 80 centavos ou mais para cada dólar ganho pelos homens.
- Quando se excluíram os trabalhadores autônomos e os que trabalham apenas uma parte do ano, vê-se que em 2012 as mulheres receberam 80,9% do que foi pago aos homens.

E um estudo por faixa etária mostra melhora significativa para as mulheres mais jovens. De acordo com o Departamento de Estatísticas do Trabalho:

PARIDADE SALARIAL POR IDADE

Faixa etária	Percentual dos ganhos das mulheres em relação aos dos homens
20-24	93,2%
25-34	92,3%
35-44	78,5%
45-54	76%
55-64	75,1%
65+	80,9%

- Em termos globais, o vencimento médio dos homens em turno integral foi 17,6% maior que o das mulheres nos países em desenvolvimento. A maior disparidade salarial por gênero foi na Coreia e no Japão.
- Em termos globais, de acordo com um estudo da Deloitte, o poder aquisitivo das mulheres está crescendo mais rápido que o dos homens nos países em desenvolvimento. A renda das mulheres aumentou em 8,1% contra 5,8% dos homens.

NA PROPRIEDADE DE EMPRESAS

Mais e mais mulheres estão abandonando o mundo corporativo em favor do empreendedorismo, e com isso driblando totalmente o impacto da barreira invisível da discriminação de gênero. O "Relatório sobre a situação dos negócios de propriedade de mulheres" de 2013 (encomendado pelo American Express OPEN) revela:

- Entre 1997 e 2013, o número de firmas de propriedade de mulheres cresceu uma vez e meia acima da média nacional;
- O número de firmas de propriedade de mulheres e de propriedade igualmente dividida é de quase 13,6 milhões, e estas:
    - geram mais de US$ 2,7 trilhões em receitas;
    - empregam quase 15,9 milhões de pessoas;

- representam 46% das firmas dos Estados Unidos e contribuem com 13% do emprego total e 8% da receita das empresas.

NA POLÍTICA

As mulheres estão entrando na política mais do que nunca. Entretanto, as estatísticas a seguir mostram que ainda existe um longo caminho a percorrer para se chegar à paridade com lideranças políticas do sexo masculino.

Em termos globais:

- Existem 32 mulheres líderes de países ou territórios autônomos.

Nos Estados Unidos as mulheres detêm:

- 20% das cadeiras no Senado;
- 17,9% das cadeiras na Câmara dos Deputados;
- 23,4% dos cargos eletivos estaduais.

À medida que as mulheres percebem seu poder econômico e começam a alavancá-lo, essas estatísticas continuam a melhorar. Ao abordar essa mudança global no Fórum Econômico Mundial, a diretora executiva do Fundo Monetário Internacional, Christiane Lagarde, falou sobre o poder do que denominou "crescimento inclusivo". Ela declarou: "A evidência é clara, assim como a mensagem: quando as mulheres têm melhor resultado, a economia tem melhor resultado".

Enquanto olho para essas estatísticas e aplaudo o progresso que as mulheres fizeram e estão fazendo, percebo que muitas outras mulheres ainda reagem a isso com raiva. Ainda existe progresso a ser feito? Claro que sim! Com certeza, o fato de que a barreira invisível da discriminação de gênero ainda refreia o número de mulheres em cargos executivos principais e nas salas de reunião das diretorias de empresas, bem como o fato de que ainda existe uma formidável disparidade salarial entre homens e mulheres, continuam a desafiar as mulheres que lutam para se sobressair no mundo corporativo.

Porém, em vez de enfocar os resultados negativos, vamos reconhecer os feitos positivos das mulheres líderes em negócios, tanto como lideranças corporativas quanto empresárias, na política e na educação atuais, e vamos celebrar essas mulheres. Celebrá-las pela coragem, pelo sucesso e a liderança. E vamos então nos reunir como mulheres para proporcionar orientação às mais jovens e dizer que elas podem ser qualquer coisa ou quem quiserem ser, contanto que trabalhem duro e foquem em suas metas. As mulheres devem ajudar as outras mulheres a terem êxito.

Sheryl Sandberg, diretora de operações do Facebook, deflagrou uma intensa campanha de mídia quando conclamou as mulheres a "ir à luta" e batalhar agressivamente por suas carreiras. Em seu livro *Lean In: Women, Work, and the Will to Lead*, lançado em 2013, ela encoraja as mulheres a adotarem características tradicionalmente "masculinas", como trabalhar em longas jornadas, reivindicar o crédito pelo desempenho e falar sem rodeios.

Muitos de seus críticos reagiram dizendo que ela é uma elitista sem contato com as trabalhadoras de classe média que não podem pagar babás caras, enquanto outros a criticaram por enfocar questões internas que as mulheres enfrentam, em vez dos temas externos da igualdade salarial e de oportunidade e de condenar as atuais diretorias executivas e conselhos de administração dominados por homens por não convidar mais mulheres para participarem.

Ambas as posições têm argumentos válidos; em vez de criticarem uma à outra, está na hora de unirem forças em benefício de todas as mulheres.

Alguns comentários de Sheryl sobre as mulheres, suas lutas e como vencê-las soaram muito verdadeiros para mim e gostaria de compartilhá-los:

- Durante toda a minha vida, me falaram sem parar sobre as desigualdades no trabalho e como seria difícil ter uma carreira e uma família. Raramente ouvi alguma coisa sobre as formas pelas quais eu mesma poderia me sabotar.

- Não puxe o freio. Acelere. Mantenha o pé no acelerador. Quanto mais gente [mulheres] entrarem na corrida, mais recordes serão quebrados. Mais liderança feminina levará ao tratamento mais justo de todas as mulheres.

Ao ler o livro, vi Sheryl compartilhando sua trilha de sucesso como mulher e as decisões que ela tomou ao longo do caminho, na esperança de proporcionar inspiração a outras mulheres. Uma de suas mensagens mais fortes é que as mulheres são ensinadas que precisam limitar sua gana pelo poder, o que por sua vez limita suas ambições e como resultado frequente sabota suas carreiras.

Acredito que muitas mulheres, se não a maioria, enfrentam questões de autoconfiança. Embora uma só mulher talvez não tenha condições de mudar a lei referente à igualdade de salários e oportunidades, cada mulher pode mudar seu diálogo interno a respeito de sua capacidade de ser bem-sucedida. *Pense e enri-*

queça para mulheres enfoca como as mulheres de hoje podem soltar as correntes do velho pensamento e de velhos paradigmas e, confiantes, criar uma vida de sucesso e importância.

Eu gostaria de ressaltar que aquilo que ajudou mulheres de sucesso a terem êxito no passado talvez não seja o conselho certo para mulheres em busca de sucesso no futuro. Embora eu concorde que as mulheres precisam encarar suas próprias lutas interiores, muitas vezes a respeito do equilíbrio trabalho/vida, acredito que, em vez de dizer às mulheres para serem mais parecidas com os homens, devemos realçar os benefícios verificados na liderança feminina que podem ser mais adequados ao ambiente empresarial de hoje.

Assim como as mulheres aumentaram em número e influência na força de trabalho ao longo da última década, o mundo dos negócios como um todo também mudou. Avançamos da Era Industrial para a Era da Informação, e houve uma mudança espiritual na forma de fazer negócios. Na Era Industrial a competição era soberana. O ambiente competitivo criou a filosofia do ganhar-perder ou do cada um por si nas tratativas de negócios.

Hoje, vejo um ambiente de negócios muito diferente, construído com base na colaboração, nas parcerias, alianças estratégicas e *joint ventures*; que nutre a filosofia do ganhar-ganhar; e onde as partes buscam encontrar maneiras de alavancar as forças umas das outras em benefício do consumidor final. Esse ambiente de colaboração, cooperativo, é onde as mulheres florescem e vão florescer.

Dada a mudança na influência global das mulheres e a mudança na forma de se fazer negócios, acredito que estejamos no verdadeiro ponto crítico para as mulheres. Há anos as mulheres me dizem que querem um manual relevante para elas, escrito por mulheres que criaram sucesso em suas vidas. Estudei mulheres de sucesso do passado, entrevistei mulheres de sucesso de hoje e analisei *Pense e enriqueça* e seus treze passos para o sucesso das mulheres através dos olhos e da experiência dessas mulheres bem-sucedidas. Tenho que admitir que resisti por muitos anos a escrever um livro para mulheres. Mas agora decididamente é a hora certa para *Pense e enriqueça para mulheres*.

O livro aborda as questões que as mulheres encaram hoje, com conselhos realistas sobre como superar obstáculos e agarrar oportunidades – desde assuntos de família a promoção no emprego e no negócio próprio. Há anos as mulheres são ensinadas que devem ter condições de ter tudo. Devem ter condições de escolher trabalhar em meio turno ou turno integral, ou trabalhar de casa ao mesmo tempo em que casam, têm filhos e cuidam do lar. Mas não havia regras ou manuais sobre como ter tudo – e manter a sanidade no processo.

Pense e enriqueça para mulheres desmascara a sensação de culpa com que as mulheres lutam por causa do equilíbrio trabalho/vida. Pessoalmente, acredito que a palavra "equilíbrio" foi criada por um grupo de psicólogos velhos que viram a ascensão das mulheres no ambiente de trabalho e quiseram se assegurar de que teriam um fluxo constante de pacientes femininas – mulheres atormentadas pela culpa e a frustração devido à incapacidade de atingir a definição de equilíbrio dos psicólogos.

De fato, não consigo me lembrar de uma ocasião em que um homem tenha se queixado para mim sobre o equilíbrio trabalho/vida. E você consegue?

Minha esperança é de que, lá pelo final deste livro, você encontre sua voz e perceba que possui um tremendo poder e uma tremenda oportunidade para criar a vida que escolher. A palavra mais poderosa é "escolha". Você pode substituir a culpa por se sentir desequilibrada pelo poder de fazer escolhas diferentes. Pode substituir a meta de buscar o equilíbrio trabalho/vida pela meta de buscar uma grande vida, preenchida com amor, família, satisfação, sucesso e importância.

Dito isso, este não é de forma alguma um livro para malhar os homens. Embora Napoleon Hill seja o *único* homem citado no corpo do livro, ele não é o único homem que influenciou minha vida para melhor. Todavia eu quis focar exclusivamente nas mulheres como fontes para o livro, e constatei que a tarefa de encontrar citações de mulheres para os temas tratados em cada capítulo foi inesperadamente enorme – prova positiva de que precisamos dessa informação e precisamos apoiar umas às outras como mulheres de sucesso e importância.

No posfácio, porém, convidei alguns dos homens que considero defensores das mulheres para compartilhar seus pensamentos sobre a importância das mensagens encontradas em *Pense e enriqueça para mulheres*.

O livro original de Hill, Pense e enriqueça, foi escrito com base em suas entrevistas com mais de quinhentos dos homens mais bem-sucedidos de seu tempo, bem como milhares de pessoas que se consideravam fracassadas. Em *Pense e enriqueça para mulheres*, convidei muitas mulheres para compartilhar sua *expertise* junto com a minha, no desejo de criar uma compilação semelhante de sucesso para as mulheres. Então, assim como *Pense e enriqueça* é uma compilação de sabedoria do sucesso proveniente de muitos homens bem-sucedidos, *Pense e enriqueça para mulheres* oferece uma compilação de sabedoria proveniente de muitas mulheres bem-sucedidas.

O livro segue o mesmo esquema de capítulos do *Pense e enriqueça* original. Cada capítulo começa com uma revisão contemporânea dos ensinamentos de Napoleon Hill. A revisão contemporânea é seguida de histórias pessoais de mulheres consideradas líderes que empregaram as lições daquele capítulo para alcançar o sucesso em suas vidas. Então compartilho como empreguei as lições de Napoleon Hill em minha própria vida e as maravilhosas descobertas que fiz ao longo do caminho.

Em cada capítulo, incluo a Mente Superior da Irmandade. Napoleon Hill introduziu o poder da Mente Superior como um passo essencial e necessário para se chegar ao sucesso. Assim, a Mente Superior da Irmandade de cada capítulo compartilha um conjunto de citações de mulheres incríveis que realçam ainda mais a importância das mensagens e lições daquele capítulo. Pense em cada mulher deste livro como estando disponível para ser sua Mente Superior pessoal.

Para encerrar cada capítulo, acrescentei uma seção de Pergunte a Si Mesma. A fim de alcançar o sucesso, devemos partir para a ação. Essa seção toma as mensagens e lições do capítulo e solicita que você as aplique em sua vida. Use um diário pessoal para ajudar a registrar seus pensamentos à medida que lê como cada um dos passos originais de Hill para o sucesso é apresentado pelos olhos de mulheres bem-sucedidas. *Pense e enriqueça para mulheres* foi realmente escrito para você. Em www.sharonlechter.com/women (acesse www.cdgeditora.com.br/mulheres) você pode baixar PDFs para ajudá-la com o Pergunte a Si Mesma e recursos adicionais. Esta seção vai ajudá-la a identificar rapidamente as áreas onde você pode deflagrar e acelerar seu caminho para criar a vida que você deseja alcançar.

Que você seja abençoada com o sucesso!

Sharon Lechter

1

Desejo ardente

É o ponto de partida de toda realização.
Você precisa ter o desejo ardente.

■

Eu era uma mulher com uma missão,
e obstinada na conquista do meu sonho.
– ESTÉE LAUDER

VOCÊ CONHECE SEU DESEJO ARDENTE?

Você pode estar se perguntando: "Eu tenho um desejo ardente?". Diferente do simples querer alguma coisa, um desejo ardente pode parecer uma necessidade de fazer ou alcançar alguma coisa. Começa como uma ideia ou percepção e cresce até se tornar uma força motriz por trás de suas ações cotidianas. É guiado por seus valores pessoais e impregna seu processo de tomada de decisões. Em seus sonhos, expectativas sobre si mesma e sua vida, bem como em suas paixões, você provavelmente vai encontrar seu DESEJO ARDENTE!

Você pode ter lembrado na mesma hora de alguma meta que teve por uns tempos. Pode ser uma meta pessoal, de negócios, financeira, física ou espiritual. Se você ainda tem que atingir a meta, pergunte-se por quê. É possível que esta meta NÃO tenha sido respaldada pelo desejo ardente de que você precisava para ter êxito em alcançá-la?

Agora inverta a situação. Pense numa ocasião em que alguém lhe descreveu com um dos seguintes termos. Apaixonada. Decidida. Resoluta. Focada. Comprometida. Determinada. Motivada. Obstinada. Compulsiva. Persistente na busca. Devotada. Consumida pela obsessão. Empenhada. Constante. Inabalável. Ferrenha. Dedicada. Teimosa.

É bem provável que você estivesse em busca de algo pelo qual tivesse um verdadeiro desejo ardente.

Quando você combina uma meta definida com um desejo ardente de atingir tal meta, ele fornecerá o combustível necessário (motivação, ímpeto, vigor) para criar e executar um plano que lhe permitirá cumprir a meta com sucesso.

Em *Pense e enriqueça*, Napoleon Hill enfocou o desejo ardente em relação à riqueza financeira quando escreveu:

> Todo ser humano que chega à idade de entender o propósito do dinheiro, sente vontade de ter dinheiro. *Sentir vontade* não trará riqueza. Mas desejar riqueza com um estado mental que se torna uma obsessão, e então planejar formas e meios de obter riqueza, e respaldar esses planos com uma persistência que *não reconhece o fracasso*, trará riqueza.

Ele estipulou seis passos, tanto definidos quanto práticos, a serem dados para transformar seu DESEJO de riqueza em realidade financeira, resumidos assim:

Primeiro. Seja clara quanto ao *exato* valor de dinheiro que você quer (DESEJO).

Segundo. Comprometa-se com o que você está disposta a fazer em troca do dinheiro que deseja. (Não existe uma realidade de "algo a troco de nada".)

Terceiro. Qual é a data exata (definida) em que você pretende *possuir* o dinheiro que deseja?

Quarto. Crie um plano de ação definido e comece *agora mesmo*. Uma meta sem um plano é simplesmente uma vontade sem desejo ardente. Não procrastine.

Quinto. Escreva uma declaração de missão pessoal, um mantra, uma declaração clara e concisa sobre a quantia de dinheiro que você quer obter, o prazo que está dando a si mesma para obtê-lo, o que pretende dar em troca do dinheiro, e descreva claramente o plano ou as medidas que tomará para acumulá-lo.

Sexto. Leia seu mantra duas vezes por dia, uma vez antes de deitar e uma vez a cada manhã.

AO LER, VEJA, SINTA E ACREDITE QUE VOCÊ JÁ ESTÁ DE POSSE DO DINHEIRO.

É aqui que o DESEJO ARDENTE virá em seu auxílio. Se você DESEJA o dinheiro para valer, tão vivamente que seu desejo é uma obsessão, você não terá dificuldade em se convencer de que irá obtê-lo. O objeto é querer dinheiro, e você fica tão decidida a tê-lo que se CONVENCE de que irá tê-lo.

Apenas aqueles que ficam conscientes do dinheiro acumulam grandes riquezas. "Consciência do dinheiro" significa que a mente ficou tão completamente saturada pelo DESEJO de dinheiro que a pessoa já consegue se ver de posse dele.

Este trecho dos comentários de Hill enfoca especificamente a acumulação de riqueza financeira. De fato, a seguinte declaração: "'Consciência do dinheiro' significa que a mente ficou tão completamente saturada pelo DESEJO de dinheiro que a pessoa já consegue se ver de posse dele", levantou questões para alguns leitores.

Na verdade, esta frase me faz dar uma parada cada vez que leio o livro.

Muitos podem reagir a esta linha devido ao aparente conflito com a admoestação bíblica: "O amor pelo dinheiro é a raiz de todos os males".

Com certeza, ao longo da história do dinheiro houve muitos exemplos em que a fortuna excessiva trouxe à tona o pior das pessoas, revelando quem elas eram no fundo de sua alma. Se você é cruel, ter mais dinheiro apenas a deixará ainda mais cruel. Entretanto, o contrário também é verdadeiro. Se você é naturalmente generosa, ganhar mais dinheiro provavelmente vai deixá-la muito mais generosa.

Uma vez que Hill estava entrevistando as pessoas mais ricas do mundo, a maioria das quais também eram muito filantrópicas, optei por reler esse trecho como: "Consciência do dinheiro significa que a mente ficou tão completamente saturada pelo DESEJO de dinheiro, *de modo que a pessoa possa fazer mais boas ações*, que ela já consegue se ver de posse dele". Acredito que Hill confirma essa versão da declaração quando continua a discussão referente aos "grandes líderes":

> Deve-se perceber que todos que acumularam grandes fortunas primeiro tiveram uma certa quantidade de sonhos, esperanças, vontade, DESEJO e PLANOS antes de obter o dinheiro.

> Você deve igualmente saber também que todo grande líder, da aurora da civilização até o presente, foi um sonhador.
>
> UM DESEJO ARDENTE DE SER E DE FAZER é o ponto de partida de onde o sonhador deve decolar. Os sonhos não nascem da indiferença, preguiça ou falta de ambição.

A resistência que senti à referência de Hill ao desejo por dinheiro provavelmente deve-se em parte também ao fato de eu ser mulher. A *Forbes Woman* publicou em 2013 um artigo de Peggy Drexler, Ph.D. e professora assistente de psicologia em psiquiatria na Weill Cornell Medical College, abordando como homens e mulheres definem o sucesso de maneira diferente.

> O que realmente significa sucesso? O motivo para mais mulheres fazerem esta pergunta é que a resposta provavelmente é mais complexa para elas do que para os homens. A especialista em inteligência de gêneros Barbara Annis acredita que a definição de sucesso para os homens é simples. É vencer. O sucesso pode vir na forma de mais dinheiro, ou de um emprego melhor, ou de uma vaga melhor no estacionamento, ou de uma esposa mais gostosa. Mas sucesso tem a ver com derrotar a concorrência, em qualquer tipo de competição, ponto. As mulheres também querem vencer, é claro. Mas Annis argumenta que elas também querem ser valorizadas. Ela relata que, em sua experiência como consultora para uma gama de empresas Fortune 500, o motivo número 1 para as mulheres deixarem seus empregos é sentirem que seu trabalho é subvalorizado e seus esforços são ignorados.

"Todas nós caímos na conversa da definição masculina de sucesso, dinheiro e poder, e não está funcionando", disse Arianna Huffington, cofundadora e editora-chefe do *Huffington Post*, no programa *Today*, em junho de 2013. "Não está funcionando para os homens, e não está funcionando para as mulheres. Não está funcionando para ninguém."

O *Huffington Post* perguntou a suas comunidades no Facebook e no Twitter o que significava sucesso para elas. Não sei se a iniciativa qualifica-se como uma pesquisa científica em termos estatísticos, mas acho que os resultados dizem muito sobre como as mulheres estão definindo o que significa ser poderosa e o que significa ter sucesso. Em um artigo escrito por Emma Gray em julho de 2013, ela compartilhou a declaração de Valerie Jarrett na Third Metric Conference do *Huffington Post*: "Você pode ter tudo, mas não pode ter tudo ao mesmo tempo". Ela então compartilha as dezenove coisas que significam sucesso conforme a pesquisa.

CÁ ESTÃO DEZENOVE COISAS QUE SIGNIFICAM SUCESSO, DE ACORDO COM AS LEITORAS DO *HUFFINGTON POST*:

1. Fazer algo impactante e amar cada minuto disso.
2. Encontrar o que é bom nas imperfeições da vida.
3. Perceber que sua contribuição para o mundo é valorizada, senão pelos outros, por você.
4. Fazer diferença ensinando *outros* a alcançar o sucesso.
5. Viver e amar plenamente, sem vergonha e sem apologia.
6. Promover uma causa justa, como a luta contra a caracterização étnica.
7. Ir à praia todos os dias!
8. Fazer sua família feliz.
9. Desempenhar um papel ativo na busca pela igualdade de gêneros.
10. Ter condições de controlar sua própria agenda.
11. Ser saudável – e ter um emprego que ajude outras mulheres a fazerem o mesmo.
12. Ter força para tentar e tentar de novo, mesmo quando você cai de cara no chão.
13. Ter orgulho de si mesma.
14. Fazer o seu melhor e ser grata por tudo de bom em sua vida.
15. Encontrar um equilíbrio saudável entre um lar amoroso e uma carreira de que você gosta.
16. Ter pessoas em sua vida que sempre possam lhe fazer sorrir.
17. Amar o que você faz para ganhar a vida.
18. Saber que sua filha terá condições de defender o que é certo e não terá medo ser ela mesma na frente dos outros.
19. Aprender a estar no momento em vez de ir, ir, ir constantemente.

Embora esta pesquisa possa não ter sido executada de forma científica, as respostas, com certeza, são coerentes com minha definição pessoal de sucesso. Quando me pedem para definir o sucesso, minha resposta é: sucesso é como você se sente a respeito de si mesma ao se olhar no espelho à noite – e não tem nada a ver com o reflexo!

Isso significa que as mulheres não queiram ficar ricas? De jeito nenhum! Mas acredito que as mulheres olham para a riqueza de modo muito mais holístico. Elas desejam dinheiro pelo que podem fazer com ele, não só pelo dinheiro em si. O conselho de Hill referente à obtenção de sucesso financeiro é igualmente aplicável a outras áreas do sucesso pessoal, físico, espiritual ou nos negócios. Vamos então rever como os seis passos de Hill seriam interpretados a partir deste ponto de vista mais holístico:

> Siga os mesmos seis passos, mas enfoque o objeto de seu DESEJO ARDENTE

Primeiro. Seja clara quanto ao *exato* montante de impacto que você quer ter, ou de mudança que quer ver (DESEJO).

Segundo. Comprometa-se com o que você está disposta a fazer em troca de produzir tal impacto. (Não existe uma realidade de "algo a troco de nada".)

Terceiro. Qual é a data exata (definida) em que você pretende ter realizado isso?

Quarto. Crie um plano de ação definido e comece *agora mesmo*. Uma meta sem um plano é simplesmente uma vontade sem desejo ardente. Não procrastine.

Quinto. Escreva uma declaração de missão pessoal, um mantra, uma declaração clara e concisa sobre o impacto que quer causar, o prazo que está dando a si mesma para efetivá-lo, o que pretende dar em troca, e descreva claramente o plano ou as medidas que tomará para ocasioná-lo.

Sexto. Leia seu mantra duas vezes por dia, uma vez antes de deitar e uma vez a cada manhã.

E então o mais importante: VEJA, SINTA e ACREDITE que você já teve êxito em atingir sua meta.

Quando você se vê querendo fazer alguma coisa, ou atingir alguma coisa para mudar algo, ou se tornar algo com tamanha vontade que mal consegue pensar em outra coisa, você está em um estado de DESEJO ARDENTE.

Você vai verificar que fica ainda mais focada em sua meta e, o mais importante, encontra paz mental.

Um dos maiores exemplos de alguém que demonstrou um DESEJO ARDENTE que, com certeza, não era de natureza financeira foi Madre Teresa de Calcutá, que dedicou a vida a ajudar os pobres, os doentes e os moribundos ao redor do mundo, em especial na Índia. Ela sentiu o chamado e o desejo ardente de sair em auxílio dos pobres enquanto vivia entre eles e inspirou milhões com sua devoção absoluta. Ela dedicou a vida a instilar esperança e criar alegria onde não havia nada.

As palavras de Madre Teresa descrevem seu comprometimento e o desejo ardente de promover o amor incondicional em todo o planeta: "Não vamos nos dar por satisfeitos em doar apenas dinheiro. Dinheiro não basta, dá para se conseguir dinheiro, mas eles precisam que o coração de vocês os amem. Assim, espalhem amor por onde forem".

A abençoada Madre Teresa foi uma prova positiva de que uma mulher pode mudar o mundo!

Mas ela não estava sozinha. Embora não tão conhecida quanto Madre Teresa, Wangari Maathai é outra grande mulher da história que foi um grande exemplo de DESEJO ARDENTE colocado em prática. Educada em biologia nos Estados Unidos, tornou-se a primeira mulher da África oriental e central a obter um doutorado, e foi a primeira mulher africana a receber o Prêmio Nobel da Paz.

Ela fundou o Movimento do Cinturão Verde em 1977, quando identificou que centenas de milhares de mulheres do Quênia eram forçadas a caminhar por quilômetros em busca de lenha e água. O país fora desmatado e era assolado pela seca e pobreza. Sua resposta foi simples: plantar árvores. Então ela começou a pagar pequenas quantias para as mulheres africanas plantarem árvores.

As árvores ajudaram a evitar mais erosão e por fim geraram lenha para ser queimada. Os resultados dos esforços incansáveis desta mulher podem ser vistos e medidos pelos 51 milhões de árvores plantadas pelas mulheres de toda África desde 1977. Ela creditou seu sucesso à educação, visão clara, responsabilidade pessoal e autodeterminação, e obteve resultados claros por partir para a ação com justiça e integridade, e não só falando a favor ou reclamando.

Nas palavras dela mesma: "Quando plantamos árvores, plantamos as sementes de paz e esperança".

Quanto à fonte de seu desejo ardente, ela disse: "Eu na verdade não sei por que me importo tanto. Simplesmente tenho uma coisa dentro de mim que diz que existe um problema e que eu tenho que fazer alguma coisa a respeito. Acho que é o que eu chamaria de Deus em mim".

Mas a verdadeira essência da jornada de uma mulher em busca de sucesso e importância foi melhor descrita por Oprah Winfrey, uma das mulheres mais bem-sucedidas e ricas do mundo, e que se fez sozinha, em seu discurso para formandos de Harvard em 31 de maio de 2013. Oprah compartilhou que, embora muitos considerem que ela esteja no auge do sucesso, teve que empregar os mesmos seis passos quando se viu confrontada pelo "pior período" de sua vida profissional.

Embora seja difícil imaginar alguém como Oprah sentindo-se estressada e como se tivesse parado de fazer sucesso, você sentirá o poder da emoção dela ao descrever como encontrou o DESEJO ARDENTE de ter êxito, deu-se um prazo e criou o plano que proporcionaria uma virada em seus negócios. O Oprah Winfrey *Show* havia sido o número 1 por mais de vinte anos quando Oprah decidiu encerrar o programa e lançar a OWN, Oprah Winfrey Network. Depois de todos aqueles anos sendo a epítome do sucesso, ela decidiu "que estava na hora de recalcular, encontrar novo território, inovar". Ela estava acostumada com o sucesso, tinha ficado "muito confortável" com o nível de sucesso que havia alcançado com o Oprah Winfrey *Show*. Esperava triunfo semelhante com a OWN ("A sigla funcionou bem para mim"). Entretanto, de início a OWN não ficou à altura das expectativas. Nas palavras de Winfrey:

> ... praticamente todo veículo de comunicação havia proclamado que meu novo empreendimento era um fiasco. Não um fiasco apenas, mas um fiasco bombástico, disseram. Ainda posso lembrar o dia em que abri o *USA Today* e li a manchete: "Oprah, não muito bem das pernas na OWN". Quer dizer, é mesmo, *USA Today*? E esse foi o jornal bonzinho! Realmente, esse período do ano passado foi a pior fase da minha vida profissional. Fiquei estressada, fiquei frustrada e, muito francamente, fiquei constrangida de verdade".

Foi bem por volta dessa época que Oprah recebeu o convite para discursar para os formandos de Harvard. Com a confiança abalada em função das críticas implacáveis à OWN, ela ficou na dúvida: "O que eu poderia dizer a formandos de Harvard, alguns dos graduados mais bem-sucedidos do mundo, no exato momento em que havia deixado de fazer sucesso?".

Conforme descrito por ela, a inspiração veio no chuveiro. Ela recordou as palavras de um velho hino de igreja: "Pouco a pouco, quando a manhã chegar. Os problemas não duram para sempre, este também há de passar". Naquele momento, ela se comprometeu a dar a volta por cima com sua rede, de modo que pudesse compartilhar isso com os formandos de Harvard.

Depois de agradecer aos formandos por lhe proporcionarem a motivação para levar a rede a novos patamares de sucesso, ela prosseguiu dizendo que eles devem elaborar currículos para contar suas próprias histórias, currículos contando o que querem realizar na vida e por que, não só com datas e listas de suas realizações na vida. Ela avisou que as histórias pessoais e os porquês pessoais irão ajudá-los a passar por aqueles momentos difíceis da vida quando tropeçarem e caírem. E então pediu a cada um deles que pensassem sobre sua verdadeira vocação, seu verdadeiro propósito.

A seguir Oprah compartilhou a história pessoal da descoberta de seu verdadeiro propósito. Sua inspiração veio de uma garota de nove anos de idade que havia começado a juntar trocados para ajudar pessoas necessitadas. Sozinha, a menina havia angariado mil dólares. Oprah indagou-se o que ela poderia realizar caso seguisse o exemplo da garotinha.

Então Oprah pediu aos espectadores que começassem a juntar seus trocados. E em um mês os espectadores de Oprah enviaram mais de US$ 3 milhões. Ela conseguiu mandar um aluno de cada estado norte-americano para a faculdade. Este foi o início de sua Angel Network.

A Angel Network de Oprah expandiu-se dramaticamente; por meio do apoio e generosidade contínuos de seus fiéis espectadores, foi possível construir 55 escolas em doze países e restaurar quase trezentas residências destruídas pelos furacões Rita e Katrina. Embora Oprah estivesse na televisão há muitos anos, o sucesso da Angel Network ajudou-lhe a redefinir seu propósito e redirecionar sua influência na TV. Os objetivos de seus programas, entrevistas, atividades de negócios e filantrópicas passaram a enfocar assuntos que unem em vez de assuntos que dividem.

Recomendo-lhe que leia a íntegra do discurso de Oprah para os formandos de Harvard. Ela mesmerizou os formandos, mas sua mensagem é verdadeiramente universal e se aplica a cada uma de nós. Ela destacou que todo mundo leva um tombo em algum momento da vida, mas "fracasso é apenas a vida tentando nos mover em outra direção". A chave, disse ela, é

> ...aprender a partir de cada erro, porque cada experiência, encontro e em especial seus erros são o que lhe ensinam e forçam a ser mais do que você é. E então descobrir qual é o próximo movimento certo. E a chave para a vida é desenvolver um GPS moral e emocional interno que possa lhe dizer qual caminho seguir".

Ela abriu seu coração na frase de encerramento, falando com paixão, sinceridade e grande esperança no futuro deles:

> De tempos em tempos, vocês podem tropeçar, cair, vocês, com certeza, vão, contem com isso, sem dúvida, vocês vão ter perguntas e dúvidas sobre seu caminho. Mas eu sei o seguinte: se estiverem dispostos a escutar, a ser guiados por aquela vozinha que é o GPS dentro de vocês, para descobrir o que os faz viver, vocês vão ficar mais do que bem. Vão ficar felizes, ter sucesso e fazer diferença no mundo".

Dizem que Oprah é uma grande fã de *Pense e enriqueça* e de Napoleon Hill. Com certeza, sua crença de que todos devem ser responsáveis por sua própria vida, é coerente com a filosofia de Hill.

A maioria de nós cresceu influenciada pelo grande impacto que Oprah Winfrey teve tanto nos meios de comunicação quanto na filantropia. Mas também existe um grande movimento entre mulheres mais jovens que estão assumindo as rédeas do empreendedorismo e não só criando histórias de grande sucesso financeiro como casando o sucesso financeiro com a importância na filantropia. Duas dessas mulheres são Sara Blakely e Tory Burch.

Sara Blakely tinha um DESEJO ARDENTE de modificar a indústria de roupa íntima feminina, que manteve as mulheres em trajes de baixo incômodos e mal ajustados por mais de cinquenta anos. De recepcionista em uma das atrações do Disney World e comediante stand-up a uma das mais jovens mulheres bilionárias do mundo que se fez por si, ela é um fabuloso exemplo de como transformar seu DESEJO ARDENTE em um sucesso fabuloso – e importante.

Aos 29 anos de idade, Sara ficava frustrada quando não conseguia encontrar modeladores sem pé para usar com seus slacks creme e sapatos abertos. Ela investiu as economias de sua vida – cinco mil dólares – e a SPANX nasceu. Desde ter sua nova linha de roupa íntima modeladora incluída nas Coisas Favoritas de Oprah a criar uma linha exclusiva chamada ASSETS para a Target, Blakely conduziu a SPANX de uma companhia de um só produto a uma organização com mais de uma centena de modelos e várias centenas de milhões de dólares de receita anual. Ela conservou 100% da propriedade da companhia privada e nunca fez anúncios.

O conselho dela: "Acredite na sua ideia, confie nos seus instintos e não tenha medo de fracassar. Levei dois anos desde a época em que tive a ideia da SPANX até o momento em que tive o produto em mãos pronto para vender nas lojas. Devo ter ouvido a palavra 'não' umas mil vezes. Se você acredita 100% na sua ideia, não deixe ninguém detê-la! Não ter medo de fracassar é um elemento-chave do sucesso da SPANX".

Em 2006, ela usou seu sucesso para enfocar o auxílio aos outros. Criou a Fundação Sara Blakely, dedicada a ajudar mulheres do mundo inteiro por meio da educação e empreendedorismo. Em 2013, aos 42 anos de idade apenas, ela se tornou a primeira mulher bilionária a assinar o Giving Pledge de Gates-Buffett.

A paixão e o comprometimento arrebatados de Sara não só criaram um incrível sucesso financeiro para ela e proporcionaram importância por meio do apoio a muitas moças ao redor do mundo através de sua fundação, como quase todas nós podemos dizer que nos beneficiamos na aparência pessoal ao descobrir o produto de seu DESEJO ARDENTE – SPANX! Obrigada, Sara Blakely.

Junta-se a Sara uma outra bilionária que se fez sozinha e está na faixa dos quarenta anos, Tory Burch. Tory criou seu sucesso ao ver um vazio no mercado da moda e entrar em cena para preenchê-lo. Tory lançou sua linha de roupas femininas de pronta entrega, acessíveis e sofisticadas, carinhosamente chamada de boêmia arrumadinha, da mesa de sua cozinha em 2004, com uma visão clara e cheia de paixão, mas um conhecimento apenas básico do negócio.

Em 2006, ela lançou seu produto mais conhecido, as sapatilhas de ballet em couro, de US$ 195 o par, chamadas Reva em homenagem a sua mãe. Então em 2010 Oprah incluiu as sapatilhas Reva de Tory no último episódio do Coisas Favoritas. De acordo com a *Forbes*, a companhia gerou receita próxima de US$ 800 milhões em 2012, e em 2013 a *Forbes* adicionou Sara a sua famosa lista de bilionários.

Inspirada por sua experiência como empresária de sucesso e mãe trabalhadora, ela lançou a Fundação Tory Burch em 2009. Em vez de simplesmente iniciar um fundo de caridade para dar dinheiro, Tory optou por criar oportunidades para as mulheres construírem seus próprios negócios, de modo a conquistar independência financeira para si mesmas e suas famílias. Através da fundação, ela fornece empréstimos de cinco mil a cinquenta mil dólares para empreendedoras dos Estados Unidos por meio de pequenos empréstimos empresariais, programas de orientação e educação empresarial. Seu programa de educação empresarial é em parceria com o Programa Dez Mil Pequenos Negócios do Goldman Sachs, LaGuardia Community College e Babson College.

Em um artigo para o *Huffington Post*, Tory também abordou a iniciativa global do Goldman Sachs ao escrever: "Ao longo dos últimos cinco anos, o Dez Mil Mulheres do Goldman Sachs provou que investir nas mulheres de todo o mundo é uma das formas mais eficientes de reduzir a desigualdade e facilitar o crescimento econômico. Quando as mulheres são empoderadas, isso gera famílias mais saudáveis e mais educadas e, em última análise, comunidades mais prósperas.

Considero bastante interessante que Tory Burch e Sara Blakely tenham compartilhado um lugar nas listas das Coisas Favoritas de Oprah. Oprah catapultou muitos negócios para novos patamares com suas recomendações poderosas e exposição na mídia. De fato, eu também experimentei e fiquei entusiasmada com a paixão de Oprah por educação financeira e por indivíduos assumindo a responsabilidade por suas vidas financeiras quando, em 2000, ela apresentou um de meus livros em seu programa. Oprah compartilhou o que havia aprendido quando menina: "Se você quer ir para a frente na vida, tem que fazer acontecer por si mesma". Ela, com certeza, fez acontecer por si mesma – e ajudou milhões de outras ao longo do caminho.

Enquanto Oprah, Sara e Tory tornaram-se milionárias por conta própria porque construíram seus negócios do nada, muitas outras mulheres encontram o sucesso e independência financeira entrando em negócios existentes. Existem franquias, bem como organizações de *marketing* de rede que proporcionam educação, orientação e oportunidades de baixo risco para mulheres que desejam construir um negócio. Franquias em geral custam um pouco mais do que a entrada em companhias de *marketing* de rede, mas ambas oferecem modelos comprovados de sucesso.

Donna Johnson compartilha sua jornada de luta pela sobrevivência e a seguir de grande sucesso e importância, ao entrar para uma organização de *marketing* de rede e, para usar as palavras dela, "ir com tudo!".

> Cresci em uma família de classe média de Wisconsin. Fomos rapidamente para a classe baixa quando meu pai deixou nossa família (eu e quatro irmãos) sem pensão para os filhos e uma mãe decidida a nos amparar. Logo aprendi a ser grata pelas roupas de segunda mão dadas por minha prima. Meu pai foi para a Califórnia e ficou rico com o negócio de impressão. Mesmo quando era um sucesso, nunca mandou dinheiro para nos ajudar, e disse a meus irmãos que "esperava que o governo tomasse conta de nós". Ele morreu jovem, deixando a maior parte de sua riqueza para os empregados.
>
> Jurei nunca ser como ele e nunca ficar desamparada como minha mãe. Isso aconteceu nos primeiros anos de minha adolescência, então mergulhei direto na natação, por fim competindo em nível nacional.
>
> Fui COM TUDO, o que, descobri mais tarde, era um padrão meu. Com frequência as pessoas veem os obstáculos como uma barreira para o sucesso, mas eu não sabia disso. Eu via meus obstáculos simplesmente como algo a superar. Mantinha a cabeça baixa e focada, como eu fazia na raia de natação quando competia.
>
> Visto que eu não tinha dinheiro para fazer faculdade, casei cedo, comecei uma família e fui treinadora de natação. Claro que esta não é uma atividade lucrativa. Eu dava treino por esporte e por amor às crianças, mas com certeza aquilo não botava comida na mesa. Quando me vi encarando o divórcio, com três filhos pequenos e um ex que não provia recursos suficientes para nos sustentar, percebi que precisava de um plano. Não de um emprego, um homem ou uma família para me tirar do aperto.
>
> O primeiro livro sobre desenvolvimento e sucesso pessoal que

li foi *Pense e enriqueça*, de Napoleon Hill. Fiquei completamente embasbacada com os conceitos atemporais que ele ensinava e encorajada porque alguém como eu, uma garota pobre da parte pobre da cidade, podia realmente alcançar o sucesso. Tive um vislumbre de sucesso com a natação, uma vez que aquelas que competiam comigo não tinham uma placa no bloco de partida dizendo que eram mais privilegiadas ou inteligentes que eu.

Usei minhas circunstâncias para mergulhar COM TUDO. Comecei meu negócio de *marketing* de rede com a meta de conseguir cinco mil dólares por mês. Isso foi há vinte e seis anos, e atingi esta meta em cinco meses.

Poucos anos depois, cheguei a seis dígitos por mês, e nunca olhei para trás. Percebi que a única maneira de garantir que aqueles que estou ajudando ganhem o que eu estou ganhando é ir em frente e fazer mais. Também entendi que, se eu quisesse fazer diferença e ajudar as pessoas, poderia dar mais se ganhasse mais.

Apoiei uma pastoral juvenil mesmo quando estava quebrada lá no começo, e apoiamos muitos orfanatos ao redor do mundo através da minha *Spirit Wings Kids Charity*.

Sempre explico à minha equipe que o livro *Pense e enriqueça* não é "Enriqueça e pense". Não ponha a carreta na frente dos bois. Seja a pessoa que você se vê sendo no futuro. Você pode não ser capaz de dar e servir na escala que poderá quando atingir suas metas, mas comece agora e deixe crescer de modo orgânico. A vida é uma jornada, não um destino, e SEJA AGORA a pessoa que você sempre quis SER!

Você reparou em uma linha comum que percorre todas as histórias dessas mulheres? Elas acreditam na importância de retribuir e servir às suas comunidades e pessoas necessitadas. De fato, são apaixonadas a respeito disso. Napoleon Hill disse: "Você dá antes de ter". É uma declaração simples, mas muitíssimo verdadeira. Vamos rever algumas estatísticas comprovatórias lançadas em 2012 pelo Estudo sobre Filantropia de Grandes Fortunas do *Bank of America* conduzido pelo Centro sobre Filantropia na Universidade de Indiana.

- 95% dos lares de grandes fortunas doam para caridade.
- 62% dos doadores de grandes fortunas citam "devolver à comunidade" como a principal motivação para dar.

Além disso, o *National Philantropic Trust* reporta que:

- 64,3 milhões de adultos foram voluntários em 15,2 bilhões de horas de serviço, equivalentes a um valor de US$ 296,2 bilhões.

Um estudo da Faculdade de Administração de Harvard intitulado "Sentindo-se bem a respeito de doar: os benefícios (e custos) do comportamento beneficente em interesse próprio" reportou que suas descobertas apoiam a seguinte teoria:

> Pessoas mais felizes doam mais, e doar deixa as pessoas mais felizes, de tal modo que essa felicidade e esse doar podem operar em um círculo de retorno positivo (com pessoas mais felizes doando mais, ficando mais felizes e doando ainda mais).

Mas o estudo também traçou uma distinção entre doar pelo bem de doar (sem interesse pessoal embutido) e doar na expectativa de um benefício pessoal, indicando a necessidade de mais estudo sobre este último.

Existem, contudo, outros benefícios em doar, seja uma doação financeira ou do seu tempo pessoal. Existe a vantagem óbvia e muito divulgada da possibilidade de deduzir as contribuições financeiras e determinados aspectos do serviço voluntário no imposto de renda.

Mais importantes são os benefícios pessoais oriundos da retribuição. O círculo de retorno positivo realçado pelo estudo de Harvard traz recompensas ainda maiores. O ato de doar não só cria felicidade, mas quase que, com certeza, irá aumentar sua sensação de bem-estar e a autoestima. Você pode descobrir uma sensação de propósito e satisfação interna. Ao trabalhar em contato próximo com uma instituição de caridade, você ficará mais informada sobre propósito específico desta, seja ele relacionado à injustiça social ou saúde. Simplesmente por saber mais sobre a instituição de caridade, você terá condições de compartilhar com sua rede de influência e "divulgar o tema (e trabalho)" daquela causa específica.

Com frequência as pessoas relatam que sua vida espiritual foi fortalecida por sua atividade com caridade. Com certeza, você expande a oportunidade de criar redes sociais e fazer contatos enquanto recebe os benefícios mentais e espirituais de sua disposição em retribuir.

Debra Mesch, Ph.D. e diretora do Instituto de Filantropia de Mulheres (IUPUI), lançou um relatório chamado Doação de Mulheres 2012 que revelou que mulheres da geração *baby boom* e mais velhas são mais propensas a fazer caridade e doar mais que seus pares masculinos quando se leva em consideração outros fatores que afetam a doação. Elas tendem a fazer doações por motivos mais pessoais e tendem a fazer mais doações em valores menores que os homens.

Desse modo, as palavras de Napoleon Hill "você doa antes de ter" são validadas não só pelas histórias das mulheres compartilhadas neste capítulo, mas também por estudos e pesquisas científicos.

O CAPÍTULO NA PRÁTICA – EM MINHA VIDA

Meu *desejo ardente* foi aceso quando eu era bem jovem. Quando eu era uma garotinha, toda noite meu pai me perguntava: "Sharon, você fez diferença na vida de alguém hoje?". Embora eu tenha perdido meu pai há anos, ainda me faço esta pergunta toda noite.

De voluntária na escola e na igreja à escoteira quando era jovem, e ao serviço em várias organizações comunitárias e nacionais sem fins lucrativos de hoje, retribuir e servir aos outros sempre foi uma parte importante de minha vida.

Nos negócios, tive a sorte de combinar minha paixão como empreendedora, mulher e mãe com minhas iniciativas empresariais. Depois de criar uma revista feminina e construir a indústria dos livros falantes – livros infantis que emitem sons ao serem tocados –, meu *desejo ardente* nos últimos vinte anos ficou mais focado na educação financeira para jovens e mulheres, bem como em ferramentas para empreendedores construírem negócios.

Não chamo o que faço de trabalho porque ele me dá de volta muito mais do que eu invisto.

E, como resultado do sucesso com que fui abençoada, tenho sido capaz de manter minha paixão e combinar minhas iniciativas filantrópicas com minhas atividades de negócios. Apoio uma iniciativa financeira anual para alunos do ensino médio, trabalho com muitos grupos de mulheres no oferecimento de seminários e treinamento financeiro, bem como trabalho com proprietárias de negócios ajudando-as a passar para o nível seguinte. Embora esses sejam meus negócios, reinvisto uma parte do dinheiro que ganho para proporcionar estes mesmos serviços às pessoas por meio de minhas iniciativas sem fins lucrativos. Tenho a maior alegria quando vejo "a luz acender", quando uma moça que tenta reconstruir sua vida surge com uma ideia e também a coragem de ir em busca daquilo. Esse combustível constante mantém meu *desejo ardente* queimando com força!

A MENTE SUPERIOR DA IRMANDADE

A sabedoria de mulheres importantes e bem-sucedidas sobre o *DESEJO ARDENTE*:

MARY KAY ASH (1918-2001)

EMPRESÁRIA NORTE-AMERICANA E FUNDADORA DA MARY KAY COSMETICS

"Devemos descobrir como seguir sendo boas esposas e boas mães ao mesmo tempo em que triunfamos no local de trabalho. Não é uma tarefa fácil para a mulher que trabalha em turno integral ... com suas prioridades em ordem, acelere e jamais olhe para trás. Que todos os seus sonhos possam tornar-se realidade. Você pode, de fato, ter tudo. Quero que vocês se tornem as mulheres mais bem pagas da América."

MAYA ANGELOU

NASCIDA MARGUERITE ANN JOHNSON, ESCRITORA E POETA NORTE-AMERICANA

"Peça o que você quer e fique preparada para conseguir!"

"Você só consegue se tornar verdadeiramente talentosa naquilo que ama. Não faça do dinheiro a sua meta. Em vez disso, vá em busca de coisas que você adore fazer, e então faça tão bem que as pessoas não consigam tirar os olhos de você."

"Sucesso é gostar de si mesma, gostar do que você faz e gostar da forma como você faz."

MURIEL SIEBERT (1928-2013)

PRIMEIRA MULHER A POSSUIR UMA CADEIRA NA BOLSA DE VALORES DE NOVA YORK

"Se você for ficar sentada aí e esperar que outras pessoas façam as coisas por você, em breve estará com oitenta anos, e vai olhar para trás e perguntar: 'Ei, o que eu fiz?'. Minha mãe tinha uma voz divina e lhe ofereceram um lugar no palco, mas moças judias direitas não iam para o palco naquele tempo. Assim, cresci com uma mulher que foi frustrada a vida inteira. Eu, com certeza, não iria continuar naquele papel. Eu jurei que faria o que quer que quisesse fazer."

INDIRA GANDHI (1917-1984)
TERCEIRA PESSOA A OCUPAR O CARGO DE PRIMEIRO-MINISTRO DA ÍNDIA
"Tenha uma propensão em relação à ação – vamos ver alguma coisa acontecer agora. Você pode quebrar o grande plano em pedacinhos e dar o primeiro passo agora mesmo."

MARGARET TATCHER (1925-2013)
PRIMEIRA-MINISTRA DO REINO UNIDO (1979-1990), MAIOR PERMANÊNCIA COMO PRIMEIRO-MINISTRO DO SÉCULO XX E ÚNICA MULHER A TER OCUPADO O CARGO NO REINO UNIDO
"O que é o sucesso? Acho que é uma mistura de ter talento para a coisa que você está fazendo; saber que isso não basta, que você tem que dar duro e ter um certo senso de propósito."
"Não pode haver liberdade a menos que haja liberdade econômica."
"Você pode ter que lutar uma batalha mais de uma vez para vencê-la."

TORY BURCH
DESIGNER DE MODA E EMPRESÁRIA NORTE-AMERICANA
"Acho que você pode ter tudo. Você só tem que saber que vai dar certo."

J. K. ROWLING, NASCIDA JOANNE "JO" ROWLING
ROMANCISTA BRITÂNICA FAMOSA COMO AUTORA DA SÉRIE DE FANTASIA
"Metas atingíveis são o primeiro passo para o aperfeiçoamento pessoal."

YVONNE CHUA
PRESIDENTE (2013-2014) DA LICENSING EXECUTIVES SOCIETY (LES) INTERNATIONAL; SÓCIA DA FIRMA WILKINSON & GRIST, ADVOGADOS E TABELIÃS, DE HONG KONG
"Ame o que você faz, e faça o que você ama, com sua visão própria e respeito pelo apoio à sua volta."

Compartilho estas frases de mulheres cujas palavras me inspiraram em minha jornada de vida na esperança de que você encontre algo que acenda seu *DESEJO ARDENTE* e a impulsione para um incrível sucesso e importância.

No *Pense e enriqueça* original, Napoleon Hill avisou: "Existe uma diferença entre QUERER uma coisa e estar PRONTO para recebê-la. Ninguém está pronto para uma coisa até acreditar que pode adquiri-la. O estado mental deve ser de CRENÇA, não de mera esperança ou vontade. Uma mente aberta é essencial para a crença. Mentes fechadas não inspiram fé, coragem e crença".

Como transformamos nossos sonhos, esperanças, vontades e DESEJOS ARDENTES em CRENÇA total em nós mesmas? O próximo capítulo vai guiá-la na visualização e crença bem-sucedidas referentes à realização de seu *desejo ardente* com o segundo passo rumo à riqueza – FÉ.

PERGUNTE A SI MESMA

Use seu diário ao percorrer este trecho para identificar suas etapas de ação, ativar seus momentos de "sacação" e criar seu plano para obter sucesso!

Você identificou seu DESEJO ARDENTE?

Dedique um instante para registrá-lo no diário.

Se está tendo dificuldade para definir seu DESEJO ARDENTE, feche os olhos e tente lembrar de uma ocasião em que alguém lhe descreveu como uma das seguintes coisas:

Apaixonada. Decidida. Resoluta. Focada. Comprometida. Determinada. Motivada. Obstinada. Compulsiva. Persistente na busca. Devotada. Consumida pela obsessão. Empenhada. Constante. Inabalável. Ferrenha. Dedicada. Teimosa.

Registre a atividade, projeto ou meta a que se referiam. Você pode ter várias respostas diferentes. Repasse-as e avalie sua reação emocional a cada uma. Isso pode ajudá-la a identificar ou aprimorar seu DESEJO ARDENTE.

Agora crie metas e registre-as, identificando-as conforme as seguintes categorias:

Pessoais
Profissionais
Financeiras
Físicas
Espirituais

Para cada meta, faça as seguintes perguntas a si mesma e registre as respostas:

Esta é realmente a SUA meta?

Ela é ética, moral e atingível?

Você está disposta a se comprometer com a meta, emocional e fisicamente?

Existe um prazo para atingi-la? (Se não houver, crie um!)

Escreva as especificações de seu plano de como pretende atingir a meta até o prazo estabelecido.

Você consegue se visualizar atingindo esta meta?

Crie um mantra, uma declaração de missão pessoal para atingir a meta o mais de acordo possível com seu DESEJO ARDENTE.

Escreva em um bilhete adesivo e cole no espelho do seu banheiro.

Quando se olhar no espelho hoje à noite, diga a si mesma: "Eu sou fabulosa. Eu posso fazer isso!". Então leia sua declaração de missão pessoal.

Repita pela manhã e à noite até atingir sua meta!

Retribuição

Registre em seu diário as formas como você retribuiu sua comunidade, seja financeiramente ou por doação voluntária de seu tempo ou talento.

Como você se sentiu com isso?

Existem outras instituições de caridade que você gostaria de apoiar?

Você pode se comprometer a aumentar seu esforço voluntário todo mês pelos próximos seis meses?

Registre o que você está disposta a fazer ou doar.

Parabéns por identificar seu desejo ardente e se comprometer a ser mais caridosa. Seu círculo de retorno positivo está ativado!

Você é fabulosa!

2

Fé

Visualização do desejo e crença na realização deste

■

Fé é a força por meio da qual um mundo despedaçado há de vir à luz.
– HELEN KELLER

QUAL É O PRIMEIRO PENSAMENTO QUE A PALAVRA "FÉ" DEFLAGRA EM SUA MENTE?

Napoleon Hill desafiou a noção de que fé tem a ver apenas com crença religiosa. FÉ, ou a falta dela, verdadeiramente define o seu destino. Cria o mapa da estrada seguido por seu subconsciente. Negatividade e falta de fé geram mais negatividade. Por outro lado, otimismo, positividade e fé criam a fundação a partir da qual o sucesso pode ser construído.

A sensação e o conhecimento da fé transmitem um poder tremendo sempre que aplicados. A fé é o combustível que nos impulsiona quando nossos músculos estão fracos e nossa mente cansada, mas nosso espírito ainda está em chamas! Fé é o nutriente que nos sustentará quando parecer que o mundo não dá frutos. A fé pode ser inspirada, mas no fim das contas encontra-se dentro de cada indivíduo e não pode ser tirada. A fé é nossa para ser descoberta, para nos elevar e para compartilharmos com os outros, de modo que eles também possam encontrar fé em si mesmos.

Como a fé se manifesta? Isso é diferente para cada indivíduo. Você pode demonstrar fé pelo encorajamento de outros. Talvez você persista em uma tarefa que seja crucial para seu propósito específico, mas que você ainda não domine. Pode ser por debates apaixonados que mantenha com outros que duvidem de seu propósito. A fé inspira ação!

Ao se abordar a importância da fé, faz-se necessário reconhecer as forças que atuam contra ela – preocupação, ansiedade e dúvidas sobre si mesma podem estar entre as principais culpadas. Embora essas tendências possam fazer parte da condição humana, depende de cada uma de nós determinar o tamanho do papel que desempenham em nossa vida.

Hill afirmou que "FÉ é um estado mental que pode ser induzido ou criado por afirmação ou pela repetição de instruções à mente subconsciente, por meio do princípio da autossugestão".

Ele também explicou que, quando a sua FÉ é combinada à vibração de seus pensamentos, ela ativa sua mente subconsciente, que, por sua vez, comunica-se com a Inteligência Infinita. Ele usa a oração como exemplo.

Assim, pergunte a si mesma pelo que você tem realmente rezado ultimamente. O que tem afirmado em sua mente e em seu subconsciente? É fé, ou você tem permitido que atitudes contrárias à fé mantenham o poder sobre você? A sua conversa consigo mesma resulta em autossugestão positiva?

Preocupação e ansiedade são duas atitudes eficientes contra a fé às quais as mulheres são particularmente suscetíveis. É muito importante que as mulheres entendam o papel que essas duas atitudes desempenham em sua vida. Elas geram impacto na autoconfiança, na FÉ em si mesma e nos sentimentos de merecimento – todos estes são fatores importantes para se alcançar o sucesso – ou não! Você não consegue ter FÉ intensa em si mesma e ser autoconfiante se sofre de ansiedade e depressão. Então, como isso é diferente para as mulheres em relação aos homens?

Um artigo de janeiro de 2013 escrito pela equipe da Clínica Mayo, intitulado "Depressão nas mulheres: entendendo a disparidade entre os gêneros", reporta que a depressão é experimentada por aproximadamente duas vezes mais mulheres que homens – e que cerca de uma em cada cinco mulheres desenvolve depressão em algum momento da vida. Embora haja muita controvérsia quanto às causas específicas, mudanças hormonais (puberdade, problemas pré-menstruais, gravidez, depressão pós-parto, pré-menopausa e menopausa), traços herdados e experiências de vida são famosos por contribuir para tendências depressivas.

O artigo a seguir descreve certas situações de vida, inclusive questões culturais, que também são mais estressantes para mulheres do que homens. O primeiro é o poder e *status* desiguais provenientes de ser mais provável que as mulheres do que os homens vivam na pobreza e não se sintam no controle de sua vida. Com certeza, a bem conhecida existência da discriminação de gênero e a desigualdade salarial que ainda ocorre entre homens e mulheres que executam o mesmo serviço contribuem em grande parte para que as mulheres sintam-se desiguais em poder e *status*. As realidades culturais ainda existentes em partes do mundo onde as mulheres simplesmente não são devidamente valorizadas por suas contribuições à família, comunidade e economia, com certeza, também contribuem.

A segunda situação de vida a que o artigo se refere é a sobrecarga de trabalho, quando as mulheres que trabalham fora ainda arcam com as responsabilidades domésticas de cuidar dos filhos, manter a casa e até mesmo cuidar dos familiares idosos.

Um resultado natural dessas sensações de desigualdade, falta de *status* e sobrecarga de trabalho é que as mulheres sintam-se mais inseguras do que confiantes, e tenham mais preocupações do que fé. É quase impossível estar deprimida e autoconfiante ao mesmo tempo. A depressão é destrutiva, ao passo que a autoconfiança e a fé são construtivas.

A despeito da controvérsia sobre as causas exatas do estresse nas mulheres, o importante é enfocarmos como erguer, como construir nossa autoconfiança. Ao fazer isso, enfocamos os pensamentos positivos e a energia para criar sucesso em nossa vida.

Vamos rever a definição de FÉ dos lembretes de Hill e o papel que ela desempenha na criação de sucesso em nossa vida:

> Tenha Fé em si mesma: Fé no Infinito.
>
> FÉ é o "elixir externo" que concede vida, poder e ação ao impulso do pensamento!
>
> FÉ é o ponto de partida de toda acumulação de riqueza!
>
> FÉ é a base de todos os "milagres" e de todos os mistérios que não podem ser analisados pelas regras da ciência!
>
> FÉ é o único antídoto conhecido para o FRACASSO!
>
> FÉ é o elemento, o "químico" que, quando misturado com a oração, proporciona comunicação direta com a Inteligência Infinita.
>
> FÉ é o elemento que transforma a vibração ordinária do pensamento, criado pela mente finita do homem, no equivalente espiritual.
>
> FÉ é o único agente pelo qual a força cósmica da Inteligência Infinita pode ser aproveitada e usada pelo homem.

Sara O'Meara e Yvonne Fedderson são a confirmação da definição de FÉ de Hill. Viveram a vida com FÉ, amor e determinação de propósito. Juntas elas fundaram a Childhelp, a maior instituição sem fins lucrativos dos Estados Unidos para atender as necessidades físicas, emocionais, educacionais e espirituais de crianças abusadas, e foram indicadas para o Prêmio Nobel por seus incansáveis esforços.

Elas compartilham a história da Árvore da Fé, de como você pode começar com uma semente de esperança e fé, sustentar esta fé nos tempos difíceis enquanto a nutre e fortalece, e por fim colher os benefícios do vigor criado e compartilhar esta riqueza com outros, a maior de todas as recompensas. Elas compartilham ainda suas Preces de Bolso, que também podem ajudar você em sua jornada.

A Árvore da Fé: crescendo, sobrevivendo e florescendo

CRESCENDO

Dinheiro não cresce em árvore, mas fé sim. Preocupação é o juro pago sobre um problema antes de seu vencimento, mas Fé é como dinheiro no banco. Napoleon Hill escreveu: "Fé o ponto de partida de toda acumulação de riqueza". Em geral, verificamos que estamos onde escolhemos estar. A fé nos dá coragem para fazermos as mudanças necessárias em nossa vida e nos permite crescer de maneira clara e positiva. Cada sonho moldado em uma meta começa com a fé em que, se plantarmos uma semente de esperança, cuidarmos bem de nosso jardim e sobrevivermos às tempestades que por certo surgirão em nosso caminho, um sucesso florescente há de desabrochar.

Quando começamos a construir nossa organização sem fins lucrativos, a Childhelp, a fé foi nossa fundação, tornou-se o solo em que plantamos cada centro de defesa, instalação de tratamento residencial, linha direta, agência de adoção, lar adotivo e casa-família. Logo vimos os frutos de nosso trabalho ramificando-se em legislação nacional e florescendo em educação preventiva. Sabíamos que a defesa de crianças abusadas fazia parte do plano de Deus e que seríamos guiadas ao longo de cada estação. Trabalhamos duro no campo todos os dias, mas nunca duvidamos de que um Poder Superior estava enriquecendo nosso solo, nutrindo nossa visão e garantindo que o sol brilhasse sobre nossas crianças.

Mas e se você não tem fé? E se os tempos difíceis e a decepção deixam-na desprovida da crença de que pode ser bem-sucedida? A boa notícia é que você pode crescer e saber que está crescendo. Você pode ficar mais forte em fé, mais sábia em espírito e ver isso em si mesma. Uma popular parábola bíblica afirma que o menor grão de fé, tão minúsculo quanto uma semente de mostarda, pode arrancar árvores pela raiz e mover montanhas. Antes de plantar sua árvore, defina o crescimento exitoso e determine o que deixará seu solo "rico".

Quando você escolher viver a vida com fé, desejos e esperanças vão se magnetizar para você, e você começará a se erguer acima das nuvens. Você verá além de todas as limitações aparentes e irá valorizar mais a si mesma e aos outros. Assim, pergunte a si mesma se você está buscando unicamente fortuna material ou a riqueza de espírito proveniente de estar a serviço dos outros.

SOBREVIVENDO

Depois dos ataques devastadores nos Estados Unidos em 11 de setembro de 2001, uma árvore chamuscada e com galhos quebrados foi descoberta no entulho do Marco Zero. Era uma pequena pereira *callery* que conseguiu fazer brotar algumas folhas por baixo da destruição. Sua descoberta avivou os ânimos das fatigadas equipes de salvamento e se tornou um símbolo de recuperação. Os trabalhadores estavam decididos a manter a árvore viva e agiram em conjunto com os funcionários dos parques locais para plantá-la no local onde tanto se perdera. Mesmo quando uma tempestade terrível arrancou a árvore, ela foi replantada e floresceu outra vez com botões brancos de esperança. Ela foi chamada de Árvore Sobrevivente.

Crianças abusadas e negligenciadas chegam a nós com o espírito chamuscado e a vida desenraizada. Em cada Aldeia de Tratamento Residencial Childhelp há um jardim onde os meninos e meninas sob nossos cuidados cultivam frutas e vegetais da semente ao prato, aprendendo sobre o ciclo do crescimento, porém incorporando a importância da sobrevivência. Ensinamos que não há desafio do passado que possa deter a realização de um futuro de abundância. Como a Árvore Sobrevivente, as crianças aprendem que uma sementinha pode criar algo grande que talvez seja arrancado pela raiz várias vezes, mas que sempre tem a chance de se ramificar e ficar são.

E se o seu passado está obstruindo seu progresso ou você fica vivenciando reveses? Não há necessidade de olhar para trás exceto para reconhecer as lições que você aprendeu, tomando apenas o positivo dessas experiências para aproveitar no futuro. A tristeza olha para trás, a preocupação olha em volta, e a fé olha para cima. Napoleon Hill assegura: "A fé é o único antídoto conhecido para o fracasso", e 2 Coríntios 4:13-18 promete: "Embora exteriormente estejamos a desgastar-nos, interiormente estamos sendo renovados dia após dia. Pois os nossos sofrimentos leves e momentâneos estão produzindo para nós uma glória eterna que pesa mais do que todos eles. Assim, fixamos os olhos não naquilo que se vê, mas no que não se vê. Pois o que se vê é transitório, mas o que não se vê é eterno". Quando você entrega sua luta para um Poder Superior, você não sobrevive apenas: você planta raízes que irão mantê-la forte para sempre.

FLORESCENDO

Uma vez que tenha crescido em confiança e sobrevivido aos testes de sua fé, você entrará em um período de grande poder e responsabilidade. Você será vitoriosa sobre seu ambiente, suas fraquezas e todos obstáculos em sua vida quando seguir o caminho de Deus. Esse é o seu tempo de prosperar! Você ficou confiante em superar lutas e assistiu seus sonhos manifestarem-se. De repente, você consegue ver de que forma uma ideia brilhante torna-se uma realidade concreta. Este é o platô final de fé que Napoleon Hill define muito habilmente: "Fé é o 'elixir eterno' que concede vida, poder e ação ao impulso do pensamento".

É importante viver e fazer seu trabalho de tal forma que, quando os outros a veem, a avaliação deles é a evidência da Fé. Quando isso acontece, você colhe as recompensas que merece. Uma das lições mais importantes que aprendemos é que o sucesso não é um ponto final e que nossos pensamentos moldam todo e cada dia. Das crianças da Childhelp à nossa equipe, nossos voluntários, nossos amigos e famílias, mantemos esta verdade: nossos pensamentos são nossas ações, de modo que pensamento positivo gera resultados positivos. Qual é a outra palavra para pensamento positivo? Fé.

Mateus 12:33-37 fala sobre o uso do sucesso com responsabilidade: "A boa pessoa do seu bom tesouro tira o bem, e a má pessoa do seu mau tesouro tira o mal". O verso resume com perfeição: "Ou se faz a árvore boa e o seu fruto bom, ou se faz a árvore má e o seu fruto mau, pois a árvore é conhecida por seu fruto". Florescer, portanto, não se trata apenas de quão alto você cresce, trata-se de garantir que de seus galhos jamais brotem botões amargos e venenosos, e que seus frutos sejam, isso sim, sempre saudáveis e doces.

A Árvore da Fé de Sara e Yvonne, com certeza, revela a profundidade da natureza generosa de ambas, bem como a FÉ delas em todos e cada um de nós. Vamos rever apenas alguns de seus pensamentos:

- Em geral, verificamos que somos quem escolhemos ser.
- A fé nos dá coragem para fazermos as mudanças necessárias em nossa vida e nos permite crescer de maneira clara e positiva.
- Quando você entrega sua luta para um Poder Superior, você não sobrevive apenas: você planta raízes que irão mantê-la forte para sempre.
- Florescer, portanto, não se trata apenas de quão alto você cresce, trata-se de garantir que de seus galhos jamais brotem botões amargos e venenosos, e que seus frutos sejam, isso sim, sempre saudáveis e doces.

Pergunte a si mesma que papel a FÉ desempenhou em sua vida e em seu sucesso. Tente lembrar de uma ocasião em que você "ralou" durante um período difícil de sua vida. Que papel a FÉ desempenhou?

Em *Three Feet From Gold* introduzimos a equação do Sucesso Pessoal, que demonstra a importância absoluta da fé para se alcançar o sucesso. É assim:

[(P + T) x A x A] + F = Sucesso Pessoal

Assim como Hill descobriu os princípios do sucesso pela pesquisa e estudo das pessoas mais bem-sucedidas do tempo dele, a equação do sucesso pessoal provém da análise daquilo que foi essencial para o sucesso dos líderes da indústria moderna e de sua capacidade de superar obstáculos. Quando combina sua **P**aixão e seu **T**alento com as **A**ssociações certas e então adota as **A**ções certas, você está no caminho do sucesso. Todavia, para garantir que você seja verdadeiramente bem-sucedida e supere quaisquer obstáculos que possam estar no caminho, você precisa de Fé. Fé em você mesma, em sua missão e em sua capacidade de ter êxito lhe ajudarão a perseverar nos tempos difíceis e a impulsionarão para patamares ainda mais elevados de sucesso.

As narrativas a seguir são de mulheres que consideram a fé uma parte integrante de suas histórias de sucesso. Você talvez reconheça sua própria história de fé em uma delas.

Liora Mendeloff, fundadora e presidente da Women Speakers Association, compartilha o momento em que se investiu de FÉ:

> Percebi que existe uma espécie de doce entrega e uma linha tênue de se saber o nosso propósito e não necessariamente saber como tudo vai parecer, como tem que parecer, mas seguir em frente mesmo assim. De modo que minha jornada de vida tem sido aprender quem eu sou. Não é uma conversa externa. É uma conversa interna, e eu meio que andei me empurrando para fora do ninho e aprendendo a voar durante a queda. Deixando-me ser levada e de algum modo sempre aterrissando sobre meus pés. Não sei por que, mas, pela graça de Deus, tem sido assim.

Tess Cacciatore é cofundadora e diretora de operações da *Global Women's Empowerment Network* (GWEN), organização sem fins lucrativos dedicada a empoderar mulheres e ajudá-las a transformar suas vidas para além do abuso. Tess é uma produtora premiada, cinegrafista, jornalista e empreendedora social que dedicou a vida a lutar pela paz, justiça e igualdade ao redor do mundo. Em uma de suas iniciativas, trabalhou para angariar fundos para alimentar 1,3 milhão de crianças por meio de redes sociais e para construir trinta e oito lares no Sri Lanka após o tsunami de 2004.

Quando indagada sobre o papel que a FÉ desempenhou em sua vida, ela respondeu:

> Sigo os conceitos de Napoleon Hill há muitos anos, e para mim quatro princípios destacam-se como a pedra angular de minha forma de operar meus negócios. Nós aplicamos a fé, fazemos um esforço extra, temos uma atitude mental positiva e acreditamos no trabalho em equipe. Com estes quatro princípios tive condições de chegar a mulheres e crianças de todo o mundo. Dos quatro, a aplicação da fé seria o mais importante porque, em meio a todos os dissabores e atribulações pelos quais todos nós passamos neste mundo hoje em dia, creio que seja a fé o que mais me impulsiona e me proporciona uma atitude positiva. Me concede a percepção e abertura para montar uma equipe de pessoas que muito me orgulha observar e me oferece as lições que tenho vivenciado todos os dias.

E temos então Rita Davenport, uma mulher incrível que inspirou, motivou e entreteve todos os que tiveram o prazer de estar com ela. Ela não apenas tinha um programa de televisão, mas liderou uma companhia de *marketing* de rede, presidindo-a até chegar a quase US$ 1 bilhão em receitas anuais, e inspirou todos seus representantes a ir em busca de seu potencial. Em seu livro mais recente, *Funny Side Up*, ela compartilha o seguinte conselho fabuloso:

> Você é digna de sucesso e irá desfrutar do sucesso na medida – e apenas na medida – em que acreditar em si mesma. Se você não acredita, todo mundo consegue notar. Ao contrário da crença popular, as pessoas não são tolas. Se você não acredita em si mesma, isso fica evidente e todo mundo consegue ver. E, se você não acredita em si mesma, por que os outros acreditariam? Eles já têm bastante dificuldade para manter a crença neles mesmos! Comprometa-se a se ver em suas mais elevadas possibilidades, e aja como tal!

Conforme evidenciado por Liora, Tess e Rita, FÉ não apenas cria atitude positiva e autoconfiança – é um ingrediente essencial. Hill fornece a seguinte fórmula passo a passo para se criar e aumentar a autoconfiança. Começa com o seu Propósito Definido, conforme analisado no Capítulo 1, e mostra como aplicar e aumentar sua FÉ para alcançá-lo.

FÓRMULA DA AUTOCONFIANÇA

Decida-se a jogar fora as influências de qualquer ambiente infeliz e a construir sua vida em ORDEM. Fazendo o inventário de ativos e passivos mentais, você descobrirá que sua maior fraqueza talvez seja a falta de autoconfiança. Essa deficiência pode ser superada, e a timidez pode se traduzir em coragem mediante o auxílio da autossugestão. A aplicação deste princípio pode ser feita pela simples organização de impulsos de pensamento positivo declarados por escrito, memorizados e repetidos até se tornarem parte do equipamento de trabalho da faculdade subconsciente de sua mente.

Primeiro. Eu sei que tenho capacidade de atingir o objetivo de meu Propósito Definido na vida; portanto, eu EXIJO de mim mesma ação persistente e contínua neste sentido, e prometo, aqui e agora, realizar tal ação.

Segundo. Eu percebo que os pensamentos dominantes em minha mente no fim irão se reproduzir em ação física externa e gradualmente se transformar em realidade física; portanto, vou concentrar meus pensamentos por trinta minutos diariamente na tarefa de pensar sobre a pessoa que pretendo me tornar, criando dessa maneira uma imagem mental clara em minha mente.

Terceiro. Eu sei que, pelo princípio da AUTOSSUGESTÃO, qualquer desejo que eu retenha em minha mente com persistência no fim encontrará expressão através de meios práticos de atingir o objetivo; portanto, devotarei dez minutos diariamente a exigir de mim mesma o desenvolvimento da AUTOCONFIANÇA.

Quarto. Eu escrevi uma descrição clara de minha PRINCIPAL META DEFINIDA na vida e jamais deixarei de tentar até ter desenvolvido autoconfiança suficiente para atingi-la.

Quinto. Eu percebo plenamente que nenhuma riqueza ou situação pode durar muito a menos que construída sobre a verdade e a justiça; portanto, não participarei de nenhuma transação que não beneficie a todos os envolvidos. Serei bem-sucedida por atrair para mim as forças que desejo usar e a cooperação de outras pessoas. Induzirei os outros a me servir devido à minha disposição em servir os outros. Eliminarei o ódio, a inveja, o ciúme, o egoísmo e o cinismo desenvolvendo amor por toda a humanidade, porque sei que uma atitude negativa em relação aos outros jamais poderá me trazer sucesso. Farei com que os outros acreditem em mim porque acreditarei neles e em mim mesma.

Vou assinar meu nome nesta fórmula, comprometer-me a memorizá-la e repeti-la em voz alta uma vez por dia, com plena FÉ de que gradualmente influenciará meus PENSAMENTOS e AÇÕES, de modo que me tornarei uma pessoa autoconfiante e bem-sucedida.

O CAPÍTULO NA PRÁTICA – EM MINHA VIDA

Eu tinha 19 anos de idade quando li *Pense e enriqueça* pela primeira vez, e naquele tempo a palavra FÉ significava ir à igreja e fazer minhas orações todas as noites. A vida, porém, me ensinou muitas e muitas vezes que FÉ é muito mais que essa conotação religiosa. Como a maioria das pessoas, passei por muitas ocasiões que exigiram que eu avaliasse minha vida, as decisões e ações que estava tomando e como ir em frente. Foi a fé que me permitiu dar estes passos, sabendo e acreditando que eram as melhores decisões.

Tive lembretes do papel importante que a FÉ desempenha ao longo de minha jornada. Há alguns anos, enquanto me preparava para um curso que eu ministrava, deparei com uma definição que mudou minha vida. Era a definição da palavra "preocupação". Dizia o seguinte: "Preocupar-se é rezar para o que você NÃO quer!".

Mea culpa! Fui uma pessoa preocupada toda a minha vida. Esta simples definição me ajudou a aprender a me deter no meio de minhas tempestades de preocupação e permitir que eu mudasse o foco de meus pensamentos e preces do que eu não queria para o que eu queria. Teve um impacto profundo em meus pensamentos, minha atitude e minha vida.

A cada vez que leio a definição de FÉ de Hill, me vejo assombrada pelo poder nela contido. Ao pensar sobre minha jornada pessoal de edificação e fortalecimento de minha FÉ, percebo que recebi as maiores dádivas de meus professores espirituais ao longo do caminho. Eles foram meus Anjos na Terra, levantaram-me quando eu caí, ergueram-me em oração nos meus momentos mais sombrios, enquanto recordavam-me gentilmente de todas as coisas pelas quais eu deveria ser grata. Eles fazem o que dizem, vivendo e demonstrando a maior FÉ em suas próprias vidas, todo e a cada dia.

Sara O'Meara e Yvonne Fedderson foram duas das professoras espirituais de maior impacto em minha vida. Pedi a elas que compartilhassem seus pensamentos sobre FÉ para que você pudesse compartilhar e se beneficiar da dádiva de FÉ e sabedoria que elas me concederam. Fiquei muito comovida com a forma como elas expressaram sua visão e experiência de FÉ.

Ao rever outra vez estas quatro afirmações concisas das narrativas delas, consigo perceber como cada uma desempenhou um importante papel em todos os momentos decisivos de minha vida.

- Em geral, verificamos que somos quem escolhemos ser.
- A fé nos dá coragem para fazermos as mudanças necessárias em nossa vida e nos permite crescer de maneira clara e positiva.
- Quando você entrega sua luta para um Poder Superior, você não sobrevive apenas: você planta raízes que irão mantê-la forte para sempre.
- Florescer, portanto, não se trata apenas de quão alto você cresce, trata-se de garantir que de seus galhos jamais brotem botões amargos e venenosos, e que seus frutos sejam, isso sim, sempre saudáveis e doces.

As palavras "escolha", "coragem" e "entrega" são significativas em minha vida. Quando tive coragem de fazer uma escolha diferente no rumo de minha vida, fui mais bem-sucedida ao entregar o resultado à orientação de um Poder Superior. Por exemplo, aos 26 anos de idade, deixei uma carreira de sucesso na contabilidade pública para começar a criar empresas. Embora a decisão se revelasse uma das piores decisões profissionais de minha vida, minha FÉ em fazer o movimento foi recompensada porque conheci o amor de minha vida, meu marido e melhor amigo há mais de trinta e quatro anos, Michael – definitivamente uma vitória para mim! Sou a mulher que sou hoje só porque tive a coragem de fazer a escolha de mudar de carreira e a FÉ para confiar em Deus, o Poder Superior em minha vida, quando fiz isso.

Mais recentemente, fiz a escolha e tive a coragem de deixar uma companhia de imenso sucesso quando percebi que sua missão não estava mais de acordo com meu Propósito Definido na vida. As pessoas dizem "dar um salto de fé", mas penso que deveria ser "dar um salto COM fé"! Eu não fazia ideia do que o futuro me reservava, mas entreguei a Deus a preocupação com o futuro, e tive fé de que Ele tinha um plano para mim. Em poucos meses recebi um telefonema de Don Green, CEO da Fundação Napoleon Hill, pedindo-me para trabalhar no livro *Three Feet from Gold*. A seguir Don pediu e me deu a oportunidade de editar um dos mais poderosos manuscritos deixados por Napoleon Hill, *Mais Esperto que o Diabo*, *best-seller* mundial, que permanecera oculto por mais de 73 anos. Agora tenho a oportunidade de escrever este livro, *Pense e enriqueça para mulheres*, uma honra incrível. Estes são apenas dois exemplos de quando dei um salto com FÉ em minha vida.

A MENTE SUPERIOR DA IRMANDADE

A sabedoria de mulheres importantes e bem-sucedidas sobre FÉ:

GAIL DEVERS
TRÊS VEZES CAMPEÃ OLÍMPICA

"Mantenha seus sonhos vivos. Entenda que realizar qualquer coisa exige fé e crença em você mesma, visão, trabalho árduo, determinação e dedicação. Lembre-se: todas as coisas são possíveis para aqueles que acreditam."

ELLEN G. WHITE (1827-1915)
ESCRITORA, COFUNDADORA DA IGREJA ADVENTISTA DO SÉTIMO DIA
"Fale com descrença e você terá descrença, mas fale com fé e você terá fé. De acordo com a semente plantada será a colheita."

MARTINA MCBRIDE (MARTINA MARIEA SCHIFF)
CONHECIDA PROFISSIONALMENTE COMO MARINA MCBRIDE, CANTORA E COMPOSITORA NORTE-AMERICANA DE COUNTRY MUSIC
"Fé de que nem sempre está em suas mãos, ou de que as coisas nem sempre saem do jeito que você planejou, mas você tem que ter fé de que existe um plano para você, e você deve seguir seu coração e acreditar em si mesma haja o que houver."

HELEN KELLER (1880-1968)
ESCRITORA NORTE-AMERICANA
"Otimismo é a fé que leva à realização. Não se pode fazer nada sem esperança e confiança."

EMILY DICKINSON (1830-1886)
POETA NORTE-AMERICANA
"Esperança é essa coisa com penas que pousa na alma e canta a melodia sem as palavras e nunca para... de modo algum."

KAY WARREN
FUNDOU A IGREJA SADDLEBACK COM O MARIDO EM ORANGE COUNTY, NA CALIFÓRNIA, EM 1980
"A alegria começa com nossas convicções a respeito de verdades espirituais em que estamos dispostos a apostar nossa vida, e verdades tão intimamente alojadas em nós que produzem uma certeza inabalável a respeito de Deus."

No *Pense e enriqueça* original, Napoleon Hill encerrou o capítulo sobre FÉ com estas palavras:

> A RIQUEZA começa na forma de PENSAMENTO!
>
> O montante é limitado apenas pela pessoa em cuja mente o PENSAMENTO é posto em movimento. A FÉ remove limitações! Lembre-se disso quando estiver prestes a barganhar com a Vida por qualquer que seja o preço que você peça por ter passado por isso.

Como fortalecemos a fé? Estou constantemente avaliando minha fé e procurando formas de fortalecê-la, e verifiquei que o seguinte poema me proporciona grande clareza, especialmente em tempos de estresse e preocupação.

FÉ, de Family Friend Poems

Ter fé é desafiar a lógica.

É preciso fé para pensar positivamente.

É preciso fé para acreditar que existe um Deus amoroso que se importa profundamente com nossa dor.

Acreditar na vida, no universo ou em si mesmo depois de numerosos fracassos é ter coragem.

Fé é um ato de coragem.

É escolher levantar de manhã, encarar nossos medos e acreditar que Deus nos ajudará.

Fé é escolher acreditar que, embora possamos ter fracassado cem vezes antes, podemos ser bem-sucedidos da próxima vez.

www.familyfriendpoems.com/poems/life/faith

De fato, tenho este poema afixado em meu banheiro como um lembrete constante de que “Fé é um ato de coragem”. Ele integra um lembrete diário e emprega uma estratégia encontrada no próximo capítulo. Este vai guiá-la em como influenciar sua mente subconsciente, que é o terceiro passo rumo à riqueza – AUTOSSUGESTÃO.

PERGUNTE A SI MESMA

Use seu diário ao percorrer este trecho para identificar suas etapas de ação, ativar seus momentos de "sacação" e criar seu plano para obter sucesso!

Quão forte é a sua FÉ em si mesma?

Você reconhece seus talentos naturais?
Você acredita que seja capaz?
Quando confrontada por incertezas ou obstáculos você os encara de frente ou evita?
Sua conversa consigo mesma é positiva?

Dedique um instante para registrar no diário.

Agora pense sobre como sua FÉ se relaciona às áreas individuais para as quais você criou metas no primeiro capítulo e registre (honestamente) os primeiros pensamentos que lhe vêm à mente em cada área:

Pessoal
Profissional
Financeira
Física
Espiritual

Você pode verificar que é realmente fácil localizar sua FÉ em algumas dessas áreas, mas muito mais difícil em outras. Por exemplo, você pode ficar muito à vontade falando de sua FÉ relacionada à sua vida Espiritual ou Pessoal, mas achar muito mais difícil falar sobre FÉ em sua vida Profissional ou Financeira.

Em qual área, ou áreas, você achou mais difícil localizar a FÉ?

Dedique um momento para refletir sobre os pensamentos que vêm à mente e registre em seu diário se são positivos ou negativos. Por exemplo, você pode ter tido pensamentos do tipo: "FÉ em minha vida financeira? Rá! Nunca irei adiante em termos financeiros. Simplesmente não dou sorte!". Esse pensamento seria NEGATIVO!

Reserve um tempo para reescrever seus pensamentos NEGATIVOS em forma de pensamentos POSITIVOS. Por exemplo, você poderia reescrever o exemplo anterior assim: "Eu tenho FÉ em minha vida financeira. Aprendi com os erros do passado e estou preparada, determinada e otimista quanto a meu Futuro Financeiro".

Hill afirmou: "A repetição da afirmação de ordem para sua mente subconsciente é o único método conhecido de desenvolvimento voluntário da emoção de fé".

A fim de afirmar sua capacidade e renovar sua fé, pratique todos os dias a seguinte aplicação da fórmula da autoconfiança de Hill:

Primeiro. Não aceitarei de mim mesma nada menos do que sou capaz, que é a realização de meu Propósito Definido. Exigirei de mim mesma a cada dia ação específica a fim de alcançar essa realização.

Segundo. Percebo que aquilo em que eu acredito que seja vai ser e crio minha própria realidade. Vou me tornar a pessoa que desejo ser concentrando-me trinta minutos por dia nas características e ações da pessoa que pretendo ser.

Terceiro. Entendo a importância da conversa positiva comigo mesma e da confiança para criar sucesso. Dedicarei dez minutos por dia para os passos que desenvolvem a autoconfiança.

Quarto. Identifiquei com clareza e por escrito meu propósito de vida e trabalharei continuamente no desenvolvimento da autoconfiança necessária para atingir esta meta.

Quinto. Construirei meu sucesso sendo útil aos outros, vivendo todos os dias com integridade e tendo consideração por todos que sofrem o impacto de *minhas ações. Vou me empenhar no apoio àqueles que demonstram os valores com que vivo minha vida e, por meio de minha fé nos outros, criarei a fé em mim mesma.*

Repita cada passo desta fórmula todo dia por escrito ou em voz alta a fim de manter a disposição mental necessária para viver com fé e criar sucesso.

Ao começar a treinar os pensamentos de negativos para positivos, leia as Preces de Bolso nas páginas 53 e 54 que Sara O'Meara e Yvonne Fedderson gentilmente compartilharam na esperança de que ajudem em seu esforço. Além disso, você pode voltar à Equação do Sucesso Pessoal e lembrar a importância que a fé desempenha na definição do resultado da fórmula.

[(P + T) x A x A] + F = Sucesso Pessoal

[(Paixão + Talento) x Associação x Ação] + Fé = Sucesso Pessoal

Embora seja a última variável da equação, a fé é a mais importante e será a catalisadora de seu sucesso!

PRECES DE BOLSO

DE SARA O'MEARA E YVONNE FEDDERSON

Gostaríamos de lhe oferecer pequenas Preces de Bolso para que você copie e guarde em sua carteira. Recorra a elas quando necessário, medite sobre as ideias e convide um Poder Superior a encher seu coração de fé.

Prece de Bolso para o Crescimento

Ao começar esta jornada, sei que sentirei entusiasmo e energia, bem como medo e frustração. Creio que seu amor é encorajador e indulgente. Acredito que o verdadeiro sucesso começa com a riqueza de espírito. Por favor, entre em meu coração e ajude minha fé a ficar mais forte a cada dia. Enquanto ela é pequena como uma semente de mostarda, mostre-me como esse tesouro minúsculo pode criar uma floresta. Quando minha fé for tão grande quanto um carvalho possante, ajude-me a ter a humildade para ver toda criatura pequena e indefesa sob sua sombra e oferecer alimento, abrigo e sombra. Aumentar o êxito é minha meta terrena, mas aumentar a fé continuará sendo minha missão espiritual.

Prece de Bolso para a Sobrevivência

Quando meu espírito estiver chamuscado, minha força de vontade carbonizada ou eu tiver queimado uma ponte, lembre-me da Árvore Sobrevivente. Quando a incerteza arrancar meu sonho pela raiz, a exaustão impedir meu crescimento, e meu coração estiver partido, mostre-me os frutos do sucesso e as flores da fé esperando para brotar com um novo amanhã. Deixe que cada dia de chuva se torne uma lição aprendida. Eu preciso de chuva para florescer. Deixe que cada dia de sol se torne uma dádiva obtida. Atingirei patamares inimagináveis no resplendor de sua luz brilhante.

Prece de Bolso para o Florescimento

Agora que eu tenho fé, ajude-me a usá-la e exercitá-la. Estou preparada para ser senhora das circunstâncias, e não vítima da negatividade. Com grandes dádivas vem uma grande responsabilidade. Minha fé me deu raízes em solo firme e me ajudou a enfrentar todas as tempestades. Agora vejo as flores da fé neste dia perfeito e lhe dou a glória por este momento. Enquanto minha floração irrompe em lindas cores, não deixarei que o ego ou o orgulho comprometam meu espírito. Uma única árvore é um sucesso da fé, mas uma floresta de árvores é um milagre da vida. Mais uma vez vou me tornar a humilde jardineira, mas dessa vez cuidando daqueles que precisam de mim. Assim como você ajudou minha fé a crescer, eu devo agora plantar a semente de esperança em outro coração.

3

Autossugestão

O meio para influenciar a mente subconsciente

■

E a vida é o que fazemos dela.
Sempre foi, sempre será.
– GRANDMA MOSES (ANNA MARY ROBERTSON MOSES)

VOCÊ ALGUMA VEZ PERCEBEU QUE COMETEU UM ERRO, revirou os olhos para si mesma e engatou em uma sessão de conversa interior sarcástica, identificando claramente por que aquilo não foi inteligente e por que não deveria ter acontecido? E que tal uma celebração secreta, aplaudindo a si mesma por fazer um belo trabalho, ou percebendo uma vitória e afirmando suas qualidades fabulosas? Talvez você tenha conseguido atravessar uma situação difícil ou a sensação de estar empacada ou frustrada ao ministrar uma preleção animadora para você mesma e reiterar sua crença de que você iria superar aquele desafio específico.

A maioria de nós já se envolveu de algum modo no uso da conversa interior, sem perceber o papel que ela tem em nossa disposição mental, bem como em nosso subconsciente. Assim como esses momentos de autoavaliação construtiva (ou, em alguns casos, destrutiva) podem intensificar as sensações de realização ou inadequação, a AUTOSSUGESTÃO pode influenciar diretamente nosso nível de sucesso e, o mais importante, nossa crença em sua possibilidade.

O termo AUTOSSUGESTÃO muitas vezes provoca reações que demonstram claramente tratar-se de um termo mal-entendido pelas pessoas. Muita gente na hora pensa que é coisa *New Age* ou que se relaciona a hipnotistas se exibindo num palco. Outros acreditam que seja de algum modo anticristão ou antirreligioso. Vamos esclarecer os fatos.

De acordo com o *Merriam-Webster Collegiate Dictionary, AUTOSSUGESTÃO* é a "influência sobre as próprias atitudes, comportamento ou condição física por outros processos mentais que não o pensamento consciente". Este tipo de auto-hipnose teve seu primeiro uso conhecido em 1890, muito antes do movimento *New Age*.

Hill afirmou que "AUTOSSUGESTÃO é o agente de controle pelo qual um indivíduo pode voluntariamente alimentar sua mente subconsciente com pensamentos de natureza criativa ou, por negligência, permitir que pensamentos de natureza destrutiva consigam entrar no rico jardim da mente".

Todos nós temos a capacidade de mudar nossas circunstâncias de modo consciente ao nos concentrarmos de forma intencional em ações e pensamentos positivos, o que por sua vez influencia nossa mente subconsciente a seguir de acordo. Isso acontece enfocando na obtenção de resultados positivos em nossa vida, tanto o que QUEREMOS receber quanto o que estamos dispostos a dar em troca para receber.

Para ilustrar este conceito, Crystal Dwyer Hansen compartilhou seu conhecimento no uso da AUTOSSUGESTÃO. Crystal tem certificado da Junta Americana de Hipnoterapia e trabalha com pessoas do mundo inteiro para ajudá-las a experimentar transformações profundas e duradouras em seus relacionamentos, carreiras e saúde.

> AUTOSSUGESTÃO é uma ferramenta constantemente à nossa disposição. Quanto mais a usamos, mais poderosas podemos nos tornar em nossa vida. Experiências e acontecimentos podem controlar facilmente nossa experiência humana, e frequentemente isso não é bom. Quando somos expostas a acontecimentos entremeados com medo e outras emoções negativas, tais eventos são registrados e organizados em nossa mente e se tornam o sistema de filtragem de toda a nossa experiência de vida.
>
> Sem uma intervenção deliberada por meio da autossugestão ou sugestão pessoal neste processo de vida automático, começamos a achar que forças externas estão nos controlando, e estão mesmo.
>
> Qualquer pensamento ou forma de pensamento que tenha qualquer influência que seja em sua vida, para o bem ou para o mal, foi

permitido por você em alguma medida. Uma vez que fique ciente desta realidade, você pode começar a usar o princípio da autossugestão deliberadamente, em vez de permitir que seu subconsciente escolha a esmo os estímulos externos que a direcionam para o fracasso e as decepções.

As mulheres podem ser especialmente suscetíveis ao pensamento negativo porque nossos eus emocionais e intelectuais são muito interligados. Conseguimos pensar em muitas coisas ao mesmo tempo e, por causa disso, pensamentos negativos ou derrotistas podem esgueirar-se com facilidade em nossa mente consciente, ficando ancorados e instalados em nossa mente subconsciente. Em meus anos de trabalho com pessoas no campo da autossugestão, verifiquei que as mulheres sentem níveis de liberação dos pensamentos e sensações negativos ainda mais altos que os homens, e níveis mais altos de poder e controle sobre sua vida com o uso destas técnicas.

Napoleon Hill escreveu: "Sua capacidade de usar o princípio da autossugestão vai depender em grande parte de sua capacidade de se CONCENTRAR em um determinado DESEJO até que este desejo se torne uma OBSESSÃO ARDENTE".

Este princípio é da maior importância. Hill está se referindo a uma palavra que, se aprendermos a praticar, traz recompensas ilimitadas. FOCO. Os dois componentes essenciais do foco para manifestar seus maiores desejos são *intenção* e *atenção*. Quanto mais você simplesmente praticar a atenção e intenção, mais começará a sentir e conhecer a experiência que deseja, antes de experimentá-la em sua plena manifestação física.

Ao executar os primeiros seis passos descritos no primeiro capítulo, você tem que ser muito clara a respeito de seus desejos, enfocando não só quanto dinheiro exatamente você deseja, ou impacto que quer causar, mas as sensações que estarão presentes dentro de você quando tiver exatamente aquele volume de dinheiro ou impacto. Se a sua meta é dinheiro, quanto mais em termos liberdade você sentirá com aquela quantia? O que a sobrecarrega agora será liberado? De que forma ter esse volume de dinheiro ou impacto afetará sua alegria e a alegria e a liberdade das pessoas que você ama?

As mulheres são criaturas que *sentem*. Deus nos fez desta maneira por duas razões muito importantes. Nosso cérebro tem uma elaborada rede neural conectada entre os hemisférios direito e esquerdo, permitindo-nos sentir as coisas intuitivamente e então processá-las intelectualmente. É uma dádiva de Deus exclusiva para as mulheres. Uma amiga psicóloga disse certa vez: "As mulheres possuem uma superautoestrada entre os lados da sensação e do pensamento no cérebro. Os homens têm uma trilha de terra". Deixando de lado as brincadeiras, precisamos nos perguntar por que recebemos este dom e como podemos utilizá-lo melhor para servir às pessoas que amamos e à humanidade em geral.

Conforme Hill sugere: "Entregue o pensamento sugerido ... à sua IMAGINAÇÃO e veja o que a sua imaginação consegue fazer ou fará para criar planos para a acumulação de dinheiro por meio da transmutação de seu desejo".

Agora que está em contato com as sensações, a alegria e o enriquecimento que este dinheiro ou impacto trará a sua vida, você pode plugar estas sensações em sua mente imaginativa, a parte da mente que chamo de tela artística pessoal. As mulheres são sensíveis, mas também somos generosas. Você gostaria de ter um plano financeiro perfeito que permitisse que seus filhos fossem para a faculdade, dinheiro para coisas especiais como comprar uma casa, casa de férias e viajar? E a aposentadoria? Não importa quantos anos tenha agora, você muito provavelmente pode olhar para trás e dizer: "Uau, não sei o que aconteceu nos últimos cinco anos. Eles passaram voando!". Todo mundo quer experimentar um nível maior de liberdade e segurança em algum momento da vida. A aposentadoria não tem mais tanto a ver com a idade e sim com um montante de dinheiro.

Se você está batalhando por impacto, imagine um mundo que fica melhor como resultado direto de seus esforços bem-sucedidos. Comece a pintar na tela de sua imaginação o quadro que representa seus planos práticos para os estágios mais importantes de sua vida.

E leve a sério o conselho de Hill para ser "EXIGENTE E EXPECTANTE, enquanto sua mente subconsciente entrega o plano ou os planos de que você precisa. Fique alerta a respeito desses planos e, quando eles aparecerem, coloque-os em AÇÃO IMEDIATAMENTE. Quando os planos aparecerem, provavelmente vão 'faiscar' na sua mente por meio do sexto sentido, na forma de uma 'inspiração'. A inspiração pode ser considerada um telegrama direto da Inteligência Infinita. Trate-a com respeito, e aja de acordo assim que a receber. Falhar em fazer isso será FATAL para o seu sucesso".

A maioria das pessoas não consegue o que quer porque não cria nenhum espaço dentro de si para que aquelas coisas ocorram em sua vida. Técnicas de AUTOSSUGESTÃO como as que Hill ensinou dissipam dúvidas e medos e criam um amplo espaço aberto a ser preenchido a partir da Inteligência Infinita. Você pode dirigir deliberadamente o que preenche esse espaço ao aprender a usar a autossugestão em sua vida. De acordo com as leis do Universo, ele só pode entregar o que você pede de verdade. Você é o ímã. Se for hesitante ou fraca em sua intenção, você obterá resultados incertos.

Em geral, é a nossa própria expectativa limitada que nos impede de atingir níveis de sucesso mais gloriosos em todas as áreas da vida. Quando Hill fala sobre exigir e esperar que seu subconsciente entregue o plano ou os planos de que você precisa, está enfatizando o quanto você deve estar decidida e comprometida em usar a autossugestão em sua plena capacidade e colher resultados espantosos a partir de sua prática.

Sua decisão e expectativa absolutas de ver as coisas mudarem para melhor atrairão o poder da Inteligência Infinita para você da forma mais poderosa. Espere respostas e espere planos entregues a você pela Inteligência Infinita. Quando começar a ter surtos de inteligência, ideias e planos, *não os ignore*!

Verifiquei que Deus (Fonte) fala com todo mundo, mas apenas algumas pessoas escutam. Elas duvidam de que sejam dignas de tal comunicação de alto nível. Vamos dissipar este mito agora mesmo. Você é digna. Você foi criada à imagem e semelhança do Criador, e o Criador procura ser um com você o tempo todo. Quanto mais ciente estiver disso, mais você permitirá que as dádivas fluam para você.

O próximo passo de Hill no processo é: "Quando visualizar o dinheiro que pretende acumular (de olhos fechados), *veja-se prestando o serviço, ou entregando a mercadoria que pretende dar em troca do dinheiro. Isso é importante!*".

As leis de dar e receber são cruciais para o fluxo de abundância e riqueza. Jamais pode ser uma via de mão única, ou seu desejo de riqueza e sucesso não irá a lugar algum. Para fazer isso, você deve entrar em contato com seu próprio valor e então intensificá-lo dez vezes por meio de suas crenças e obras. As mulheres são famosas por minimizar seu próprio valor, o que é um dos principais motivos para não obtermos o que merecemos por nossos esforços.

Você pratica AUTOSSUGESTÃO? Caso sim, pense em como isso lhe ajudou ao longo do caminho. Caso não, esta pode muito bem ser a resposta que você buscava. Pergunte-se por que não.

Recentemente, tive o prazer de conhecer Dina Dwyer, presidente executiva do Grupo Dwyer, uma empresária dinâmica que liderou sua companhia até um fabuloso sucesso e abriu as portas da oportunidade para milhares que buscavam abrir seu próprio negócio. Discutimos o impacto de nossos pais em nossas vidas, e fiquei sabendo que ela foi criada conforme os princípios de Napoleon Hill, e mais especificamente da AUTOSSUGESTÃO. Tive que rir quando compartilhamos a história dela sobre o bilhete adesivo! Onde estaríamos sem os bilhetinhos adesivos?

O poder do bilhete adesivo, por *Dina Dwyer*

Você nunca é jovem demais para começar. Era nisso que meu pai acreditava quando rodeou seus filhos com as ferramentas para o sucesso. Eu pouco sabia naquele tempo, mas foi o início de minha jornada por um caminho incrível que hoje continua como esposa, mãe e CEO.

Os bilhetes adesivos eram a especialidade de papai. Eram colocados na parte de baixo do espelho do banheiro. Na altura das crianças, pode-se dizer. Não havia como não lermos aquelas declarações motivacionais e gatilhos para o estabelecimento de metas ao escovarmos os dentes e começarmos o dia. Sem que eu soubesse, algo daqueles bilhetes adesivos grudou.

Avance no tempo e você vai encontrar o mesmo tipo de bilhetes adesivos no meu espelho de casa. Se eu tenho que viajar, meus bilhetes adesivos vão junto. Eu os troco regularmente, mas são um lembrete constante do que eu quero realizar nos negócios e na vida. Neste momento, meus bilhetes reforçam um alvo de negócios – o EBITDA que estamos a caminho de superar no Grupo Dwyer. Tem também o meu lembrete espiritual para o dia. Tem a minha meta de prazo. E tem ainda a afirmação escolhida, que me fornece aquele impulso extra: algo maravilhoso está prestes a acontecer.

Não existe jeito melhor de começar todo e cada dia na frente do espelho. Este exercício reforça uma frase popular que meu pai sempre exaltou:

"O que quer que a mente possa
conceber e acreditar, ela pode realizar".
– NAPOLEON HILL

Aprendi o poder do pensamento positivo com meu pai, e isso tem estado bem vivo e presente em meus rituais desde a infância. Também não demorou muito para que se tornasse incrivelmente útil e poderoso para mim como adulta.

No início dos anos 1980, o grupo Dwyer era pequeno, com uns dezoito ou vinte de nós construindo uma cultura corporativa em nosso *home office*. Éramos responsáveis por conduzir aulas de *Pense e enriqueça* e tínhamos horas de estudo para benefício da companhia. Eu tinha apenas dezoito anos quando comecei a ficar envolvida neste nível. Muitas coisas que eu havia aprendido cedo na vida mas nunca soubera como aplicar de repente me beneficiaram de maneira inacreditável. Em pouco tempo eu estava administrando várias propriedades para a Imobiliária Dwyer com confiança para aprender com pessoas muito mais velhas que eu e então liderá-las. Eu não tinha mais medo do que não sabia, e estava entusiasmada com o que poderia aprender e fazer enquanto avançava. Aqueles bilhetes adesivos foram apenas o começo.

Quando adulta, continuei a construir em cima daquela fundação em outras rotinas ao longo do dia. Minha senha de computador é uma mensagem de afirmação dirigida a mim mesma. Minha conta do Twitter compartilha citações de aspiração diárias para todos que me seguem. Uso uma pulseira de óbolo da viúva que adquiri em uma viagem à Terra Santa, que reforça a narrativa bíblica da viúva pobre que deu duas moedinhas – não muito dinheiro na opinião dos ricos, mas tudo que ela possuía. A mensagem do Senhor foi de que ela deu a maior dádiva e fez o maior sacrifício em termos comparativos. Olho para esta pulseira e sempre sou lembrada e inspirada a DAR TUDO QUE CONSEGUI.

A mera prática da autossugestão é salpicada ao longo de meu dia de maneiras tanto habituais quanto exponencialmente poderosas. Não exigem um tempo precioso, todavia oferecem uma vida de recompensas.

Nossa missão no Grupo Dwyer anuncia: nossa missão é ensinar nossos princípios e sistemas de sucesso pessoal e profissional, de modo que todas as pessoas que atingimos vivam vidas mais felizes e bem-sucedidas.

Minhas autossugestões diárias também são para isso. A chave é encontrar o que funciona e, como no caso de meus bilhetes adesivos, manter-se firme com eles!

O CAPÍTULO NA PRÁTICA – EM MINHA VIDA

Olhando minha vida em retrospectiva, a AUTOSSUGESTÃO desempenhou um papel de destaque, mesmo quando na época eu não percebi e não fiz de propósito. Quando eu era criança, toda noite meu pai me perguntava: "Sharon, você agregou valor à vida de alguém hoje?". Este ritual noturno teve um enorme impacto sobre mim e acredito que seja amplamente responsável por minha dedicação e desejo de servir aos outros.

Embora a pergunta de meu pai fosse uma influência importante em mim quando criança, houve muitos exemplos do impacto da autossugestão desde então. Foi por eu ter passado um tempo trabalhando com Crystal Dwyer Hansen durante um período particularmente estressante de minha vida que sei que sua abordagem da AUTOSSUGESTÃO funciona. Também vi a AUTOSSUGESTÃO agir no trabalho de minha vida, o que descrevo a seguir, e sei por mim que se trata de um elemento crítico para o sucesso de qualquer um, especialmente das mulheres.

No capítulo sobre fé, compartilhei o momento decisivo de minha vida aos 26 anos de idade, quando dei um salto COM fé e deixei a contabilidade pública para começar a construir negócios. Enquanto lutava para tomar a decisão, usei o fiel bloquinho amarelo de sempre e anotei os prós e contras de assumir o novo cargo que me ofereciam. A lista de ambos os lados era comprida, o que aumentou minha frustração. Ao sentar em minha cama para rever a lista, foi como se um poder superior pegasse minha mão e escrevesse: "Por que não?" de fora a fora no alto da página. Então perguntei a mim mesma:

Por que não tentar algo novo?
Por que não dar uma chance?
Por que não ver aonde esta oportunidade excitante vai levar você?

Aquelas palavras tornaram-se o princípio orientador de minha vida, e as uso com frequência como autossugestão. Me ajudam a dar um passo para trás e olhar o cenário mais amplo. Me forçam a sair do meu quadrado, sair do que é confortável e conhecido. Também me forçam a visualizar o que poderia ser.

Com muita frequência você lê ou ouve sobre encontrar o seu "por quê". Às vezes seu por que, ou desejo ardente, está atrás da porta que você tinha medo de abrir. Então, primeiro pergunte a si mesma por que não. Isso pode lhe dar a coragem de dar o salto COM fé.

Aqui vai uma palavra de advertência: se existe uma resposta convincente para a pergunta "por que não?", ouça a sua intuição de todas as formas. Por outro lado, se for ilegal, é melhor não ir adiante. (Espero que você esteja sorrindo.)

Outra técnica de AUTOSSUGESTÃO que usei e continuo a usar, e que me trouxe grande paz e alegria em tempos de estresse e preocupação, foi compartilhada comigo por uma amiga durante o outro momento decisivo que mencionei no capítulo sobre fé. Quando decidi deixar a companhia, foi um período muito estressante. Embora jamais tenha me arrependido da decisão, o processo de saída foi muito doloroso e se arrastou por mais de dezoito meses. Uma amiga me mandou um livro chamado *The Prayer of Jabez*. Esta prece, encontrada em 1 Crônicas 4:10 (Nova Versão Internacional) foi uma tábua de salvação para mim, e ainda a recito todo dia, com muito mais frequência em períodos de estresse. É assim:

Ah, abençoa-me
E aumenta as minhas *terras*!
Que a tua mão esteja comigo,
Guardando-me de males e livrando-me de dores.

Isso me faz lembrar mais uma vez de olhar para fora de mim mesma. Faz lembrar que tenho a responsabilidade de servir aos outros, com FÉ, de modo que toda noite eu possa responder à pergunta de meu pai: "Sharon, você agregou valor à vida de alguém hoje?".

Napoleon Hill descreve a AUTOSSUGESTÃO relacionada especificamente à realização de uma determinada meta, e eu também uso o método que ele descreve. Um de meus desejos ardentes e propósitos definidos na vida tem sido tornar a educação financeira um requisito dos currículos do ensino médio no mundo inteiro. Tenho esta meta sempre presente em tudo que faço. Atuar no Conselho Consultivo do Presidente e na Comissão de Cultura Financeira da AICPA (Instituto Americano de Contadores Públicos Certificados) me propiciou ter voz em nível nacional. Para concretizar minha meta, enfoquei meu esforço primeiro em nível local e redigi a seguinte meta, que leio todos os dias:

> Antes de 2015, verei a educação financeira como uma parte vital nos currículos do ensino médio. Começarei em meu estado de residência, o Arizona, reunindo entidades sem fins lucrativos, líderes comunitários e líderes do governo em um esforço conjunto para aprovar uma legislação sem impacto orçamentário que leve a educação financeira a todos os estudantes do Arizona.

Em 30 de junho de 2013, a governadora do Arizona, Jan Brewer, sancionou a lei, o primeiro passo para garantir que os alunos do ensino médio tenham domínio em finanças pessoais antes de entrar no mundo real.

Agora tenho condições de enfocar meu esforço em ver o currículo implementado no Arizona, bem como engajar outros estados a seguir o exemplo do Arizona, e depois o mundo. Além disso, ainda viajo pelo mundo defendendo a necessidade da educação financeira e recrutando outros para assumir esta incumbência em suas comunidades.

A MENTE SUPERIOR DA IRMANDADE

A sabedoria de mulheres importantes e bem-sucedidas sobre AUTOSSUGESTÃO:

ALICE MEYNALL (1847-1922)
POETA INGLESA
"Felicidade não é uma questão de acontecimentos, ela depende das marés mentais."

KATHERINE MANSFIELD (1888-1923)
A MAIS FAMOSA ESCRITORA NEOZELANDESA
"Pudéssemos nós mudar de atitude, não apenas veríamos a vida de forma diferente, como a vida em si viria a ser diferente. A vida sofreria uma mudança de aspecto por termos passado por uma mudança de atitude."

AYN RAND (1905-1982)
ESCRITORA E FILÓSOFA
"Todo homem é livre para ascender tanto quanto seja capaz ou esteja disposto, mas o grau de seu pensamento determina o grau em que ele ascenderá."

PEACE PILGRIM (1908-1981)
ATIVISTA NORTE-AMERICANA DA PAZ
"Pelo pensamento, você está constantemente criando suas condições internas e ajudando a criar as condições ao seu redor. Assim, mantenha seus pensamentos do lado positivo, pense no que de melhor poderia acontecer, pense nas coisas boas que você quer que aconteçam."

BARBARA DE ANGELIS
ESCRITORA E CONSULTORA DE RELACIONAMENTOS
"Ninguém está no controle de sua felicidade a não ser você; portanto, você tem o poder de mudar qualquer coisa que queira mudar em si ou em sua vida."

Você reconhece uma mensagem familiar? Você pode mudar sua vida identificando seu Desejo Ardente, tendo Fé em si mesma e praticando a AUTOSSUGESTÃO. Mas o quarto passo na direção da riqueza é o CONHECIMENTO ESPECIALIZADO. Neste capítulo introduzimos o FOCO, e no próximo capítulo abordaremos a importância de adquirir Conhecimento Especializado.

PERGUNTE A SI MESMA

Use seu diário ao percorrer este trecho para identificar suas etapas de ação, ativar seus momentos de "sacação" e criar seu plano para obter sucesso!

Como você se vê? Dedique um instante e, com caneta e papel, escreva suas respostas para a seguinte pergunta: quem sou eu?

É muito provável que você chegue a várias respostas. Pode ter escrito esposa, mãe, irmã, filha, empreendedora, mulher de negócios ou uma variedade de outras respostas.

Você escreveu seu próprio nome?

A verdade é que muitas mulheres definem-se pela forma como os outros as veem ou pelo papel que desempenham na vida dos outros. Entretanto, a menos que tenhamos clareza sobre quem somos e quem queremos ser, não podemos ser a melhor em cada um desses papéis.

Você é você, e com a AUTOSSUGESTÃO você pode realizar o melhor de que seja capaz!

Como você conversa consigo mesma?

A sua voz interior, em geral, é positiva ou negativa?

Da próxima vez que estiver dando um retorno a si mesma, repare no tom e, se necessário, reestruture-o para que seja construtivo. Por exemplo, se tiver cometido um erro, em vez de enfocar no que deu errado, identifique o que você aprendeu e como pode usar a experiência para crescer. Se estiver celebrando uma vitória, estruture-a como a realização de sua expectativa pessoal. Lembre-se: nós nos tornamos o que esperamos de nós mesmas.

LEIA O CAPÍTULO INTEIRO EM VOZ ALTA TODA NOITE, ATÉ FICAR COMPLETAMENTE CONVENCIDA DE QUE O PRINCÍPIO DA AUTOSSUGESTÃO É SÓLIDO E QUE A AUTOSSUGESTÃO EFETUARÁ PARA VOCÊ TUDO QUE SE AFIRMA A RESPEITO DELA. AO LER, SUBLINHE COM UM LÁPIS CADA FRASE QUE A IMPRESSIONE DE MODO FAVORÁVEL.

Tendo seguido os seis passos descritos no primeiro capítulo e redigido sua declaração de missão pessoal, agora é hora de empregar a AUTOSSUGESTÃO para acelerar seu caminho rumo à realização das metas. Escreva sua declaração de missão pessoal e afixe-a em casa e no escritório, de modo que tenha um lembrete visual várias vezes por dia. Cada vez que a vê e lê, você emprega a AUTOSSUGESTÃO.

Crystal compartilha três sugestões simples para ajudá-la ao longo do caminho:

Passo 1: Encontre um local calmo onde possa se concentrar sem ser perturbada. Diga em voz alta a declaração escrita daquilo que deseja, a data em que pretende realizá-lo e a sensação que vai experimentar por ter concretizado seu desejo. Quando fizer isso, estruture suas declarações no afirmativo, como se já tivesse atingido a meta. Um exemplo disso é fornecido abaixo:

É 1º de janeiro de 20__. Estou muito feliz por ter recebido $ 100 mil em comissão de vendas de seguro. É uma sensação muito boa ter recebido este dinheiro em troca da energia, tempo e cuidado que dediquei a ajudar as pessoas a fazer o melhor plano possível para seu futuro. Estou desfrutando da sensação de fazer uma diferença importante, ajudando as pessoas a planejar o futuro, e meu foco estará sempre em servi-las em suas maiores necessidades. Dispendi um enorme valor por este dinheiro, e todo mundo está feliz por ter participado dessa transação. Recebi um plano da Inteligência Infinita e claramente segui o plano que recebi. Estou sempre ciente e alerta quanto aos passos que preciso dar para continuar a trazer esta gloriosa abundância de sucesso e dinheiro para dentro de minha vida.

Passo 2: Repita teste programa todas as noites e manhãs até conseguir literalmente, em sua imaginação, ver o dinheiro e a experiência proveniente dele. Ao fazer isso diariamente, certifique-se de suspender toda descrença e de ter a fé de uma criancinha.

Passo 3: Coloque sua declaração em algum lugar onde vá vê-la todos os dias e possa revê-la no momento em que acorda e imediatamente antes de deitar.

4

Conhecimento especializado

Experiências pessoais ou observação: você deve enfocar uma área e se concentrar nela

Quando você sabe bem, você faz melhor.
– MAYA ANGELOU

QUANTO PODER VOCÊ ACREDITA QUE O CONHECIMENTO DETÉM?

Napoleon Hill afirmou: "CONHECIMENTO não tem valor, exceto aquele que pode ser obtido de sua aplicação para um fim digno". Você alguma vez aprendeu algo que sentisse ser importante, mas simplesmente não sabia ao certo o que fazer com a informação? Ou talvez você tenha ido pessoalmente em busca de nova informação na esperança de que pudesse agregar valor a seu conjunto de competências ou ao sucesso de seu negócio.

O atual turbilhão econômico, de modo muito parecido com a Grande Depressão que grassava quando Napoleon Hill originalmente publicou *Pense e enriqueça*, forçou milhares se não milhões de pessoas a encontrar fontes de renda adicionais ou novas. Muitas foram em busca de nova educação que as qualificasse para um novo cargo ou uma nova iniciativa empresarial.

Hill vai adiante na discussão do CONHECIMENTO dizendo: "Existem dois tipos de CONHECIMENTO. Um é geral, o outro é especializado. O CONHECIMENTO geral, não importa o quanto possa ser grande em quantidade ou variedade, é de pouca utilidade na acumulação de dinheiro".

"CONHECIMENTO não vai atrair dinheiro a menos que esteja organizado e direcionado de forma inteligente, por meio de PLANOS DE AÇÃO práticos, para a FINALIDADE DEFINIDA de acumulação de dinheiro. A falta de entendimento deste fato tem sido a fonte de confusão para milhões de pessoas que falsamente acreditam que 'CONHECIMENTO é poder'. Não é nada disso! CONHECIMENTO é apenas poder potencial. Torna-se poder apenas quando, e se, organizado em planos de ação definidos, e direcionado para uma finalidade definida."

Continuamos a ouvir a frase "CONHECIMENTO é poder" hoje em dia. Cada vez que ouvi-la, reformule-a para a versão correta de Hill: "CONHECIMENTO é poder potencial".

As pessoas devem aprender, nas palavras de Hill, "COMO ORGANIZAR E USAR O CONHECIMENTO DEPOIS QUE O ADQUIREM". Este é o passo crítico, a capacidade não só de adquirir o CONHECIMENTO, mas também aprender as habilidades de pensamento crítico necessárias à aplicação do CONHECIMENTO.

Os negócios mais bem-sucedidos, em geral, fazem uma dessas duas coisas:

1. Resolvem um problema;
2. Atendem uma necessidade.

Você provavelmente consegue pensar em alguém altamente bem-sucedido que conheça. O mais provável é que ela tenha buscado e aprendido CONHECIMENTO ESPECIALIZADO na área de seu sucesso e, o mais importante, a seguir o tenha aplicado para resolver um problema ou proporcionar um serviço pelo qual foi ricamente recompensada.

Nunca foi tão fácil adquirir CONHECIMENTO ESPECIALIZADO como no mundo de hoje. Na internet você pode encontrar praticamente tudo que queira aprender, e o acesso à educação formal por meio de plataformas *on-line* e horários flexíveis também tornou o trabalho rumo a graduações avançadas extremamente viável. Depois de validar a fonte da informação, a questão é se você irá se dedicar a aplicar aquele CONHECIMENTO, partindo para a ação para resolver um problema ou atender uma necessidade.

Suzi Dafnis, diretora comunitária e CEO da Rede de Empresárias Australianas, construiu seu negócio em torno do fornecimento de CONHECIMENTO especializado e recursos para empresárias. Suzi construiu seu sucesso pessoal por meio da organização de eventos educacionais ao vivo tanto na Austrália quanto nos Estados Unidos. Entendendo a dinâmica de rápidas mudanças da indústria e a necessidade de migrar para uma distribuição *on-line*, ela criou a Rede de Empresárias Australianas, uma associação *on-line* de mulheres empreendedoras. A rede oferece treinamento, orientação, recursos e apoio *on-line* mediante o uso de novas mídias colaborativas. Ela compartilha sua experiência de trabalhar em estreita ligação com mulheres empreendedoras há mais de vinte anos.

> Numa época em que mais e mais mulheres estão dando início a negócios próprios, a área do CONHECIMENTO ESPECIALIZADO é uma importante contribuição para o sucesso empresarial. À medida em que abriram mercados, a internet e a tecnologia também abriram a competição, fazendo do CONHECIMENTO ESPECIALIZADO um diferencial que nenhuma proprietária de empresa pode se arriscar a ignorar.
>
> Eu observei uma série de traços entre as mais talentosas:
>
> - todas estudaram a vida inteira e continuaram a acessar novas informações e educação para ampliar seu conjunto de competências;
> - adotaram as mudanças na tecnologia e fomentaram essas mudanças;
> - eram líderes em ideias e exemplos na área do CONHECIMENTO;
> - buscaram mentores e modelos que possuíam o CONHECIMENTO que procuravam;
> - cercaram-se com redes de colaboradores e apoiadores.
>
> Vamos explorar essas áreas em mais detalhe.

EDUCAÇÃO COMO UMA CONTRIBUIÇÃO VITALÍCIA PARA O SUCESSO

A tecnologia, e a vida em geral, está se movendo e mudando rapidamente. A fim de se manter a par e à frente das tendências, o comprometimento com a atualização constante da competência é essencial. Não apenas os fundamentos do CONHECIMENTO empresarial (planejamento dos negócios, sólida competência financeira, *marketing* e operações) são essenciais, mas também a contínua adoção de novas tecnologias.

TECNOLOGIA E APRENDIZADO

Ao longo dos últimos cinco a dez anos, o modo como aprendemos mudou. Hoje, a ocupada proprietária de uma empresa raramente tem tempo para participar em pessoa de conferências do setor e sessões de redes de contato depois do trabalho. O aprendizado *on-line*, disponível tanto sob demanda quanto em tempo real (e através de uma infinidade de mídias) é uma forma poderosa de atualizar a competência e aprender com especialistas locais e internacionais sem sair da sua escrivaninha. Podcasts (programas de áudio disponíveis via iTunes), vídeos (amplamente disponíveis sobre como fazer praticamente qualquer coisa), webinars (seminários via web) e blogs, boletins informativos *on-line* e redes sociais oferecem acesso a líderes de ideias em todas as áreas.

MENTORES E EXEMPLOS

A oportunidade de aprender com especialistas de qualquer parte do mundo, na hora e no equipamento de sua escolha – smartphone, tablet, você que sabe – significa que nossas opções para a aquisição de CONHECIMENTO especializado de modelos e mentores são variáveis e amplas. Os modelos podem semear as sementes de CONHECIMENTO, e os mentores (cuidadosamente selecionados pela experiência e CONHECIMENTO em áreas nas quais você deseja crescer) são uma arma secreta que vale a pena procurar.

LIDERANÇA DE IDEIAS, MICROMARCA E A MULHER DE NEGÓCIOS

Não importa o quão grande ou pequeno seja o seu negócio, sua marca é o que irá diferenciá-la como uma especialista em CONHECIMENTO. Geralmente pensa-se em marca como uma exigência dos grandes negócios. Isso não poderia estar mais distante da verdade atual – a fim de sobreviver e para diferenciar seu negócio da concorrência, sua marca deve expressar com clareza quem você é e o que defende. Sua marca, e sua congruência com ela, permitem que você demonstre sua liderança de ideias. E o uso de novas mídias e ferramentas sociais lhe permite alavancar seu CONHECIMENTO e se posicionar como uma especialista em quem os outros podem confiar e com quem podem contar.

REDES DE NEGÓCIOS E SEU SUCESSO EMPRESARIAL

Vamos olhar separadamente para o ato de fazer networking e para a sua rede. Uma rede poderosa de pares e colaboradores é uma parte importante do negócio e pode movê-la na direção em que você deseja ir e proporcionar ideias, *feedback* e apoio. Nutrir os contatos que você já possui, apoiando de verdade aqueles que lhe apoiam e procurando ativamente ajudar os outros e compartilhar CONHECIMENTO, é uma forma mais eficiente de fazer rede social do que participar de eventos de networking para vender seu produto. Você pode estender sua rede usando ferramentas de redes sociais, participando de conferências e ficando cara a cara com clientes potenciais. Entretanto, usuárias bem-sucedidas de redes NÃO são aquelas que empurram seu produto para cima dos incautos; bem-sucedidas são aquelas que genuinamente oferecem valor àqueles que encontram, sem expectativa ou interesse pessoal.

No último trecho de seu ensaio, Suzi confirma que ser útil (proporcionando soluções valiosas e desejadas para as necessidades dos outros) é um elemento crítico para a expansão de sua rede. Também pode fazer a diferença na busca de mentores e no trabalho para atrair parceiros que possam fornecer o CONHECIMENTO especializado que você deseja obter.

Orientação é um método efetivo para se obter CONHECIMENTO especializado, bem como demonstrar proficiência e encontrar maneiras de aplicar o CONHECIMENTO. Uma vez que tenha adquirido o CONHECIMENTO, empregue-o orientando outros. Isso serve a um propósito duplo, ao permitir que você retribua e ao mesmo tempo demonstre a capacidade de colocar aquele CONHECIMENTO em prática ao considerar seu uso em uma variedade de situações, utilizando uma variedade de planos com a intenção de gerar riqueza.

Renee James foi nomeada presidente da Intel em 2003. Em uma entrevista a respeito de ser a primeira mulher escolhida em seu setor, ela compartilhou que, no início da carreira, sentia-se desconfortável ao falar em eventos para mulheres porque queria ser considerada competente por seu cargo, não pelo gênero. E prosseguiu: "Agora percebo que sou um exemplo. Sinto mais responsabilidade em dar assistência a outras mulheres". Obrigada, Renee, por ser um exemplo incrível.

Mulheres orientando umas às outras são de importância crucial para o nosso sucesso. Vamos igualar a boa e velha rede social dos rapazes com a grande, mas nunca velha, rede social das mulheres!

Essas redes e oportunidades de orientação estão começando a se formar no ensino médio e na faculdade à medida que as mulheres se juntam para apoiar umas às outras. Conforme compartilhado na introdução, 140 mulheres obtêm um título de graduação de algum nível na faculdade para cada cem homens. Isso significa que mais mulheres irão se sobressair em áreas de Conhecimento Especializado à medida que obtiverem essas graduações superiores.

O Pew CharitableTrust divulgou um relatório intitulado "Quanta proteção um diploma universitário proporciona?", que explorou as diferenças entre universitários formados e grupos com menor grau de instrução e como foi o impacto da recente depressão econômica sobre cada um. O relatório revelou que um diploma de quatro anos de faculdade ajudou a proteger as pessoas do desemprego, de trabalhos de baixa qualificação e salários menores. Embora todos com idades entre 21 e 24 anos tenham sofrido declínio no emprego e nos salários durante o período, a queda foi muito mais severa para aqueles com diploma de ensino médio ou técnico apenas.

De fato, a tabela abaixo, elaborada pelo Departamento de Estatísticas do Trabalho, mostra nitidamente as taxas de desemprego relativo e os ganhos semanais médios de 2012 com base no nível de instrução:

Salários e taxas de desemprego conforme o grau de instrução

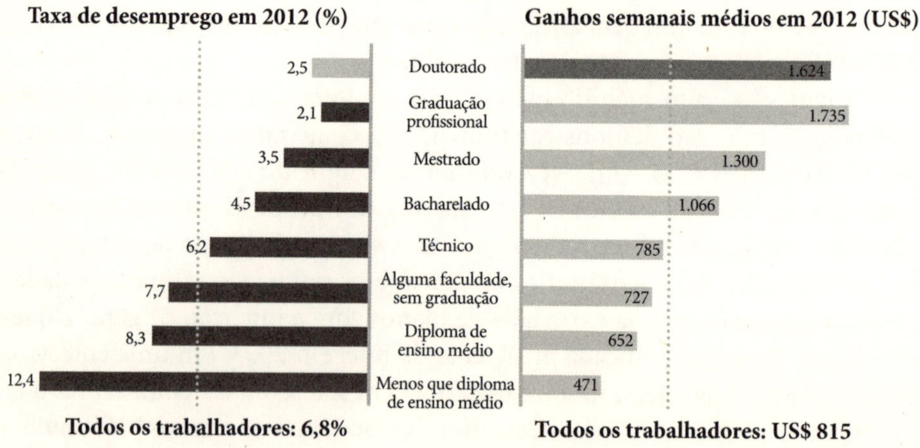

Assim, à medida que mais e mais mulheres obtiverem graduações superiores, terão maiores oportunidades de ganhos mais altos e de sucesso financeiro.

Teresa Sullivan, primeira mulher a presidir a Universidade da Virgínia, fundada por Thomas Jefferson, compartilhou sua paixão por proporcionar a melhor educação possível em seu discurso intitulado "A perspectiva do fundador: a Universidade da Virgínia (U.Va.) hoje, pelos olhos de Jefferson". Ela afirmou: "As aspirações de Jefferson para os alunos desta Universidade estão habilmente resumidas em uma carta escrita por ele em 1821. Em termos pessoais, ele descreveu, ... 'o doce consolo de ver nossos filhos erguendo-se ao abrigo de um ensino luminoso para destinos muito promissores'. Hoje, é claro, temos filhos e filhas buscando seus destinos muito promissores na U.Va. – de fato, mais filhas do que filhos matriculam-se atualmente a cada outono".

Além da vantagem óbvia de uma educação universitária, a presidente Sullivan também ressaltou a importância do conhecimento especializado na busca do sucesso. Ela compartilhou:

> Conhecimento especializado refere-se à informação detalhada concernente a uma especialidade, que é uma área limitada da investigação humana. Uma vez que o volume do conhecimento humano cresceu de forma exponencial, nenhum indivíduo tem condições de adquirir toda a informação necessária para manter uma economia e sociedade complexas. Especialistas são pessoas que adquiriram informação detalhada e profunda sobre uma área de informação específica; em muitos casos, o especialista também adquiriu técnicas de pesquisa, ou os meios para continuar descobrindo novas informações sobre a especialidade. No campo da medicina, por exemplo, todos os médicos adquirem informação básica sobre muitas áreas da saúde humana e diagnóstico, progresso e tratamento de doenças específicas. Um médico pode então tornar-se especialista em uma área particular da medicina – neurocirurgia, digamos – ao submeter-se a anos adicionais de aprendizado e treinamento. Embora todos os médicos tenham algum conhecimento sobre o cérebro e a coluna humanos, o neurocirurgião possui conhecimento especializado sobre a estrutura e a função do cérebro até o nível celular, bem como muito mais informação sobre doenças e tratamentos para várias malformações, doenças ou degenerações cerebrais. Um certo conhecimento especializado está associado a cada profissão e ocupação.

O comentário da presidente Sullivan: "Uma vez que o volume do conhecimento humano cresceu de forma exponencial, nenhum indivíduo tem condições de adquirir toda a informação necessária para manter uma economia e sociedade complexas", é extremamente importante e ressalta a importância da colaboração. Possuir e alavancar CONHECIMENTO especializado não significa que você tenha que possuir o CONHECIMENTO pessoalmente. Quando o CONHECIMENTO necessário está acessível e você sabe como encontrá-lo, isso tem impacto igual ao de se possuir o CONHECIMENTO pessoalmente.

Katharine Graham liderou o *Washington Post* à grandeza quando assumiu as rédeas da companhia e do Post após o suicídio de Philip Graham. Sendo a única mulher em tal posição executiva em uma editora, ela percebeu que não tinha nenhum modelo feminino. E sentiu que muitos de seus colegas e empregados homens não a levavam a sério. Em suas memórias ela compartilhou a falta de confiança em seu próprio CONHECIMENTO. Mas ela obteve êxito ao encontrar os talentos de que necessitava para ser bem-sucedida – Benjamin Bradlee como editor e Warren Buffet como consultor financeiro. Ela chefiou o jornal por mais de duas décadas.

Quando você combina o fato de que mais mulheres estão se formando na faculdade hoje em dia – e assim adquirindo CONHECIMENTO ESPECIALIZADO – com nosso talento natural para a colaboração, a oportunidade para as mulheres alcançarem grande sucesso é muito favorável!

O CAPÍTULO NA PRÁTICA – EM MINHA VIDA

O termo CONHECIMENTO ESPECIALIZADO parece bastante autoexplicativo. Se você precisa de uma cirurgia no cérebro, você busca o neurocirurgião mais capacitado da região. Se quer aprender a pintar com tinta a óleo, você procura treinamento especializado em tinta a óleo, não em aquarela.

Em tenra idade aprendi a colher laranjas com o CONHECIMENTO ESPECIALIZADO de meu pai. Também tive que aprender a trocar o óleo e o pneu de meu primeiro carro antes de poder sair com ele. Naquele tempo, é claro que eu não via este tipo de "CONHECIMENTO" como algo muito útil para mim.

Gosto de contrastar meu conhecimento escolar com meu conhecimento do mundo. Eu ia muito bem na escola, mas as lições de vida mais "reais" aprendi "nas ruas" com meu pai. Ele me desafiava constantemente a pensar sobre o que eu estava aprendendo na escola e como aquilo me beneficiaria na vida real. A seguir ele acrescentava suas lições de conhecimento de vida e me perguntava sobre assuntos que eram notícia e como eu lidaria com eles. Minha capacidade de pensar criticamente, resolver problemas e aplicar na prática o que aprendi veio daquelas lições na rua.

Com frequência ele me dizia que eu tinha duas escolhas quando confrontada com uma pergunta que não sabia como responder: encontrar a resposta por mim mesma ou saber a quem recorrer. Ele demonstrou isso ao longo de toda a vida. Meu pai tinha educação formal apenas até a terceira série, mas acabou praticamente comandando a escola de engenharia da Base Naval dos Grandes Lagos antes de dar baixa da Marinha. Ele era totalmente autodidata. Meu amor por aprender veio de meu pai, não de meus anos na escola. Ele ensinou minha irmã e eu a pensar, resolver problemas e nos dedicarmos a fazer o que fosse preciso para completar uma tarefa, e completá-la direito.

Embora tenha alcançado grande sucesso no ensino tradicional e obtido as credenciais de contadora pública certificada (CPA), quando comecei no mercado editorial eu era como um peixe fora d'água. Após aprender algumas lições daquele meio, enfoquei em aprender tudo que pudesse, de estoque de papel aos vários tipos de impressão e métodos de distribuição. Me eduquei pesquisando (em bibliotecas, pois naquele tempo não havia internet), visitando gráficas e obtendo propostas competitivas. Eu era uma esponja, absorvendo todo CONHECIMENTO que podia, de modo a ter condições de tomar as melhores decisões possíveis.

Como o mundo editorial continua a mudar dramaticamente, faço todo o empenho para me manter a par das últimas tendências. Mas também busco conselhos com aqueles da linha de frente que veem o cenário mais amplo e talvez conheçam uma fonte que possa me beneficiar. Continuo a seguir a regra de dois passos de meu pai – ou me educar, ou saber a quem perguntar.

Quando comecei a investir em imóveis, reconheci que precisava de mais CONHECIMENTO especializado. Procurei investidores imobiliários bem-sucedidos e pedi que me orientassem. Fui a seminários imobiliários e pesquisei as tendências do mercado. Primeiro me concentrei em investir em conjuntos de apartamentos, depois fui para residências unifamiliares quando o mercado assim ditou. Embora ambos sejam considerados investimento imobiliário, cada um requer CONHECIMENTO e estratégias de investimentos diferentes.

No Pay Your Family First, reconheço a natureza sempre cambiante do currículo e da formação de uma comunidade *on-line*, bem como do *marketing* pela internet. Também sei que jamais conseguirei me instruir sobre o que é novo, o que funciona e, o mais importante, o que é desperdício de dinheiro. Por isso encontro as melhores pessoas que possuem o CONHECIMENTO especializado de que necessito e recruto a ajuda delas. A seguir mantenho-as por perto.

Cada nova iniciativa em que me envolvo requer algum tipo de CONHECIMENTO especializado. Do mercado editorial ao imobiliário, e agora a administração de uma fazenda, abracei cada uma com paixão por aprender, mantendo ao mesmo tempo um olho vivo para oportunidades de resolver um problema ou atender alguma necessidade.

Nas palavras de Hill: "A acumulação de grandes fortunas exige PODER, e poder é adquirido por meio de CONHECIMENTO especializado altamente organizado e direcionado de forma inteligente, mas esse CONHECIMENTO não precisa necessariamente ser possuído pelo homem [mulher] que acumula a fortuna".

Todas as mulheres que incluí nesta Mente Superior da Irmandade adquiriram um tremendo CONHECIMENTO Especializado e grande PODER junto com tal CONHECIMENTO. Elas moldaram o futuro para nós.

A MENTE SUPERIOR DA IRMANDADE

A sabedoria de mulheres importantes e bem-sucedidas sobre CONHECIMENTO ESPECIALIZADO:

SANDRA DAY O'CONNOR
PRIMEIRA MULHER A ATUAR NA SUPREMA CORTE DOS EUA

"Faça o melhor que puder em cada tarefa, não importa o quão insignificante ela possa parecer na ocasião. Ninguém aprende mais sobre um problema do que a pessoa que está na base."

"Não realizamos nada neste mundo sozinhas ... e o que quer que aconteça é resultado da tapeçaria da vida da pessoa e de todas as tramas de fios individuais que criam algo entre si."

"As moças de hoje muitas vezes têm pouca consideração pelas verdadeiras batalhas travadas para que as mulheres chegassem onde estão neste país hoje. Não sei o quanto as moças de hoje conhecem da história dessas batalhas."

"Penso que o importante sobre a minha nomeação não é que eu vá decidir casos como uma mulher, mas que sou uma mulher que vai decidir casos."

DRª SALLY RIDE (1951-2012)
PRIMEIRA MULHER NORTE-AMERICANA NO ESPAÇO

"Percorremos um longo caminho."

"Existem muitas oportunidades lá fora para as mulheres trabalharem nesses setores ... As garotas apenas precisam de apoio, encorajamento e orientação para avançar nas ciências."

"Meus pais não tinham nada de científico, e a filha deles queria fazer carreira em astrofísica. Eles nem sabiam o que astrofísica queria dizer, mas me apoiaram."

BARBARA BARRETT
ASTRONAUTA TREINADA, EX-EMBAIXADORA DOS EUA NA FINLÂNDIA E EX-PRESIDENTE INTERINA DA ESCOLA THUNDERBIRD DE GESTÃO GLOBAL
"Conhecimento é o portal para o futuro. Como a maioria dos portais, o conhecimento raramente é o fim em si mesmo; conhecimento representa o limiar além do qual oportunidades e recompensas estão à espera."

RAINHA RÂNIA
RAINHA DA JORDÂNIA E ESPOSA DO REI ABDULLAH II
"As mídias sociais são um catalisador para o avanço dos direitos de todos. É onde somos lembrados de que somos todos humanos e todos iguais. É onde as pessoas podem encontrar e lutar por uma causa, global ou local, popular ou especializada, mesmo quando existem centenas de quilômetros entre elas."

CONDOLEEZZA RICE
PRIMEIRA MULHER AFRO-AMERICANA SECRETÁRIA DE ESTADO
"A educação é transformadora. Modifica vidas. Por isso as pessoas trabalham tão arduamente para se educar e por isso a educação sempre foi a chave para o Sonho Americano, a força que elimina divisões arbitrárias de raça, classe e cultura e destrava o potencial concedido por Deus a cada pessoa."

GIA HELLER
CEO, THE NATIONAL BUSINESS EXPERTS
"É difícil ser 'expert' em alguma coisa se você faz 'de tudo'."

Hill enfatiza: "Se você tem IMAGINAÇÃO, este capítulo pode presenteá-lo com uma ideia que sirva de início para a riqueza que você deseja. Lembre-se de que a IDEIA é o principal. CONHECIMENTO especializado pode ser encontrado ao se dobrar a esquina – qualquer esquina!".

A importância desta afirmação encontra-se em perceber que, uma vez que você tenha seu Propósito Definido e Desejo Ardente, e lhe ocorra a ideia de como realizá-lo, não tenha medo se carecer do CONHECIMENTO imediato que precisa para concretizá-lo. Você pode encontrar o CONHECIMENTO especializado, talvez até mesmo no conforto de seu computador doméstico. O próximo capítulo vai mergulhar na IMAGINAÇÃO, a Oficina da Mente.

PERGUNTE A SI MESMA

Use seu diário ao percorrer este trecho para identificar suas etapas de ação, ativar seus momentos de "sacação" e criar seu plano para obter sucesso!

Qual é meu CONHECIMENTO especializado?

Esta pode ser uma pergunta difícil porque as mulheres com frequência não dão a si mesmas o crédito que merecem ou não se sentem confortáveis fazendo o que pode parecer ostentação. Entretanto, uma vez que tenha identificado que tipo de CONHECIMENTO especializado pode empregar, você tem mais autonomia para agregar valor à vida dos outros enquanto cria a vida que deseja.

Em um pedaço de papel, responda as seguintes perguntas:

1. Que talentos naturais eu possuo?
2. Sobre quais tópicos as pessoas me fazem perguntas com mais frequência?
3. A quais áreas de competência tenho acesso por meio de meus contatos?

Quem está na sua equipe? Você consegue buscar e encontrar respostas regularmente para questões de que não dispõe de CONHECIMENTO para tratar? Ou você frequentemente se vê "empacada" ou hesitante sobre o que fazer? Se é assim, está na hora de encontrar maneiras de expandir sua rede ou trabalhar para você mesma obter CONHECIMENTO especializado adicional.

Que certificados eu tenho e a que associações pertenço?

De que serviço ou necessidade se trata meu desejo ardente ou propósito de vida? Que tipo de CONHECIMENTO especializado é exigido para fazer isso? Se ainda não possuo este CONHECIMENTO, como posso proceder para consegui-lo?

Certificação?
Orientação?
Graduação?
Qual método de obtenção deste CONHECIMENTO vai proporcionar a melhor alavanca para construir riqueza ou atingir meu propósito?

Se não desejo adquirir este CONHECIMENTO especializado, quem eu posso contratar como parte de minha equipe para fornecê-lo?

Prestadores de serviço?
Membros de associações?
Executivos de negócios?
Educadores?

A fim de ter sucesso na contratação dessas pessoas, primeiro identifique onde poderia encontrá-las e que valor está disposta a oferecer em troca de seu CONHECIMENTO especializado. Se está interessada nelas com o objetivo de um acordo de negócios, vai oferecer compensação monetária ou cotas? Talvez haja uma troca de serviços que beneficie ambas as partes. Se vai contratar especialistas para uma organização sem fins lucrativos ou projeto comunitário, você está oferecendo reconhecimento público, potencial para uma grande rede de contatos, ou a natureza do projeto e a magnitude de seu impacto serão por si só os atrativos?

Uma vez que tenha identificado seu CONHECIMENTO e o CONHECIMENTO de mais alguém que pretenda alavancar, tenha um plano claro de como pretende usá-lo e quais os resultados específicos irão deixá-la mais perto de realizar seu desejo ardente.

5

Imaginação

A oficina da mente

Imaginação não é apenas a capacidade exclusivamente humana de visualizar o que não existe e por conseguinte a fonte de toda invenção e inovação. Em sua capacidade provavelmente mais transformadora e reveladora, é o poder que nos permite criar empatia com humanos cujas experiências nunca compartilhamos.
– J. K. ROWLING

VOCÊ JÁ TEVE UMA BOA IDEIA? CLARO QUE TEVE. Você já ganhou dinheiro com alguma de suas boas ideias? Se a resposta é sim, parabéns! Caso não, este capítulo pode ajudá-la a identificar meios pelos quais sua próxima grande ideia pode se tornar seu próximo negócio de sucesso. Além disso, você vai descobrir por que a imaginação terá um enorme papel em resolver tantas necessidades existentes hoje ao redor do mundo.

Como muito bem colocado por J. K. Rowling, criadora e autora da série de fantasia Harry Potter, "imaginação é a fonte de toda invenção e inovação". Sem dúvida, com seu trabalho ela é um exemplo incrível e óbvio da melhor imaginação, mas a escritora ressalta muito enfaticamente que a imaginação é necessária em toda invenção e inovação. A imaginação também está no cerne de todo negócio de sucesso. Conforme compartilhado no capítulo anterior, os negócios mais bem-sucedidos fazem uma dessas duas coisas:

- resolvem um problema;
- atendem uma necessidade.

Sua imaginação vai ajudá-la a identificar o problema e/ou necessidade e também a guiará para a solução!

Hill descreveu muito bem: "A IMAGINAÇÃO é literalmente a oficina onde são moldados todos os planos criados pelo homem [mulher]. O impulso, o DESEJO, adquire contorno, formato e AÇÃO com o auxílio da faculdade mental da IMAGINAÇÃO. Dizem que um homem [mulher] pode criar qualquer coisa que ele [ela] possa imaginar".

Você pode encontrar a IMAGINAÇÃO em sua forma mais pura ao lembrar-se de como era quando criança ou ao assistir seus filhos enquanto brincam. Observando as crianças com seus amigos imaginários, com os fortes que constroem e defendem, e com os castelos que criam com blocos de plástico, você as vê revelarem a imaginação fértil e livre.

O que acontece com essa IMAGINAÇÃO vivaz? Essas mesmas crianças começam a educação e treinamento formais e aprendem que devem adequar seu comportamento a padrões aceitáveis. Professores e cuidadores bem-intencionados acham que a imaginação desenfreada pode levar à indisciplina, de modo que, em geral, ela é encaixotada, e só pode dar uma saidinha durante recreios estruturados.

Adultas, usamos termos como "multifuncional", "focada", "orientada" ou "sobrecarregada" para justificar ou dar desculpas para nossa falta de tempo livre e criativo. É durante o tempo livre que nossa imaginação pode voar alto e possivelmente identificar e criar a próxima oportunidade de negócio. Feche os olhos por alguns instantes e imagine-se como a Empreendedora do Ano, sendo reconhecida por ter criado a última e mais nova invenção que____________! (Você preencheu a lacuna?)

Em uma análise mais profunda, Hill identifica duas formas de imaginação, que são as seguintes:

> IMAGINAÇÃO SINTÉTICA: por meio dessa faculdade, pode-se organizar velhos conceitos, ideias ou planos em novas combinações. Ela trabalha com o material da experiência, da educação e da observação, que é o que a alimenta. É a faculdade mais utilizada pelos inventores,

com exceção do "gênio", que recorre à imaginação criativa quando não consegue resolver o problema por meio da imaginação sintética.
IMAGINAÇÃO CRIATIVA: por intermédio da faculdade da imaginação criativa, a mente finita do homem tem comunicação direta com a Inteligência Infinita. É a faculdade por meio da qual se tem "palpites" e "inspirações". É por meio dessa faculdade que todas as ideias básicas ou novas são entregues ao homem. É por meio dessa faculdade que as vibrações do pensamento da mente dos outros são recebidas. É por meio dessa faculdade que um indivíduo pode se "sintonizar" ou comunicar com a mente subconsciente de outros homens.

Um dos maiores exemplos de Imaginação Sintética que já vi foi demonstrado por Leila Janah, fundadora e CEO da Samasource. Ela pegou um modelo de negócio existente e imaginou como poderia ser virado de cabeça para baixo para ter impacto positivo nas massas. Ao discutir a origem de sua ideia de negócio, ela disse:

Tive um momento de "sacação": por que não usar o modelo de terceirização para enfrentar a pobreza, em vez de mandar o trabalho para grandes companhias sem fins lucrativos como a minha cliente? Pensei: a terceirização deixou alguns empresários bilionários. Por que não usar o mesmo modelo para fornecer uns poucos dólares para bilhões de pessoas na base da pirâmide?
Essa ideia cresceu na forma da Samasource, que criei em setembro de 2008. O conceito central foi aplicar as ideias do comércio justo ao setor terceirizado e redirecionar às mulheres e jovens pobres de países em desenvolvimento uma pequena parte dos mais de US$ 200 bilhões gastos em terceirização. Pensei que, se eu conseguisse deslocar mesmo que somente 1% desse montante para pessoas pobres e marginalizadas através de um modelo inteligente que se integrasse à economia global, faríamos uma tremenda diferença na saúde, educação e bem-estar de gente que, em geral, é deixada de lado. E faríamos isso usando dinheiro que normalmente flui entre as grandes corporações, e ajudando as companhias a abastecer suas necessidades de serviços de dados. Pensei nesse modelo como vantajoso para as pessoas, as empresas e os governos, que poderiam gastar menos em ajuda externa ou direcionar o auxílio para programas mais úteis.
Desde então, com a ajuda de uma equipe fabulosa e centenas de clientes, doadores e consultores que acreditaram no impossível, o

que começou como um sonho irreal transformou-se em realidade. A Samasource gerou mais de US$ 5 milhões em contratos de companhias e instituições de destaque, incluindo Google, eBay, Microsoft, LinkedIn, Eventbrite e Universidade de Stanford, empregando 3,5 mil pessoas diretamente e beneficiando mais de dez mil pessoas marginalizadas da África subsaariana, sul da Ásia e Caribe, incluindo refugiados, jovens e mulheres de comunidades conservadoras.

Ao olhar um modelo de negócio existente a partir de um ponto de vista diferente, Leila Janah foi capaz construir um negócio bem-sucedido que está ajudando milhares de pessoas ao redor do mundo. Ela partiu de um começo humilde, mas imaginou o que poderia ser e combinou isso com seu desejo ardente.

Quando penso em gente com imaginação criativa, penso em escritoras como J. K. Rowling, vendendo mais de 40 milhões de cópias de Harry Potter no mundo inteiro. Rowling compartilhou que estava em um trem quando começou a imaginar o primeiro livro da série, dizendo: "Harry simplesmente passeou por minha mente plenamente constituído". Embora na época estivesse desempregada, recebendo auxílio do governo e vivendo abaixo da linha da pobreza com um filho pequeno num flatzinho de Edimburgo, ela nunca parou de escrever.

O primeiro livro tornou-se um sucesso da noite para o dia e deflagrou o fenômeno Harry Potter. Hoje J. K. Rowling está bilionária, mas não esqueceu os primórdios humildes. Agora está instigando o governo britânico a aumentar o apoio a pais solteiros e aos pobres da Grã-Bretanha.

Além de autores que exploram a imaginação criativa, inventores e solucionadores de problemas também usam a imaginação criativa e às vezes a sintética ao criar soluções inovadoras para os desafios ou necessidades de nossa sociedade. Fiz uma pequena pesquisa para encontrar mulheres inventoras e fiquei surpresa com o que achei.

Nos primeiros anos dos Estados Unidos, as mulheres não podiam obter uma patente em seu próprio nome. As patentes eram consideradas propriedade, e até o final dos anos 1800 as leis na maioria dos estados proibiam mulheres de ter propriedades ou firmar acordos legais em seu próprio nome, de modo que mulheres não podiam possuir patentes. Em vez disso, a mulher tinha que registrar a patente em nome do pai ou do marido.

Para dar um exemplo: acredita-se que Sybilla Masters tenha sido a primeira inventora norte-americana. Em 1712 ela desenvolveu um novo moinho, mas não conseguiu obter a patente por ser mulher. Em 1715 seu marido registrou a patente no próprio nome, mas citou Sybilla no registro.

Algumas das inventoras que causaram impacto histórico em nossa vida estão destacadas a seguir. Você pode reconhecer algumas pelos nomes famosos, e talvez fique surpresa com a importância de suas invenções. A maioria das outras você talvez não reconheça pelo nome, mas muito provavelmente tem conhecimento de suas invenções e do incrível impacto que tiveram no mundo. A vasta maioria dessas mulheres começou de forma modesta e usou a imaginação sintética e/ou criativa para resolver um problema ou atender uma necessidade que identificou. É bem provável que você vá pensar que aquilo só poderia ter sido inventado por uma mulher, é claro!

1897 – Anna Connelly inventou a primeira saída de incêndio externa. Atribui-se a essas saídas de incêndio a salvação de centenas de milhares de vidas ao longo do tempo.

1898 – Marie Curie é mais conhecida como descobridora dos elementos radioativos polônio e rádio e como a primeira pessoa a receber dois prêmios Nobel. Ela foi adiante e descobriu a tecnologia do raio X em 1901.

1903 – Mary Anderson inventou o limpador de para-brisa. Ela notou que os motoristas de automóvel tinham que abrir as janelas do carro a fim de enxergar; a solução inventada por ela foi um aparelho com um braço oscilante e uma lâmina de borracha que o motorista podia operar de dentro do veículo usando uma alavanca. Os limpadores de para-brisa tornaram-se padrão para todos os carros norte-americanos em 1916.

1904 – Elizabeth Magie inventou o conceito do jogo de tabuleiro que se tornou o Banco Imobiliário. Originalmente concebido como uma ferramenta educativa, chamava-se Jogo do Dono da Terra, para ressaltar os males da posse da terra e dos monopólios. Ao que parece, o jogo de Magie mais tarde foi "pirateado" por Charles Darrow, que o patenteou como Banco Imobiliário em 1933 e depois vendeu a patente para a Parker Brothers com uma cláusula de *royalties* sobre as vendas futuras do jogo de tabuleiro que o deixou milionário. Em um claro esforço para proteger seus direitos sobre o Banco Imobiliário, a Parker Brothers comprou o jogo e as patentes de Elizabeth Magie por apenas quinhentos dólares e futuros direitos de fabricação.

1930 – Ruth Wakefield inventou os cookies com pedacinhos de chocolate quando foi preparar biscoitos para os hóspedes de sua pousada Toll House Inn e descobriu que estava sem chocolate culinário. No improviso, ela picou um chocolate Nestlé meio amargo, presumindo que derreteria ao ser assado, mas ele não derreteu. Assim nasceu o cookie Toll House com pedacinhos de chocolate.

1940 – A drª Maria Telkes inventou o primeiro sistema de aquecimento solar doméstico. Interessada em energia solar desde os tempos de escola, ela dedicou a carreira ao assunto, inventando um dos primeiros fornos solares de sucesso, sistemas de aquecimento solar e um sistema solar de filtragem de água para tornar a água do mar potável. Ficou conhecida como *Sun Queen* (Rainha do Sol).

1941 – Hedy Lamarr, famosa atriz de cinema e uma beldade mundialmente célebre, coinventou a comunicação sem fio e a tecnologia de espectro expandido, as primeiras comunicações sem fio usadas para combater os nazistas na Segunda Guerra Mundial e que levaram aos atuais Wi-Fi e GPS.

1950 – Marion Donovan inventou as fraldas descartáveis, mas ouviu dos fabricantes que elas eram impraticáveis. Dez anos depois, as Pampers foram criadas por Victor Mills utilizando ideias semelhantes.

1958 – Bette Nesmith Graham inventou o corretivo Liquid Paper. Ela viu pintores decorando janelas para as festas de final de ano. Quando erravam, em vez de remover o erro por inteiro, os pintores simplesmente cobriam-no com uma camada adicional de tinta. Esperta, Graham imitou a técnica utilizando uma tinta têmpera branca à base de água para cobrir erros de datilografia.

1966 – Stephanie Kwolek inventou o Kevlar. Ao procurar uma solução leve para fazer pneus, ela desenvolveu um material considerado um fracasso para o uso em pneus. Felizmente Kwolek reconheceu que se tratava de algo inovador que poderia ser usado em outra coisa. Não só era mais resistente que o nylon, como também cinco vezes mais resistente que o aço. O novo campo da química de polímeros desenvolveu-se rapidamente, e em 1971 o Kevlar foi lançado. Milhares de vidas foram salvas por coletes e outros produtos Kevlar à prova de balas.

1999 – Randi Altschul inventou o telefone celular descartável. Ela é o exemplo perfeito de quando a falta de *expertise* em um campo não é motivo para impedir alguém de se tornar uma inventora e criar um novo e empolgante produto naquela área. Altschul, uma bem-sucedida inventora de brinquedos de Nova Jersey, ficou frustrada enquanto dirigia na autoestrada e o sinal de seu telefone celular ficou fraco. Ela contou que teve vontade de jogar o celular pela janela. Altschul refere-se ao episódio como seu momento de "sacação". Por que não criar um celular descartável? Foi seu primeiro empreendimento em eletrônica, mas ela utilizou a experiência no setor de brinquedos, onde os produtos têm uma expectativa de vida limitada, e a aplicou aos telefones móveis. Ela trabalhou com um engenheiro para desenvolver o circuito superdelgado que iria dentro dos telefones. Altschul emitiu uma série de patentes para o celular pré-pago bem como para o circuito em novembro de 1999. Embora ela nunca tenha comercializado sua versão, muitos outros fabricantes utilizam sua tecnologia na produção de celulares descartáveis hoje em dia.

Imaginação e criatividade muitas vezes são consideradas como algo dentro do contexto do impraticável e irreal. Entretanto, mesmo quando somos crianças em brincadeiras imaginárias, estamos encontrando soluções para problemas. Quando uma criança precisa de um forte para ficar de tocaia em caso de "ataque inimigo", ela fica esperando que o forte apareça ou parte para a ação pendurando cobertas por cima de cadeiras e caixas, protegendo os muros com travesseiros – como fizeram as mulheres listadas acima? Quando as regras de um jogo tradicional tornam-se enfadonhas, as crianças largam de mão e ficam sentadas? Não! Elas inventam suas próprias regras, criando interesse e diversão para si mesmas e seus amigos.

Cada mulher listada acima usou a criatividade para identificar uma solução para um problema. Algumas foram soluções para problemas que o mundo ainda não havia percebido, e essas pensadoras imaginativas foram criticadas ou ridicularizadas por suas ideias. Entretanto, quando o mundo viu valor no que elas tinham a oferecer, cada mulher foi reconhecida e recompensada por sua contribuição.

A mente superior, que será tratada em mais detalhe em um capítulo posterior, é um exercício fabuloso de criatividade e imaginação. A capacidade de gerar ideias com outros ajuda a ativar a criatividade conjunta do grupo. É aí que você realmente vê o poder do questionamento. Quando você faz uma pergunta, isso ativa a criatividade. Em vez de dizer: "Não posso", diga: "Como eu posso?". "Não posso" é uma declaração que fecha a mente, mas "Como eu posso?" abre a mente e ativa a criatividade.

Experimente da próxima vez que estiver com amigos, parceiros de negócios ou filhos. É espantoso. Você verá rapidamente por que se diz que a pessoa que faz perguntas está no controle da situação e costuma ser a líder.

É por meio da geração de ideias em grupo que você pode transformar uma ideia criada a partir da IMAGINAÇÃO em um plano organizado. Conforme

Hill nos recorda: "A transformação do impulso intangível do DESEJO na realidade tangível do DINHEIRO requer a utilização de um plano, ou planos. Estes planos devem ser montados com o auxílio da IMAGINAÇÃO".

O CAPÍTULO NA PRÁTICA – EM MINHA VIDA

Quando pensei no papel desempenhado pela IMAGINAÇÃO em minha vida, foi esclarecedor, para dizer o mínimo.

Cresci em um lar bastante sério e trabalhador de classe média. Meu pai fez carreira na marinha, e em nossa casa a disciplina era bastante rígida. Eu era uma aluna excelente na escola, tirava boas notas e seguia as regras (na maior parte do tempo). Porém, ao olhar para trás agora, acredito que minha criatividade tenha sido sufocada naquele ambiente escolar. Depois de me formar e ser bem-sucedida na contabilidade pública, encontrei-me outra vez em um ambiente corporativo estruturado e definido onde muita gente floresce, mas não eu.

Ao deixar o mundo corporativo e me tornar empreendedora, percebi ter encontrado um senso de liberdade que permitiu à minha criatividade deslanchar e se expressar.

Hoje, fico mais energizada quando estou resolvendo um problema ou descobrindo novas maneiras de fazer alguma coisa. Começo com o problema e um quadro branco e reflito sobre as possibilidades de solução. É emocionante. É uma extensão da minha filosofia do "Por que não?". Ao me fazer a pergunta, permito-me pegar uma trilha menos percorrida e experimentar coisas novas.

Às vezes, quando me sinto empacada, forço-me a fazer algo novo. Muitas vezes vou até o mar. A água banhando a praia, o pôr do sol e os sons do mar são alimento para minha alma e reavivam minha criatividade. De fato, fui até o mar pelo menos uma vez para cada livro que escrevi.

Quando Don Green, CEO da Fundação Napoleon Hill, pediu-me para revisar um manuscrito original de Hill que estivera sumido por mais de 73 anos, fui até a beira-mar em San Diego. Eu tinha que estar no ambiente certo para ler, pois soubera que seria simplesmente a quarta ou quinta pessoa até então a ler o manuscrito, intitulado *Mais esperto que o Diabo* por Hill. Que honra incrível – e que responsabilidade. Li em poucas horas, e aquilo mudou minha vida para sempre.

Mais esperto que o Diabo revela como crenças autolimitadoras podem nos impedir de alcançar o sucesso que merecemos, e como a negatividade pode nos paralisar em nossa busca de sucesso. O livro oferece um plano de sete passos para se vencer essa negatividade e libertar dessas crenças autolimitadoras.

A esposa de Hill ficou apreensiva com o título e proibiu a publicação enquanto foi viva. Acredito, entretanto, que também houvesse uma força maior em ação, e que o livro realmente estava designado para ser publicado nos tempos atuais. Hoje em dia há muita gente paralisada pelo medo, incapaz de romper suas crenças autolimitadoras.

Quando Don Green pediu-me para editar o manuscrito e fazer notas para o leitor moderno, fiquei entusiasmada – e assoberbada pela responsabilidade assustadora. Enquanto olhava o oceano, rezei em busca de orientação para honrar a obra de Hill e ao mesmo tempo realçar sua relevância para o mundo de hoje. O que sucedeu-se enquanto eu escrevia só posso descrever como aquilo que Hill descreveu em sua descrição de "imaginação criativa ... a mente finita do homem tem comunicação direta com a Inteligência Infinita. É a faculdade por meio da qual se tem 'palpites' e 'inspirações'. É por meio dessa faculdade que todas as ideias básicas ou novas são entregues ao homem".

Enquanto eu escrevia, houve ocasiões em que apenas fitava o oceano, abrindo minha mente e pedindo inspiração. A seguir começava a escrever furiosamente e me surpreendia com o que havia escrito. De todos os livros que tive a honra de editar, posso dizer sinceramente que *Mais esperto que o Diabo* foi o que teve maior impacto em minha vida. Ouvimos falar constantemente de pessoas que tiveram impacto semelhante ao lê-lo.

Recentemente estive outra vez diante do mar, em Los Angeles, contemplando este livro e o poder e a importância da imaginação em nossa busca pelo êxito. A seguinte inspiração me veio à mente:

"Quando crianças, usamos a imaginação para brincar e criar; adultos, parece que usamos a imaginação com mais frequência para fugir".

Vejo muitos amigos "fugindo" para os livros ou filmes no esforço de evitar lidar com questões de suas vidas. Se apenas conseguissem soltar a imaginação de forma criativa, poderiam encontrar maneiras de vencer os problemas e criar novas vias de sucesso em suas vidas.

Durante um período particularmente estressante de minha vida, me vi em nosso rancho no meio da Floresta Nacional de Tonto, no Arizona. A incrível beleza era acachapante e ajudou a colocar minhas questões e/ou problemas em perspectiva. Ver a vasta abundância e beleza de Deus lhe ajuda a perceber como qualquer questão com que esteja lidando no momento é apenas uma ninharia no plano geral dele para a sua vida.

A simples criação de uma mudança de cenário muitas vezes desencadeará novos pensamentos e a criatividade.

A MENTE SUPERIOR DA IRMANDADE

A sabedoria de mulheres importantes e bem-sucedidas sobre a IMAGINAÇÃO:

RITA DOVE
POETA E ESCRITORA NORTE-AMERICANA, PRIMEIRA AFRO-AMERICANA A OCUPAR O CARGO DE POETA LAUREADO, CONSULTOR DE POESIA PARA A BIBLIOTECA DO CONGRESSO (1993-1995)

"Você tem que imaginar que seja possível antes conseguir ver alguma coisa. Você pode ter a evidência bem diante de si, mas, se não consegue imaginar algo que nunca existiu antes, é impossível."

ANNE SULLIVAN MACY (1866-1936)
PROFESSORA IRLANDESA-AMERICANA, MAIS CONHECIDA COMO INSTRUTORA E ACOMPANHANTE DE HELLEN KELLER

"Imaginamos que queremos escapar de nossa existência egoísta e vulgar, mas nos agarramos desesperadamente a nossos grilhões."

SYLVIA PLAT (1932-1963)
POETA E ESCRITORA NORTE-AMERICANA

"E, a propósito, tudo na vida pode ser escrito se você tiver peito para fazê-lo e imaginação para improvisar. O pior inimigo da criatividade é a dúvida em si mesmo."

EMILY DICKINSON (1830-1886)
UMA DAS MAIORES POETAS NORTE-AMERICANAS, E MUITO CONHECIDA POR VIVER UMA VIDA DE RECLUSÃO SOCIAL AUTOIMPOSTA

"O lento rastilho do Possível é aceso pela Imaginação."

L. E. LANDON (1802-1838)
POETA E ROMANCISTA INGLESA, MAIS CONHECIDA PELAS INICIAIS L. E. L.

"A imaginação é para o amor o que o gás é para o balão – aquilo que o eleva da terra."

LAUREN BACALL (1924-2014)
ATRIZ E MODELO NORTE-AMERICANA
"Imaginação é a pipa mais alta que se pode empinar."

MARIE VON EBNER-ESCHENBACH (1830-1916)
ESCRITORA AUSTRÍACA CONHECIDA POR EXCELENTES ROMANCES PSICOLÓGICOS
"Sem imaginação, não existe bondade, nem sabedoria."

NANCY HALE (1908-1988)
PRIMEIRA MULHER REPÓRTER DO *NEW YORK TIMES* E ROMANCISTA
"Imaginação é uma nova realidade em processo de criação. Representa a parte da ordem existente que ainda pode crescer."

MARIAN ANDERSON (1897-1993)
CONSIDERADA UMA DAS MELHORES CONTRALTOS DE SUA ÉPOCA E PRIMEIRA AFRO-AMERICANA A SE APRESENTAR COM A METROPOLITAN OPERA DE NOVA YORK, EM 1955
"Quando você para de ter sonhos e ideais – bem, você bem que poderia parar por completo."

DRª JOEL MARTIN
FUNDADORA DA TRIAD WEST INC.
"Você provavelmente ouviu a expressão 'sair da caixa'. Bem, transformação é inventar sua caixa e fazê-la grande o bastante para manejar e gerar mais daquilo que você quer pessoalmente, profissionalmente e em seus relacionamentos."

Ao resumir o capítulo sobre Imaginação, Hill enfatiza: "A história de praticamente toda grande fortuna começa com o dia em que um criador de ideias e um vendedor de ideias se juntam e trabalham em harmonia". No próximo capítulo ele revela que, mesmo com a maior imaginação, você precisa ser habilidosa no PLANEJAMENTO ORGANIZADO.

PERGUNTE A SI MESMA

Use seu diário ao percorrer este trecho para identificar suas etapas de ação, ativar seus momentos de "sacação" e criar seu plano para obter sucesso!

Como você avaliaria sua IMAGINAÇÃO?

De tempos em tempos todas nós precisamos recarregar nossa essência criativa para que nossa imaginação possa voar alto.

A lista a seguir inclui várias maneiras de recarregar sua IMAGINAÇÃO. Analise cada item e pergunte a si mesma quando foi a última vez que experimentou cada um deles.

Fisicamente

1. Dormir o bastante.
2. Fazer exercício suficiente.
3. Caminhar ao ar livre, sentar e desfrutar da natureza.
4. Ficar confortável no silêncio.
5. Ler um livro.
6. Ouvir música.

Mentalmente

7. Sonhar acordada.
8. Livrar-se de crenças autolimitadoras e não se comparar com os outros.
9. Suspender a descrença.
10. Acreditar que qualquer coisa é possível.

Ações

11. Manter um bloco de notas e uma caneta com você para fazer anotações.
12. Ir a um território desconhecido.
13. Tornar-se mais espontânea, experimentar coisas novas.
14. Fazer mais perguntas a si mesma, tipo: "Por que não?".
15. Fazer pausas criativas.
16. Pensar em grupo com sua família e amigos.

17. Brincar.
18. Criar.

Desafie a si mesma para agendar um período para "imaginação" durante os próximos dias e aprenda a fazer disso uma parte de sua agenda diária.

O que você vai planejar para energizar sua IMAGINAÇÃO?

Pegue papel e lápis (os coloridos são melhores) e comece a rabiscar sem pensar. Dê a si mesma no mínimo trinta minutos de tempo para desenhar. Que pensamentos lhe vieram à mente enquanto desenhava? Foram criativos ou críticos?

Comece a escrever em seu diário qualquer coisa que lhe venha à mente. Escreva pelo menos por trinta minutos, e repita diariamente no mínimo por uma semana. Ao final da semana, pergunte a si mesma que novas ideias vieram à mente. Você experimentou emoções enquanto escrevia?

Pratique usando o poder do questionamento para ativar sua IMAGINAÇÃO. Quando em grupo, faça uma pergunta geral e observe como ela desencadeia a conversa dentro do grupo. Você verá a energia do grupo aumentar como resultado da discussão.

Pergunte a si mesma qual ambiente é mais favorável para sua criatividade e IMAGINAÇÃO. Vá lá e permita que sua criatividade e IMAGINAÇÃO voem alto. Que inspiração você recebeu?

Se você é mãe, planeje algo com seus filhos que crie um período de imaginação para eles também. Fale sobre isso com eles – você ficará espantada com a criatividade deles.

6

Planejamento organizado

A cristalização do desejo em ação

No fim é a qualidade e o caráter,
o entendimento do líder de como ser, não de como fazer,
que determina o desempenho, os resultados.
– FRANCES HESSELBEIN

ENTÃO, VOCÊ TEM AQUELE DESEJO ARDENTE DE REALIZAR UM PROPÓSITO DEFINIDO, e FÉ em si mesma e na sua capacidade de realizá-lo, você tem o CONHECIMENTO ESPECIALIZADO necessário e sua IMAGINAÇÃO está a mil. Você cria sua DECLARAÇÃO DE MISSÃO PESSOAL e segue os seis passos esboçados no primeiro capítulo para empregar a AUTOSSUGESTÃO.

A LEI da ATRAÇÃO diz: "Pense bons pensamentos e coisas boas vão acontecer para você", ou: "Você pode atrair para sua vida qualquer coisa em que pensar". Napoleon Hill disse: "O que a sua mente consegue conceber e acreditar, sua mente pode realizar".

Assim, seu sucesso deve estar assegurado, certo?

No capítulo sobre FÉ, compartilhei a Equação do Sucesso Pessoal do livro *Think and Grow Rich: Three Feet from Gold*, e como ter FÉ é importante para o seu sucesso. Outro componente essencial daquela fórmula é partir para a AÇÃO. A fim de assegurar a atração daquilo que você quer ou precisa, você também deve agir!

Na verdade, Hill também disse que você precisa "fazer aquele algo a mais" e precisa ter PLANOS DEFINIDOS. De onde então vêm esses planos?

Ao incumbir sua imaginação de seu DESEJO ARDENTE, ela vai gerar tanto a estratégia quanto os PLANOS práticos e definidos que tornarão seu sucesso realidade.

A maioria dos entendidos em sucesso e liderança esboça o processo para o Sucesso em alguma forma do seguinte processo em quatro etapas:

1. VISÃO – **Qual** meta você está lutando para atingir?
2. ESTRATÉGIA – **Como** você vai atingi-la?
3. PESSOAS – **Quem** vai fazer? Ter as pessoas certas nos lugares certos.
4. LIDERANÇA – **Você** lidera sua equipe escolhida a dedo rumo ao SUCESSO.

É aqui que a filosofia de Hill se destaca do pensamento tradicional e pode revelar uma diferença muito importante para qualquer um que queira realmente alcançar o sucesso. Ele enfatiza que você deve ter em mente estes dois fatos importantes:

Primeiro. Você está empenhada em uma iniciativa da maior importância para você. Para garantir o sucesso você tem que ter *planos* impecáveis.

Segundo. Você tem que ter a vantagem da experiência, educação, capacidade inata e imaginação de outras mentes na *criação dos planos*.

Assim, pela filosofia de Hill, você tem que ter "a pessoa" a postos antes de criar sua estratégia e planos, de modo que obtenha benefício da experiência, educação, capacidade inata e imaginação da Mente Superior. Você utiliza a equipe para ajudá-la a criar a estratégia e os planos definidos mais eficientes. Você traz a equipe antes de criar a ESTRATÉGIA e se beneficia da IMAGINAÇÃO desse grupo no processo. Ao fazer isso, você desenvolve um plano que não só é bem organizado, mas pode ser executado com eficiência e sucesso.

1. VISÃO – **Qual** meta você está lutando para atingir?
2. EQUIPE DE DESENVOLVIMENTO – **Quem** está na sua equipe de Mente Superior para ajudá-la a montar a estratégia e criar o plano específico para agir a meta?

3. ESTRATÉGIA – **Como** você e sua equipe vão atingir a meta?
4. PLANOS DEFINIDOS – Criados com e aprovados pelos membros de sua liga da Mente Superior.
5. PESSOAS – **Quem** vai fazer? Colocar as pessoas certas nos lugares certos.
6. LIDERANÇA da EQUIPE.

Existe uma outra diferença. A líder de Hill não só envolve e emprega o poder da MENTE SUPERIOR, como distingue um tipo diferente de liderança: a liderança com anuência e simpatia dos liderados. É um contraste com o outro tipo de liderança, a liderança pela força, sem a anuência e simpatia dos liderados.

Outra forma de contrastar os dois tipos de liderança seria chamar a primeira de Liderança por Colaboração e a segunda de Liderança Ditatorial. Como forma de enfatizar este ponto, Hill salienta: "A história está repleta de evidências de que a Liderança Ditatorial não consegue perdurar. A queda e o desaparecimento de ditadores e reis são significativos. Significa que as pessoas não seguem indefinidamente uma liderança forçada".

Nunca é demais enfatizar a importância da liderança no planejamento organizado. As líderes "tocam o barco" de acordo com o plano e sabem como alavancar as melhores qualidades dos indivíduos a fim de executar o plano bem pensado, que é da autoria de todos.

Celebramos a LIDERANÇA POR ANUÊNCIA ou LIDERANÇA COLABORATIVA e concordamos que se trata da melhor fórmula para o SUCESSO. Uma vez que as mulheres se sobressaem neste tipo de liderança, vão continuar a ocupar mais e mais papéis de liderança e ser bem-sucedidas.

Um exemplo maravilhoso de uma mulher líder com essas aptidões é Frances Hesselbein, presidente e CEO do *Leader to Leader Institute*. Antes deste cargo, ela atuou como CEO nas Escoteiras dos Estados Unidos por quatorze anos (1976-1990). É dela o crédito por ter reativado as Escoteiras por meio de suas habilidades de organização e liderança, bem como pelo aumento da diversidade e a implantação do programa Escoteiras Daisy para meninas mais jovens. Sob sua liderança, as Escoteiras cresceram para 2,25 milhões de participantes, com uma força de trabalho primariamente "voluntária" de 780 mil. Ela recebeu a Medalha Presidencial da Liberdade por seu trabalho.

Quando indagada sobre liderança, sua resposta, simples mas poderosa, é: "Liderança é uma questão de como ser, não de como fazer". Em um artigo escrito por Joanne Fritz, que fez parte da organização das Escoteiras sob a liderança de Hesselbein, esta compartilhou: "Trabalhei nos setores empresarial, de educação e de entidades sem fins lucrativos durante minha carreira, e nada se compara à beleza organizacional das Escoteiras". A filosofia de liderança de Hesselbein inclui as seguintes recomendações:

1. Encontre mentores que sejam as melhores cabeças do setor.
2. Faça de sua organização uma organização de aprendizagem. Nas palavras dela: "O primeiro item do seu orçamento deve ser aprendizado, educação e desenvolvimento do seu pessoal".
3. Abra mão de qualquer hierarquia. Ela colocou o líder no meio do quadro organizacional, e não no topo, chamando de "gestão circular". Nas palavras dela: "Desenvolvemos líderes em todos os níveis, e descobrimos que a gestão circular libera a energia de nosso pessoal, libera o espírito humano".
4. Respeite os sentimentos dos dissidentes. Fazendo isso, você consegue transformar antagonismo em cooperação.
5. Faça a sua pesquisa. Escute o cliente e enfoque as necessidades, não as suas suposições. Depois da pesquisa, execute testes pilotos das ideias e/ou programas.

As mulheres tratam a liderança de forma diferente dos homens. A companhia McKinsey estudou mais de mil gestores de um amplo leque de companhias e verificou haver diferenças entre os estilos de liderança de homens e mulheres. A tabela a seguir mostra quais as estratégias mais prováveis de serem empregadas por homens e mulheres em cargos de liderança.

FREQUÊNCIA DE UTILIZAÇÃO DOS PRINCIPAIS COMPORTAMENTOS DE LIDERANÇA

Mulheres usam mais	Homens usam mais	Ambos os gêneros usam com igual frequência
Desenvolvimento de pessoal	Tomada de decisão individualista	Estimulação intelectual
Expectativas e recompensas	Controle e ação corretiva	Comunicação eficiente
Exemplo		
Inspiração		
Tomada de decisão participativa		

Atualmente, a liderança executiva das Escoteiras continua a inovar e enfoca a formação de futuras líderes. Anna Maria Chavez, CEO da organização, diz: "Pesquisas mostram que as meninas olham a liderança de forma diferente dos meninos". A declaração da missão das Escoteiras proclama: "O Escotismo para Meninas cria garotas corajosas, confiantes e de caráter, que fazem do mundo um lugar melhor". Suas Três Chaves para a Liderança são:

Descobrir: as garotas compreendem a si mesmas e seus valores, e usam seu CONHECIMENTO e habilidades para explorar o mundo.

Conectar: as garotas se interessam, se inspiram e se agrupam local e globalmente.

Agir: as garotas agem para fazer do mundo um lugar melhor.

Com este tipo de treinamento, continuaremos a ver grandes líderes femininas se desenvolver a partir das Escoteiras.

Ao olhar as atuais lideranças femininas de negócios, muita gente salienta o fato de que as mulheres detêm hoje apenas 23 cargos de CEO das empresas Fortune 500 (referente a janeiro de 2014). Entretanto, este percentual tem aumentado constantemente ano após ano, e em 2012 as mulheres detinham 51,5% dos cargos de gestão, profissionais e de associados dos Estados Unidos, o que demonstra crescimento no número de líderes femininas.

CEOs MULHERES DAS EMPRESAS FORTUNE 500 (%)

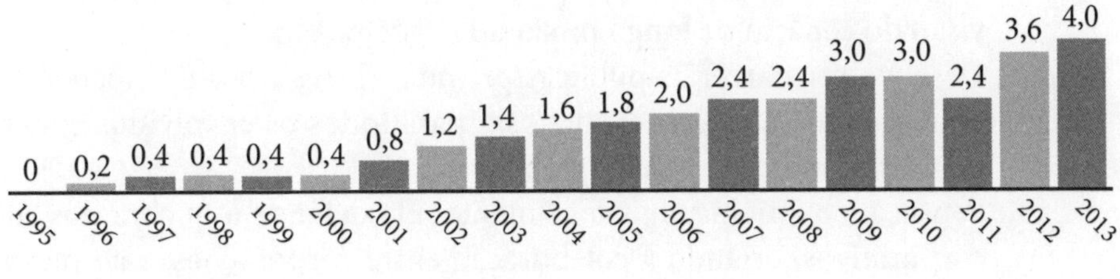

CARGOS DE GESTÃO, PROFISSIONAIS E DE ASSOCIADOS OCUPADOS POR MULHERES NOS ESTADOS UNIDOS (%)

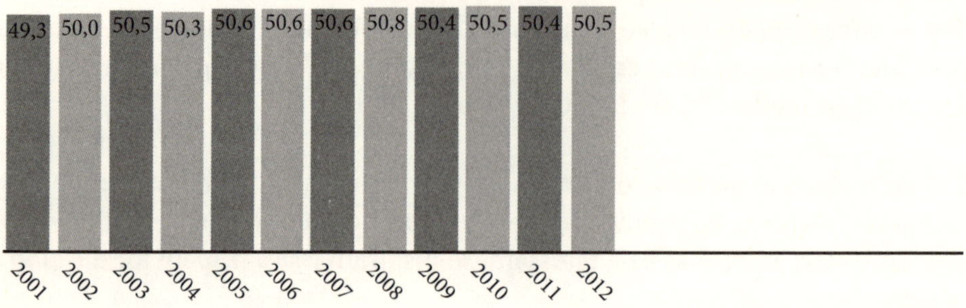

Vamos enfocar o progresso que as mulheres estão fazendo e seguir aplaudindo-as à medida que sua influência no local de trabalho, nos conselhos de administração e nos gabinetes de CEO aumenta. Vamos substituir o discurso negativo sobre a falta de CEOs mulheres pelo discurso positivo sobre os avanços já feitos e que continuam a ser feitos por mulheres em todos os níveis de gestão.

Reconhecida como uma das CEOs mulheres da Fortune 500, bem como uma das Mulheres de Negócios Mais Poderosas do Mundo, Indra Nooyi, CEO da PepsiCo, chama seu estilo de liderança de "desempenho com propósito" e compartilhou cinco lições de liderança importantes para líderes globais do século XXI.

1. Equilibrar o curto prazo com longo prazo. Líderes eficientes precisam encontrar um equilíbrio, produzindo ganhos a curto prazo, mas com visão do cenário de longo prazo do negócio.
2. Desenvolver parcerias públicas/privadas. Esses tipos de colaboração podem criar estratégias vantajosas para todos os envolvidos e incrementar economias locais e globais.
3. Pensar globalmente, agir localmente. Ela defende a quebra dos silos corporativos, criando a colaboração entre corporações, e ao mesmo abraçando costumes locais que possam produzir soluções inovadoras e inusitadas.
4. Manter uma mente aberta, e estar preparada para mudar. Ela é a favor da realização de perguntas insistentes para facilitar o diálogo e a exploração, e de que se tenha uma mente flexível em vez de fechada. Liderar com a cabeça e o coração.
5. Líderes devem levar "seu eu por inteiro para o trabalho todos os dias". De fato, ela escreve cartas para os pais de sua equipe executi-

> va, dizendo o quanto devem se orgulhar dos filhos. Ao que parece, isso rendeu grandes dividendos em termos de cultura corporativa. A paixão e o senso de propósito de sua equipe executiva ficaram energizados para executar a missão da companhia. (http://snyderleadership.com/2013/05/07/leadership-lessons-from-pepsico-ceo-indra-nooyi/)

Indra Nooyi também tem uma mensagem relevante para as mulheres: "Nós mulheres devemos escutar nossa voz interior. É mais fácil para as mulheres fazerem isso, pois não têm medo de dizer o que sentem. Devemos manter nossa feminilidade e nossa fibra. Como líder, sou dura comigo mesma e elevo o controle de qualidade de todo mundo; entretanto, sou muito atenciosa porque quero que as pessoas se sobressaiam no que estão fazendo, de modo que possam aspirar ser eu no futuro".

Ela recomenda ter sempre uma atitude e intenção positivas. Adverte que, quando tem uma atitude negativa, você atua a partir da raiva. Se você encara uma situação negativa com negatividade, tem dois negativos lutando um contra o outro. Se, em vez disso, retira aquela raiva e reage a uma situação negativa com intenção positiva, você ficará maravilhada. Você vai dissipar a situação, e sua maturidade emocional vai aumentar porque você não vai reagir a esmo.

Napoleon Hill percebeu a capacidade das mulheres para liderar. Em 1983, sua fundação concedeu a Medalha de Ouro a Mary Kay Ash, fundadora da Mary Kay Cosmetics. Ao agraciá-la com a medalha, o curador Jim Oleson, do conselho da fundação, ecoou a crença de Hill quando disse: "É a primeira, é um acontecimento histórico, e é agora, em nosso tempo, quando as mulheres estão provando que podem sair e fazer o trabalho que um homem consegue fazer... senão melhor".

Em seu discurso de agradecimento, Mary Kay compartilhou: "Primeiro eu li todo [*Pense e enriqueça*] como um romance, depois li um capítulo por dia. Lia um capítulo todo dia por uma semana, até começar a praticar o que havia sido dito com aquelas palavras. E ao final do livro e ao final daquelas semanas ... minha vida tivera uma reviravolta ... passei a sentir que as mulheres podem fazer qualquer coisa que queiram nesse mundo ... se quiserem com garra o bastante. E é esta a mensagem que tento infundir no povo da nossa nação e nos outros países: 'Você pode fazer, você pode fazer qualquer coisa...'. De modo que sim, qualquer coisa que um homem consegue fazer, uma mulher pode fazer melhor".

A trilha de Mary Kay para o sucesso encarna os ensinamentos de *Pense e enriqueça*. Ela tinha o DESEJO ARDENTE quando deu início à empresa com os cinco mil dólares de suas economias da vida inteira. Sua meta era proporcionar uma oportunidade ilimitada de sucesso pessoal ou financeiro às mulheres. Ela tinha FÉ e IMAGINAÇÃO e teve uma boa ideia – propiciar o avanço das mulheres ajudando outras a ter sucesso. Ela demonstrou grande PERSISTÊNCIA e foi uma grande líder.

Como líder, Mary Kay prezava o valor individual das pessoas e acreditava que:

> Todo mundo quer ser alguém, para realizar alguma coisa e ter algum valor;
>
> Ninguém se importa com o quanto você sabe até saber o quanto você se importa;
>
> Todo mundo precisa de alguém;
>
> Você não consegue realizar grandes feitos sozinha.
>
> Qualquer um que ajuda alguém influencia um monte de gente. (Direta ou indiretamente, você está ajudando todos dentro do círculo de influência daquela pessoa.)

Quando indagada sobre seu estilo de liderança, Mary Kay compartilhou: "Tratamos nosso pessoal com lealdade. Se você honra e serve as pessoas que trabalham para você, elas vão honrá-la e servi-la".

Cada uma dessas mulheres que mencionei são exemplos fulgurantes de líderes verdadeiras e personificam os principais atributos de liderança expostos por Hill no *Pense e enriqueça* original.

OS 11 ATRIBUTOS PRINCIPAIS DA LIDERANÇA

1. Coragem inabalável.
2. Autocontrole.
3. Um agudo senso de justiça.
4. Decisões definidas.
5. Planos definidos.
6. O hábito de fazer mais do que se é pago para fazer.
7. Uma personalidade agradável.
8. Simpatia e compreensão.
9. Domínio dos detalhes.
10. Disposição para assumir plena responsabilidade.
11. Cooperação. Liderança requer poder, e poder requer cooperação.

Além de conhecer os atributos de uma boa líder, é igualmente importante entender o que pode levá-la ao fracasso na busca de se tornar uma boa líder. Hill especificou as dez maiores causas de fracasso na liderança porque sentiu que era tão importante saber O QUE NÃO FAZER quanto saber o que fazer.

AS DEZ MAIORES CAUSAS DE FRACASSO NA LIDERANÇA

1. Incapacidade de organizar os detalhes.
2. Relutância em prestar serviço humilde.
3. Expectativa de pagar as pessoas pelo que "sabem" em vez de pagar pelo que elas fazem com o que sabem.
4. Medo da concorrência dos seguidores.
5. Falta de imaginação.
6. Egoísmo.
7. Intemperança.
8. Deslealdade.
9. Ênfase na "autoridade" da liderança.
10. Ênfase no título.

Vamos enfocar os "Planos Definidos" e o "Domínio dos Detalhes" como atributos específicos necessários a uma grande líder, bem como a "Incapacidade de Organizar os Detalhes" como uma causa de fracasso na liderança. Conforme Hill enfatizou: "Sua realização não pode ser maior que a solidez de seus PLANOS".

Seus planos precisam ser definidos, precisam ser tanto de curto prazo quanto de longo prazo, e devem estar combinados com metas específicas. Se o primeiro plano que você fizer não der certo, conceba um novo e, se este novo não funcionar, substitua-o por um outro, e assim por diante até encontrar o plano que funcione. Isso vem da PERSISTÊNCIA. Muitas de nós deparam com o fracasso porque desistem antes de encontrar o plano que funcione. Mais uma vez, Hill nos lembra que

Um desistente nunca vence – e um vencedor nunca desiste.

Cada uma dessas mulheres teve uma grande visão e coragem, e uma tremenda persistência para alcançar o SUCESSO. Mas elas também tinham PLANOS DEFINIDOS específicos e se organizaram em suas estratégias para empregar tais planos.

Ingrid Vanderveldt, fundadora do Innovators Credit Fund da Dell e empreendedora residente na empresa, ressalta a importância do planejamento em uma declaração simples, mas poderosa: "Um desejo sem um mapa da estrada é um sonho que permanece na vontade. Para 'Tornar o Impossível Possível', ou criar e viver a vida que você imagina – uma vida que cria riqueza para você e os outros – é crucial desenvolver um plano em torno de sua meta com marcos mensuráveis pelos quais você mesma se responsabilize".

Pense na sua vida. Você tem planos definidos? Você recruta o poder de uma Mente Superior ao criar seus planos? Você é organizada, ou poderia ser mais organizada? O tópico do Planejamento Organizado pode não ser o mais empolgante, mas é da maior importância para se atingir o sucesso. Judith Williamson, diretora do Centro de Aprendizado Mundial Napoleon Hill, supervisiona a extensa biblioteca da obra de Hill e compartilha sua estratégia de Planejamento Organizado, fornecendo conselhos práticos que todas nós podemos empregar.

O retorno no Planejamento Organizado

O planejamento organizado é essencial para o sucesso de todos. Escrever um livro, construir uma casa de boneca, preparar um jantar – tudo demanda planejamento prévio e preparação. O mesmo é verdade para se construir uma carreira ou negócio bem-sucedidos. Um plano organizado e detalhado é de importância crucial para mapear sua rota para o sucesso.

Uma vez que meu plano geral esteja montado, eu elaboro uma lista de afazeres diários de dez ou mais itens essenciais que quero realizar naquele dia e que me ajudarão a alcançar minhas metas de longo prazo. A simples função de riscá-los da lista faz com que eu me sinta incrível, como se tivesse realizado algo. Desafio-me a começar com o item menos apetitoso da lista, pois executá-lo vai dar um impulso para o meu dia.

Visto que todas nós temos múltiplas tarefas, é importante tratar dos assuntos relacionados a nossas metas espirituais, físicas, mentais, sociais, emocionais e financeiras, de modo a nos cuidarmos por inteiro. Se não, você pode acabar bem-sucedida financeiramente, mas sem saúde o bastante para aproveitar.

Começar sua lista de itens com verbos – tipo: 1) *lavar* o carro, 2) *limpar* o banheiro, 3) *escrever* o capítulo – vai ajudar a motivá-la a fazer a ação listada, e no fim do dia será mais fácil discernir se você atingiu a meta.

À medida que você alcança objetivos menores que contribuem para metas maiores, centímetro por centímetro, passo por passo, metro por metro, o processo começa a adquirir vida própria.

Por exemplo, ao reparar em objetos pela casa, você não fica sempre pasma com a rapidez com que as coisas se acumulam? Os jornais que chegam todo dia se amontoam para criar uma pilha pesada até o final da semana. A correspondência espalhada em cima da mesa de jantar logo cobre o tampo na horizontal e começa a se empilhar na vertical se permanece não selecionada. A geladeira cheia de "sobras" para mais tarde logo começa a adquirir vida própria – literalmente. Esses são apenas exemplos banais da tendência de que as coisas se acumulam. Ao criar uma lista de afazeres e enfocar sua intenção de desentulhar por um período razoável todo dia, no fim do mês você vai verificar que fez muita coisa. Este padrão cósmico pode ser repetido em todas as nossas metas e objetivos desejáveis uma vez que tenhamos entendido como colocar esta lei natural a trabalhar a nosso favor.

Tenho melhor desempenho quando estou organizada. Um ex-chefe costumava dizer que uma pasta para cada projeto em que eu estivesse trabalhando era toda a organização de que eu precisava para ter êxito. Quando vou de um projeto para o próximo, coloco naquela pasta quaisquer notas, recibos, memorandos etc. que eu tenha acumulado. Também guardo uma cópia impressa da minha agenda com compromissos e telefonemas relacionados para ajudar a estimular minha memória mais adiante. A pasta estará sempre à mão da próxima vez que eu precisar. É um sistema simples que funciona – se você usá-lo.

O planejamento organizado é crucial para o sucesso de qualquer um. Entretanto, mesmo o indivíduo mais organizado precisa ter uma personalidade agradável, criando relações humanas cordiais e autênticas. Com confiança, sinceridade e interesse comum genuíno na melhoria e realização de todos, e seguindo deliberadamente a regra de ouro de "faça aos outros o que gostaria que os outros fizessem a você", podemos dar início ao processo de tornar o mundo melhor – começando por melhorar a nós mesmas.

A única pessoa que realmente pode mudar nossa vida vive dentro de nós. Fundamentalmente, a verdade é que a mudança começa em nós e, quando mudamos, tudo ao nosso redor também muda. Ao nos organizarmos, teremos mais condições de liderar os outros a efetuar mudanças.

O conselho de Judy enfatiza a importância de ser organizada e sugere alguns sistemas simples que podemos usar para ficarmos mais organizadas na vida diária. Quando você não é uma líder organizada, é fácil ficar sobrecarregada e perder o foco. Ficar organizada pode tomar um tempinho agora, mas proporcionará benefícios de longo prazo, incluindo:

1. Maior produtividade - fazer uma lista lhe permite estabelecer prioridades, e você pode então enfocar cada tarefa ao destrinçar sua lista de afazeres;
2. Redução do estresse - com organização você adquire confiança, e com confiança o estresse é reduzido;
3. Ambiente de trabalho melhor - reduzindo o entulho, você terá mais espaço em sua mesa e condições de acessar informações importantes mais rapidamente.

Entretanto, no fim das contas a proeza é permanecer organizada! Isso requer o estabelecimento de novos hábitos que apoiem seus propósitos definidos. A editora Allyn Reid, casada com Greg Reid, meu coautor de *Three Feet from Gold*, compartilhou sua verdade sobre hábitos: "A coisa essencial a respeito de hábitos é que são difíceis de formar, são difíceis de manter. Se você tem fé em si de que os hábitos vão funcionar, então permita-se ter constância. A partir daí você vai verificar que sua vida andará muito mais rápido e que mais coisas virão a você. Apenas siga estas duas coisas: tenha compreensão do seu propósito e tenha hábitos maravilhosos".

O CAPÍTULO NA PRÁTICA – EM MINHA VIDA

No início de minha carreira, eu achava que precisava saber tudo, que fazer perguntas revelaria minha falta de CONHECIMENTO e faria as pessoas me menosprezarem. Acredito que este medo seja o resultado de anos de ensino escolar, onde eu era classificada com base em meu desempenho individual.

Não levou muito tempo para eu perceber o quanto isso era tolo, mas levou muito tempo para eu romper o hábito de querer ter sempre a resposta certa. Digo que sou aluna nota 10 em recuperação.

Durante o processo de recuperação, descobri a tremenda energia e a empolgação provenientes do processo da Mente Superior. O processo de pensar em grupo cria um ambiente para a ignição exponencial da imaginação, pois várias mentes alimentam umas às outras. O processo inclui lançar ideias sem julgá-las, seguidas de muitas perguntas "e se" e outras que expandam o pensamento do grupo. A líder da Mente Superior precisa ficar mais como uma facilitadora para fazer o processo funcionar. Fui bastante cumprimentada em uma reunião desse tipo quando um dos membros da Mente Superior disse: "Nunca tinha visto ninguém capaz de 'liderar' uma mesa-redonda com tanto encanto e ainda assim com tanta direção e foco".

Isso aconteceu durante uma Mente Superior em que eu e Michael, meu marido, estávamos em busca de maneiras de compartilhar o *Cherry Creek Lodge*, nosso rancho recém-adquirido em *Young*, no Arizona. Uma das amigas "na mesa" perguntou se havíamos aparecido na revista *Arizona Highways*; se não tivéssemos, ela contataria o editor em nosso nome. Eureca! Nosso rancho apareceu na capa da edição de janeiro de 2010, e mais adiante naquele ano o programa de televisão *Arizona Highways* filmou um especial no rancho, que continua a ser exibido de tempos em tempos.

Embora possa parecer uma simples oportunidade de relações públicas, foi naquela reunião que criamos os vários mecanismos de geração de receita que empregaríamos no rancho, incluindo alojamento (pernoite e café da manhã), excursões aos locais históricos onde foi travada a Guerra de *Pleasant Valley*, passeios a cavalo, passeios em veículos *off-road*, cursos de tiro e planejamento de eventos especiais. Ao ir à reunião, queríamos apenas encontrar formas de fazer o rancho gerar uma receitinha; ao sair da reunião, havíamos criado um negócio de verdade coletivamente, com um modelo de negócio de verdade e um plano de negócio, estratégias de *marketing*, planos promocionais e uma visão de futuro.

Durante uma reunião de Mente Superior semelhante para a minha companhia Pay Your Family First, havíamos compartilhado com a equipe que estávamos batalhando para levar nosso jogo *ThriveTime for Teens* para dentro das escolas. Avançamos na reunião em busca de ajuda e estratégias para chegar aos administradores e diretores a fim de convencê-los da importância da educação financeira e do impacto que nosso jogo teria na preparação dos adolescentes para o mundo econômico que enfrentariam. Como resultado daquela reunião nossa estratégia mudou por completo. Reenfocamos nossa energia em oferecer o programa a professores individuais no ensino médio, destacando os vencedores de cada escola em um torneio estadual onde os grandes vencedores receberiam bolsas para a faculdade.

As perguntas "e se" pipocavam:

E se pagássemos uma taxa à escola por nos deixar entrar?

E se pagássemos uma pequena quantia em prêmio aos três vencedores de cada escola para encorajar a participação?

E se convidássemos os vencedores para um torneio estadual?

E se tivéssemos muitos prêmios e um sorteio no torneio estadual?

E se providenciássemos uma grande universidade para patrocinar o torneio estadual?

E se pedíssemos aos líderes comunitários para patrocinar a iniciativa, mostrando colaboração?

E se pedíssemos a empresas para patrocinar o evento, mostrando ainda uma colaboração público-privada?

E se aperfeiçoássemos o modelo aqui no Arizona, de modo que pudesse ser repetido em outros estados e outros países ao redor do mundo?

Assim nasceu o Desafio *ThriveTime*. Nosso bônus extra tem sido que todo ano uma grande universidade não só tem patrocinado o torneio estadual como também complementado nossas bolsas para os vencedores. Tudo a partir do poder de um grupo de indivíduos com uma paixão compartilhada, uma missão focada e planos organizados.

Devo admitir que minha equipe pode dar risadinhas por eu ser chamada de planejadora organizada. Enquanto me proclamo multifuncional, eles referem-se a mim carinhosamente como multifocada. Eu me proclamo flexível, eles me chamam de empreendedora. Em todo caso, sei que minha fraqueza pessoal não é a capacidade de criar planos definidos, mas sim a incapacidade de me ater a eles – e por isso me certifico de que minha equipe complemente essa fraqueza. A COO da *Pay Your Family First*, Angela Totman, trabalha comigo há mais de doze anos. Ela é focada, organizada e é a disciplinadora com um martelo de veludo.

Mas o importante é que ela desenvolveu as habilidades de liderança que discutimos neste capítulo.

Existem vários hábitos que adotei para ajudar a me manter focada e organizada em meus planos. Além das listas de afazeres citadas por Judy Williamson, elaboro uma lista de coisas para deixar de fazer. Nela, listo coisas que faço (nas quais uso meu tempo) que poderiam ser feitas, em geral de modo mais eficiente, por outra pessoa. Encontro um jeito de parar de fazer. De fato, comecei a ter alguém para limpar minha casa e lavar minha roupa há vinte anos, de modo a ter mais tempo para ficar com minha família e escrever. Embora meu marido ainda reclame do como as meias são dobradas, foi a decisão certa para mim. Reduzi o estresse de tentar fazer tudo e não me sinto absolutamente culpada por causa disso!

Também criei o "plano 2-2-2". Isso me ajudou a estabelecer o hábito de enfocar o futuro de meus negócios todo e cada dia. Toda noite, antes de desligar meu computador, procuro seis pessoas que possam ajudar a abrir novas oportunidades para meus empreendimentos. Originalmente, isso significava duas ligações telefônicas, duas cartas escritas à mão e dois faxes (o que revela há quanto tempo estou na ativa). Hoje, significa duas postagens em mídias sociais, dois e-mails e dois bilhetes à mão, mas a intenção é a mesma - manter sempre meu foco em seguir os planos que tenho para ampliar meus negócios. Criar o hábito ajudou a manter uma medida de meus esforços e me permite manifestar gratidão a pessoas que me ajudaram a crescer.

Todas nós ouvimos dizer que gratidão é muito importante para se ter uma vida feliz. Mas a importância da gratidão ficou clara para mim quando ouvi Brené Brown, Ph.D., professora pesquisadora na Faculdade de Assistência Social da Universidade de Houston, abordar o assunto em uma de suas palestras TED. Ela compartilhou: "Nunca falo sobre gratidão e alegria separadamente pelo seguinte motivo. Em doze anos, nunca entrevistei uma única pessoa que descrevesse sua vida como alegre, que se descrevesse como alegre, que não estivesse praticando ativamente a gratidão".

De modo que, direto da especialista com a prova, agora acredito sinceramente que:

Praticar a gratidão ativamente traz resultados alegres.

Somado ao aprendizado sobre o poder da gratidão ao longo da jornada para me tornar uma líder mais eficiente, também aprendi que primeiro eu tinha que liderar a mim mesma para tomar decisões melhores. O próximo capítulo enfoca a tomada de decisões que não só farão de você uma líder mais eficiente, mas também irão acelerar sua jornada para o sucesso.

A MENTE SUPERIOR DA IRMANDADE

A sabedoria de mulheres importantes e bem-sucedidas sobre o PLANEJAMENTO ORGANIZADO:

ELEANOR ROOSEVELT (1884-1962)
PRIMEIRA-DAMA DOS ESTADOS UNIDOS A OCUPAR O CARGO POR MAIS TEMPO, DURANTE OS QUATRO MANDATOS DO MARIDO, O PRESIDENTE FRANKLIN D. ROOSEVELT. MAIS TARDE O PRESIDENTE HARRY S. TRUMAN CHAMOU-A DE "PRIMEIRA-DAMA DO MUNDO", EM TRIBUTO A SUAS REALIZAÇÕES EM DIREITOS HUMANOS
"Não é justo pedir aos outros o que você não está disposta a fazer por si."

MEG WHITMAN
PRESIDENTE E CEO DA HEWLETT-PACKARD
"Um líder de negócios tem que manter sua organização focada na missão. Parece fácil, mas pode ser tremendamente desafiador no atual ambiente competitivo e sempre cambiante dos negócios. Um líder também tem que motivar parceiros potenciais a participar."

ELIZABETH DOLE
POLÍTICA NORTE-AMERICANA E EX-CHEFE DA CRUZ VERMELHA NORTE-AMERICANA
"Almejamos dar um 'toque de despertar' nos negócios, alertar para o fato de que o próximo 'queridinho' da organização pode ser uma mulher."

JOANNE HARRIS
ESCRITORA BRITÂNICA E AUTORA DE RUNEMARKS
"Um homem pode plantar uma árvore por uma série de motivos. Talvez ele goste de árvores. Talvez ele queira abrigo. Ou talvez ele saiba que um dia pode precisar de lenha."

CONNIE LINDSEY
VICE-PRESIDENTE EXECUTIVA E CHEFE DE RESPONSABILIDADE SOCIAL CORPORATIVA NA NORTHERN TRUST, E PRESIDENTE DA JUNTA NACIONAL DAS ESCOTEIRAS DOS ESTADOS UNIDOS
"Grandes líderes são grandes servos."

HARRIET WOODS (1927-2007)
POLÍTICA NORTE-AMERICANA E SENADORA DOS ESTADOS UNIDOS
"Você pode ficar no alto sem ficar em cima de ninguém. Você pode ser vitoriosa sem ter vítimas."

MARGARET THATCHER (1925-2013)
PRIMEIRA-MINISTRA DO REINO UNIDO (1979-1990)
"Ser poderosa é como ser uma dama. Se você tem que dizer às pessoas que é, você não é!"

GOLDA MEIR (1898-1978)
QUARTO PRIMEIRO-MINISTRO DE ISRAEL
"Não por acaso muitos me acusam de conduzir os assuntos públicos com meu coração em vez de com minha cabeça. Bem, e daí se faço isso? Aqueles que não sabem chorar de todo coração tampouco sabem rir."

GLORIA STEINEM
LÍDER FEMINISTA E JORNALISTA NORTE-AMERICANA
"Planejar de antemão é uma medida de classe. Os ricos e mesmo a classe média planejam para as futuras gerações, mas os pobres podem planejar apenas com umas poucas semanas ou dias de antecedência."

ABIGAIL ADAMS (1744-1818)
MULHER DE JOHN ADAMS, SEGUNDO PRESIDENTE DOS ESTADOS UNIDOS
"Grandes necessidades requerem grandes líderes!"

JUDI SHEPPARD MISSETT
FUNDADORA E CEO DA JAZZERCISE, INC.
"Cerque-se de pessoas que vão enaltecê-la, e então lidere deixando outras pessoas se tornarem as estrelas emergentes."

Ao compartilhar a importância do Planejamento Organizado e da Liderança como ferramentas essenciais para o sucesso, Hill estava nos preparando para o próximo capítulo. Estamos no controle do nosso destino e devemos tomar a DECISÃO de querer ser bem-sucedidas. Isso remonta ao elemento Ação da Equação do Sucesso Pessoal.

PERGUNTE A SI MESMA

Use seu diário ao percorrer este trecho para identificar suas etapas de ação, ativar seus momentos de "sacação" e criar seu plano para obter sucesso!

Embora este capítulo seja intitulado PLANEJAMENTO ORGANIZADO, enfatizou a importância da LIDERANÇA. Registre em seu diário os seguintes atributos de uma boa líder conforme identificados por Hill e descreva como você se avalia em cada atributo.

OS 11 ATRIBUTOS PRINCIPAIS DA LIDERANÇA

1. CORAGEM INABALÁVEL
2. AUTOCONTROLE
3. UM AGUDO SENSO DE JUSTIÇA
4. DECISÕES DEFINIDAS
5. PLANOS DEFINIDOS
6. O HÁBITO DE FAZER MAIS DO QUE SE É PAGA PARA FAZER
7. UMA PERSONALIDADE AGRADÁVEL
8. SIMPATIA E COMPREENSÃO
9. DOMÍNIO DOS DETALHES
10. DISPOSIÇÃO PARA ASSUMIR PLENA RESPONSABILIDADE
11. COOPERAÇÃO

Liderança requer PODER, e poder requer COOPERAÇÃO.

Agora revise suas anotações e selecione duas ou três áreas onde acha que pode melhorar. Anote-as, faça um plano organizado para trabalhar nelas e então comprometa-se a trabalhar no plano pelos próximos trinta dias.

Além de conhecer os atributos para ser uma boa líder, é igualmente importante entender o que pode levá-la ao fracasso na busca de se tornar uma boa líder. Hill especificou as dez Maiores Causas de Fracasso na Liderança porque sentiu que era tão importante saber O QUE NÃO FAZER quanto saber o que fazer. Registre em seu diário as causas de fracasso na liderança identificadas por Hill e como cada uma delas pode ter lhe atrapalhado em algum momento de sua vida.

AS DEZ MAIORES CAUSAS DE FRACASSO NA LIDERANÇA

1. INCAPACIDADE DE ORGANIZAR OS DETALHES
2. RELUTÂNCIA EM PRESTAR SERVIÇO HUMILDE
3. EXPECTATIVA DE PAGAR AS PESSOAS PELO QUE "SABEM" EM VEZ DE PAGAR PELO QUE ELAS FAZEM COM O QUE SABEM
4. MEDO DA CONCORRÊNCIA DOS SEGUIDORES
5. FALTA DE IMAGINAÇÃO
6. EGOÍSMO
7. INTEMPERANÇA
8. DESLEALDADE
9. ÊNFASE NA "AUTORIDADE" DA LIDERANÇA
10. ÊNFASE NO TÍTULO

Agora, revise suas anotações e selecione duas ou três áreas onde sentiu "um tapinha no ombro" enquanto lia. Como você pode melhorar para superá-las? Anote-as, faça um plano organizado para trabalhar nelas e então comprometa-se a trabalhar no plano pelos próximos trinta dias.

Crie sua lista de parar-de-fazer. Pense em pelo menos três coisas, não importa o quão insignificantes, que você pode e deve parar de fazer a fim de ter mais tempo para se dedicar a seu Plano Definido para o Sucesso. Vou parar de...

Monte seu plano "2-2-2" para criar o hábito de trabalhar em seu plano para o futuro todo e cada dia.

Engaje-se em sua Mente Superior. Reúna um grupo de associadas e/ou amigas e discuta esses atributos e causas de fracasso. Você aprenderá com elas, e elas podem identificar uma área em que você precisa trabalhar e que talvez seja uma surpresa para você. Ou você também pode verificar que suas associadas e amigas têm uma opinião mais positiva sobre suas habilidades de liderança do que você! Aproveite!

7

Decisão

O domínio da procrastinação

Quando você toma a decisão certa,
realmente não interessa o que os outros pensam.
– CAROLINE KENNEDY

VOCÊ JÁ PROCRASTINOU ALGUMA VEZ? ADIOU ALGO PARA UM MOMENTO FUTURO? Esperou até o último minuto para fazer alguma coisa, e então deu jeito de espremê-la em cima da hora?

Você atrasa um projeto dizendo a si mesma que trabalha bem sob pressão, de modo que vai dar tudo certo?

Hill define a PROCRASTINAÇÃO como o oposto da DECISÃO e como o inimigo comum que todas nós temos que encarar em nossa busca pelo sucesso.

O estudo de Hill sobre pessoas bem-sucedidas, que acumularam fortunas, mostrou que "todas elas tinham o hábito de CHEGAR A DECISÕES PRONTAMENTE, e de mudar tais decisões LENTAMENTE, se e quando mudavam". Por outro lado, "pessoas que fracassam em acumular dinheiro, *sem exceção*, têm o hábito de chegar a decisões, SE É QUE CHEGAM, muito *lentamente*, e de *mudar tais decisões rápida e frequentemente*".

Quando combina o PROPÓSITO DEFINIDO com seu DESEJO ARDENTE, você consegue chegar a decisões prontamente com mais facilidade e muito menos probabilidade de procrastinar. Todavia, se você é facilmente influenciada pela opinião dos outros, isso vai ter impacto em sua capacidade de chegar a uma decisão. Pense numa ocasião em que um membro da família ou amigo, embora sem querer, estragou uma coisa que você queria fazer simplesmente por expressar preocupação ou uma opinião que a levou a repensar sua intenção. "Você quer fazer o *quê*? Está maluca?". Muitas vezes as pessoas usam de humor, mas passam uma impressão de ridículo.

Conforme Hill compartilhou: "Milhares de homens e mulheres sofrem de complexo de inferioridade a vida inteira porque alguma pessoa bem-intencionada, mas ignorante, destruiu a confiança deles por meio de 'opiniões' ou 'ridículo'".

Em *Mais esperto que o Diabo*, Hill foi ainda mais longe ao introduzir o conceito de "alienação". Um "alienado" é "alguém que se deixa influenciar e controlar por circunstâncias externas a sua mente ... que aceita o que a vida lança em seu caminho sem protestar ou travar uma luta". O diabo compartilhou que não se incomodava com pessoas não alienadas porque elas tinham propósitos definidos e estavam direcionadas para atingi-los pelo desejo ardente, e não podiam ser desviadas de suas metas. Todavia, os alienados, que são facilmente balançados pela opinião dos outros, são aqueles com quem o diabo mais gosta de zoar, tirando-os dos trilhos a todo momento.

O hábito da indecisão começa tipicamente na juventude e só pode ser combatido quando a pessoa encontra seu propósito definido e o desejo de ter sucesso.

Você consegue pensar em algum conhecido que considera um alienado? Essa pessoa tem dificuldade em tomar decisões? Ela vai ao sabor das ondas?

Agora pense em alguém muito bem-sucedido. É bem provável que você considere tal pessoa não alienada. Ela usa a própria cabeça e chega a suas próprias decisões.

Tem ainda aquelas pessoas que querem "parecer bem-sucedidas" e impressionar com o conhecimento. Em geral, falam demais e não ouvem o bastante. Como Hill adverte: "Fique de olhos e ouvidos bem ABERTOS – e de boca FECHADA, se deseja adquirir o hábito da DECISÃO rápida. Aqueles que falam demais fazem pouco. Se você fala mais do que escuta, não só se priva de muitas oportunidades de acumular conhecimento útil, como também revela seus PLANOS e PROPÓSITOS para gente que terá grande prazer em derrotá-lo porque tem inveja de você".

A seguir Hill explica: "A sabedoria genuína, em geral, se faz conspícua por meio da modéstia e do silêncio". Hoje em dia ouvimos a frase "ações falam mais alto que palavras".

As pessoas que conseguem decidir e agir rápido com frequência tornam-se líderes no campo que escolhem. Essa decisão definida requer coragem. Coragem não é ausência de medo, mas agir a despeito do medo.

Hill dá o seguinte exemplo: "Os 56 homens que assinaram a Declaração de Independência apostaram a vida na DECISÃO de apor suas assinaturas naquele documento. LIBERDADE ECONÔMICA, independência financeira, riqueza, negócios desejáveis e cargos profissionais não estão ao alcance da pessoa que negligencia ou rejeita TER EXPECTATIVA, PLANEJAR e EXIGIR essas coisas. A pessoa que deseja bens com o mesmo espírito que Samuel Adams desejou a liberdade das colônias com certeza acumula riqueza".

Embora a Declaração de Independência seja um exemplo incrível de coragem que possa parecer incomparável, não é o caso. Existem pessoas tomando decisões todo dia que demonstram sua coragem para forjar novos caminhos rumo à conquista de suas metas.

Existem muitas mulheres que mostraram grande coragem ao abrir oportunidades para outras mulheres. Uma dessas mulheres foi Amelia Earhart. Como primeira mulher piloto a voar sobre o oceano Atlântico, ela recebeu a Cruz de Voo Distinto pelo recorde. Ela também foi essencial na formação da Ninety-Nines, uma organização para apoiar e encorajar outras mulheres pilotos. Sua mensagem às outras mulheres era de profunda simplicidade:

> A coisa mais difícil é a decisão de agir, o resto é meramente tenacidade. Os medos são tigres de papel. Você pode fazer qualquer coisa que decida fazer. Você pode agir para mudar e controlar sua vida; e o procedimento, o processo é a própria recompensa disso.

Existem mulheres enfrentando situações de vida difíceis todos os dias. Muitas delas encontram coragem para tomar a decisão de fazer o que quer que seja necessário para prover a si mesmas e suas famílias. Uma dessas mulheres é Margie Aliprandi, que compartilha a história de como tomou a decisão de construir um negócio para sustentar os filhos, e nesse processo proporcionou esperança e oportunidade para milhares de mulheres ao redor do mundo.

Eis a experiência dela:

> Há vinte e seis anos, parei na encruzilhada de minha vida, cheia de dúvidas em face de circunstâncias assustadoras. Eu era uma mãe sol-

teira com três filhos pequenos. Tinha uma grande visão. Sabia que meu emprego de professora de música no ensino médio jamais a bancaria. Assim, quando apareceu uma oportunidade de construir meu negócio de *marketing* de rede, tomei a decisão de "custe-o-que-custar" que, sem que eu soubesse, mudaria nossas vidas e a vida de centenas de milhares ao redor do mundo.

Eu não tinha experiência em negócios, nem capital inicial. Mas tinha um propósito principal definido. Eram meus filhos e o desejo ardente de dar a eles uma vida maravilhosa. Esse propósito principal definido me manteve na rota para tomar decisões claras, inegociáveis, comprometidas, fácil e prontamente. Na presença de decisões claras e comprometidas não tem como haver procrastinação.

Procrastinação é um sintoma de muitas coisas, inclusive da falta de um propósito principal definido. Mas as mulheres são programadas para desejar significado e propósito. Temos uma necessidade inata de imbuir nossos dias e ações de significado. Para fazer isso temos duas escolhas: ou pensar de forma diferente sobre nossas rotinas diárias, de modo que pareçam significativas e grandiosas, ou encontrar rápida e decididamente coisas que tenham um significado profundo e nos iluminem. Seu propósito principal definido vai fornecer esse significado profundo. Quando seu propósito de vida alinha-se com seu propósito de negócios, você é irrefreável. Aí é deixar a mágica começar.

Nossa busca de significado e propósito nos torna grandes empresárias. Temos espírito de equipe e de colaboração, somos boas ouvintes. Somos multifuncionais, conectoras de pessoas e provedoras. Somos transparentes, intuitivas e solidárias. Estamos sempre buscando o bem de todos e ficamos felizes em dividir o crédito. Combine esses traços naturais com o instinto materno que nos leva a resistir com tanta tenacidade quando desafiadas e você tem uma pessoa resoluta nas decisões.

Uma das dádivas de uma decisão clara e comprometida é tornar a vida mais fácil. Você se mantém centrada e firme quando parece que nada está dando certo e que os desafios estão lhe bombardeando. Você não precisa perder tempo e energia repensando coisas quando surgem obstáculos em seu caminho. Quando toma uma decisão inegociável, você queima pontes. Não deixa opção de recuo, nenhuma porta dos fundos, nenhuma saída de emergência. Você pode tombar 99 vezes, mas vai levantar de novo. Você não deixa que nada a impeça de ir em frente.

Uma decisão de custe-o-que-custar significa ter coragem, conhecer a si mesma, confiar em si mesma, ver uma grande visão, permanecer focada e ser persistente. No meu caso, no começo também significou dirigir minha caminhonete até estados distantes porque eu não podia pagar passagens de avião; dormir na minha caminhonete Subaru porque não podia pagar hotéis; me vestir no toalete de postos de gasolina e participar de encontros que às vezes consistiam de um punhado, apenas uma ou nada da plateia esperada.

Todavia, minha tenacidade rendeu no primeiro ano, e em um mês ganhei mais dinheiro do que teria recebido em um ano lecionando. No terceiro ano, atingi meu primeiro milhão de dólares. Hoje tenho uma equipe de mais de 250 mil, sendo uma das maiores equipes de *marketing* de rede do mundo. Certa noite, minha política de custe-o-que-custar significou tomar a decisão lancinante de me desvencilhar de um menininho soluçante de três anos de idade implorando: "Mamãe, não vá!". Eu estava a caminho de uma reunião, e ele correu pela rua de pijama e pés descalços. Saí do carro, peguei o pequeno Todd em meus braços e chorei com ele. Prometi que um dia eu levaria ele e as outras crianças para toda parte. Eu sabia que isso significava muito plantio antes que eu pudesse colher, e eu não fazia ideia de quando viria a colheita.

Decidi por um sacrifício de curto prazo em favor de um ganho a longo prazo.

Se tivesse ficado em casa, apenas ouvindo o choro, nunca teria construído o negócio que enriqueceu a vida de meus quatro filhos, permitiu-nos viajar pelo mundo e me ajudou a liderá-los pelo exemplo para terem uma vida adulta autossuficiente, atenciosa e responsável. Resulta daí que eu não só plantei sementes de abundância financeira, como também sementes que contribuíram um pouquinho para aquelas crianças serem quem são hoje. Fui um modelo de dedicação, trabalho árduo e cumprimento de compromissos. Ao perseguir meu sonho com firmeza, mostrei que os sonhos deles também importavam. Agora, aquilo que meus filhos refletem todo os dias é a colheita mais preciosa de todas.

Assim, vá fundo em busca de seu propósito principal definido. Decida o que você realmente quer. Decida com clareza e comprometimento que você vai ter aquilo. Quando suas decisões forem claras e comprometidas, você não irá abandoná-las. Você obterá o domínio sobre a procrastinação e ficará livre para ter sucesso. Conforme disse Napoleon Hill: "Aqueles que chegam a decisões pronta e decididamente sabem o que querem, e, em geral, conseguem".

A história de Margie é muito inspiradora e reverbera a de muitas mulheres de sucesso que encontraram seu propósito definido por meio do amor inabalável pela família e do desejo ardente de prover o melhor futuro possível para a família. Ao ouvir falar de meu livro *Pense e enriqueça para mulheres*, uma jovem me procurou com o sincero desejo de compartilhar sua história. Considerei-a fascinante, representativa das questões que muitas mulheres encaram hoje, e também inspiradora pela forma como Kimberly Schulte optou por tomar decisões diferentes em sua vida.

Kimberly Schulte compartilha sua história:

> Sentei à mesa da cozinha, sentindo-me completamente devastada e desprovida de esperança. Emoções de desespero e ansiedade me consumiam, o medo era tão denso que sufocava até minha capacidade de respirar. Incapaz de ver uma saída, tornei-me prisioneira paralisada de minha depressão. Tudo que eu conseguia pensar era: "Quando e que bomba cairá a seguir?". O que costumava ser excitação e entusiasmo pela vida havia se transformado em uma sensação de pavor. Negando minha própria realidade, tudo que eu conseguia indagar era: "Como é que fui me tornar mãe solteira quase aos quarenta anos, saindo de um estilo de vida luxuoso e muito confortável para um casamento falido e financeiramente destruída, com dezenas de milhares de dólares em dívidas?".
>
> Levada por meus medos, fui dominada pela indecisão. O que eu não percebia na época é que cada decisão que eu *não* havia tomado me levara até ali. Somente quando já era tarde demais adquiri o sábio conhecimento de que indecisão É uma decisão – é simplesmente a decisão de não decidir.
>
> A indecisão planta a semente da procrastinação, que era a minha melhor amiga. Evitar a tomada de decisões tornara-se minha droga preferida para amortecer a dor da ansiedade. Mas a dose rápida de recompensa jamais durou, e as consequências de longo prazo sempre me custaram caríssimo. Eu odiava meu vício na procrastinação, todavia eu optava por ele vez após vez.
>
> À medida que, lentamente, comecei a subjugar minha depressão, tive a ajuda de que precisava para fazer escolhas positivas que

resultaram em movimento para a frente. Entretanto, meu progresso pareceu multiplicar-se exponencialmente depois do dia em que decidi ler *Pense e enriqueça* de Napoleon Hill. Este livro não mudou minha vida, mas me inspirou a exercer o poder de tomar decisões, partir para ação e mudá-la eu mesma!

Durante o curto período de que precisei para ler *Pense e enriqueça*, fui recebendo mensagens claras e distintas de várias pessoas. Se aprendi uma coisa claramente com minhas experiências foi que, quando você leva tapinhas de Deus indicando que está sendo conduzida a algo, você presta atenção na mensagem e obedece! Não por acaso o livro do sr. Hill chegou a mim na hora exata, quando eu estava prontíssima para receber sua mensagem profunda.

Como diz o ditado budista: "Quando o aluno estiver pronto, o professor vai aparecer".

Não li o livro apenas, eu o estudei. Fiz anotações, meditei a respeito e até comprei a versão em áudio. Meu carro tornou-se uma sala de aula de *Pense e enriqueça*, alimentando minha mente e alma durante o longo deslocamento até o trabalho. Os treze princípios de Napoleon Hill são brilhantes. Entretanto, o princípio que me atingiu em cheio, como uma flecha no coração, foi o Princípio #7: DECISÃO.

O sr. Hill explicou que todas as pessoas que acumularam fortunas tinham uma coisa importante em comum. Tinham o hábito de chegar a decisões rápidas e definidas prontamente, modificando-as lentamente se e quando as modificavam. Não é de espantar que eu ficasse chocada – eu estava vivendo o contrário disso! Vivendo com medo, eu havia formado um hábito de indecisão. Tomar decisões requer coragem. E se eu estivesse errada? E se não desse certo? E se eu fracassasse?

Meu hábito precisava mudar, mas por onde começar? Escolhi *começar pelo começo*. Em outras palavras, comecei. Tomei a primeira decisão, e a seguir parti para a ação a respeito. Então a decisão seguinte ficou mais fácil, e fui pegando embalo.

Optei por reestruturar meus velhos padrões de pensamento e deliberadamente pensar apenas pensamentos que resultassem em empoderamento. Decidida a avançar através de meus temores, muito embora ainda tivesse medo, meus pensamentos reestruturaram-se para: como seria minha vida se eu desse um passo com fé? E se eu aprendesse o que não dá certo de modo que pudesse fazer o que dá certo? E se eu tivesse êxito? Como eu me sentiria do outro lado, quando houvesse concluído o que estivera evitando?

Inspirada por minha mudança de perspectiva, comecei a tomar uma decisão de cada vez e a agir com o propósito de dar seguimento. Meus medos começaram a se desvanecer a cada decisão. A coragem desenvolveu-se, a autoconfiança cresceu, e ficou cada vez mais fácil tomar a decisão seguinte. Me senti leve, feliz e com poder. Isso era liberdade!

Enquanto apurava o que restava de meus bens materiais, tive uma nova epifania. Eu era pobre de dinheiro, mas rica em "coisas" – coisas de que não precisava ou não queria. Na época, coisas que antes pareciam tão importantes de se ter, para mim, minha casa, minha família e para meus filhos, haviam se tornado pesadas, onerosas e inúteis para mim. Eu estava em retração, indo para uma casa com menos da metade do tamanho de onde eu fora despejada. Estava na hora da purga. Peguei cada item, um por um, avaliando: guardar, doar, jogar fora.

Ironicamente, recordei praticamente de todas as quantias que havia gasto em cada item. Eu pensava: esse item me custou cinquenta dólares, esse aqui cem, esse, milhares ... Mas agora, apenas com memórias de compras sem significado, eu estava doando as coisas ou jogando fora. Não podia pagar um depósito, de modo que apenas o que eu realmente precisava ou amava iria ficar.

Eu não queria mais comprar "coisas". Naquele exato instante, decidi que pagaria minha dívida e investiria em mim. Gastaria meu dinheiro de forma mais deliberada, sábia e resoluta. Minha decisão era clara. Gastaria dinheiro me educando em habilidades específicas que proporcionariam um valor para a vida toda em vez de prazer a curto prazo. Conforme havia aprendido com *Pense e enriqueça*, decidi agir para valer, tomando decisões rápida e definitivamente. Investi em mim mesma, educando-me em minhas paixões: aconselhamento, yoga e fitness.

Por causa disso, tenho a bênção de viver uma vida com significado, fazendo diferença na vida de centenas de pessoas que aconselhei e inspirei!

Decidi que, daquele momento em diante, gastaria meu dinheiro para aprender novas habilidades pelas quais fosse apaixonada, e ensinaria meus filhos a fazerem o mesmo na vida deles. Como família, nos respeitaríamos fazendo escolhas cuidadosas com nosso dinheiro. Decidindo investir e gastar nosso dinheiro com sabedoria em experiências, viagens, cultura, alimentação e alguns artigos de luxo, é claro! Ler e aplicar o sétimo princípio de Napoleon Hill, DECISÃO, me ajudou a sair de uma vida de consumo para uma vida de contribuição. Hoje eu agrego valor ao mundo todo dia com o trabalho que faço. Que bênção isso rendeu na minha vida e na vida de outros!

Há apenas cinco anos eu estava financeiramente devastada, à beira de declarar falência e totalmente consumida pela indecisão e procrastinação. Hoje, estou exultante por compartilhar que estou quase livre de dívidas! Melhor ainda: adquiri a convicção mental de que posso gerar qualquer renda que eu deseje e as habilidades para torná-la realidade. Mudei radicalmente meu pensamento, de tal modo que pude verdadeiramente Pensar e Enriquecer. Tudo começou com a escolha de sair da indecisão para a decisão. Ensinar e inspirar meus filhos e outros a fazer o mesmo em sua vida é a minha paixão.

Indecisão é uma decisão!

A mensagem de Kimberly de que a indecisão é uma decisão é incrivelmente importante. A jornada dela demonstra o caminho que cada uma de nós pode tomar para mudar a vida para melhor, para sair de uma vida de consumo para uma vida de contribuição. Ao fazer isso, temos condições não só de criar sucesso em nossa vida, como também de viver uma vida com significado.

Quando você se comprometer plenamente e se encarregar de decidir criar o futuro que quer, as portas vão se escancarar, e você terá mais condições de reconhecer novas oportunidades. Loral Langemeier é um exemplo perfeito de alguém que tomou a decisão de mudar de direção na vida, deixando uma carreira corporativa de sucesso para se tornar uma empreendedora e ensinar as pessoas como criar independência financeira em suas vidas. Seu conselho para outras mulheres é inestimável:

> Estou aqui para dizer: você pode ter tudo que quiser em todas as áreas de sua vida – uma vida familiar plena, uma carreira bem-sucedida, um corpo sarado, um relacionamento vibrante –, e é mais fácil de conseguir do que você poderia pensar.
>
> Veja bem, a maioria das mulheres entende tudo errado. Elas acham que, a fim de TER tudo, elas têm que FAZER tudo ... que ter uma vida "equilibrada" significa tratar de tudo. Bem, isso não está correto, tampouco é sustentável. O verdadeiro modo de ter uma vida saudável e equilibrada, e realmente ter tudo, é começar a tomar decisões muito rápidas e firmes sobre o que você quer e o que você precisa para che-

gar lá. O resto não importa.

Foi exatamente isso que eu fiz para construir um negócio de muitos milhões de dólares e criar a vida dos meus sonhos. A primeira coisa que decidi foi que eu conseguiria o que queria. Parece simples, mas provavelmente é a decisão mais importante que você pode tomar. A maioria das mulheres não faz isso. Não se permitem ir atrás do que realmente querem. Essa é a chave.

A seguir, perguntei a mim mesma: "Quanto vai me custar ter a vida que quero?". Desafio todas vocês que estão lendo isso a começar a pensar qual é o seu número. E tenham coragem de jogar alto, planejar grande! Onde você quer viver? Que tipo de férias quer tirar? Quem você vai contratar para fazer isso acontecer?

Quando defini esse número, simplesmente o exigi do meu negócio. Decidi que eu chegaria àquele nível de qualquer maneira. Isso me deu clareza e direção em meu negócio e alimentou meu desejo de chegar lá.

Agora, é claro que não fiz isso sozinha. Tive o apoio e a contribuição de muita gente incrível. Mas tenha em mente: contribuição é diferente de opiniões. Nós mulheres somos condicionadas a buscar opiniões e a aprovação dos outros, e isso nos atrapalha. Não quero que você busque opiniões, quero que encontre contribuições de pensadores estratégicos que tenham experiência e resultados como prova! Você precisa cercar-se de gente que planeja um jogo maior a fim de subir de nível.

Para mim, tudo começou quando conheci Sharon Lechter, e ela me apresentou uma oportunidade empresarial de vender e ensinar o jogo de educação financeira de sua companhia. Essa decisão iluminou meu caminho para a liberdade e minha saída da América corporativa: 120 dias depois, larguei meu emprego. Se você está se sentindo empacada no emprego, saiba que existe uma saída. Você tem dons e talentos especiais que pode rentabilizar. É exatamente nisso que nosso trabalho em *Pense e enriqueça para mulheres* vai ajudar você. Tudo que você precisa fazer é decidir finalmente viver a vida que quer.

A partir dali criei minha própria companhia, Live Out Loud, e criei minha plataforma e programas educacionais próprios. Em meu primeiro ano de negócios, ganhei centenas de milhares de dólares. No segundo ano, estava ganhando milhões e não parei. Live Out Loud é agora uma companhia internacional de US$ 24 milhões. Não estou dizendo isso para me gabar ou soar arrogante. Apenas quero que você veja que isso é possível para você. Se uma garota de fazenda do Nebraska pode fazer, você também pode. Você precisa apenas DECIDIR.

Seguir este conselho levou-me ao #1 da lista de *best-sellers* do *New York Times*, proporcionou um quadro como especialista em dinheiro no programa de Dr. Phil e minha aparição nos principais veículos nacionais de comunicação do mundo inteiro.

Como você chega lá? Estou desafiando todas vocês mulheres que estão aí a dar um passo. Você possui um talento concedido por Deus e, se acreditar de verdade no poder de seu produto – no quanto ele pode servir a você e também ao mundo –, tem o direito inato de fazer um jogo mais alto. Você realmente só tem uma escolha a fazer, e a economia depende disso.

Pare de ruminar e pare de procrastinar. Procrastinação gera indecisão, e indecisão gera procrastinação. Avance prontamente com disciplina e constância. De início pode parecer uma luta, mas é só porque os músculos estão fracos e atrofiados. Quanto mais decisões você tomar, mais impulso vai pegar, e mais fácil vai ficar. E lembre-se: não faça tudo! Como mulheres, somos grandes colaboradoras. Encontre um modelo, mentores e membros de equipe para impulsioná-la em frente. Comece decidindo que você é digna disso.

Você pode fazer isso. Viva com coragem e fé. Diga sim e descubra como. Está tudo à sua espera.

O conselho de Loral vai direto ao ponto. Você alguma vez já disse a si mesma: "Pra ela é fácil falar, vou procurar ou me tornar uma mentora quando tiver ido um pouco mais longe", ou: "Quando eu ganhar mais dinheiro, posso começar a fazer caridade"? Isso é o pináculo da procrastinação. É o exemplo tanto de decisão quanto de indecisão. Tome a decisão de que você merece e pode planejar sua vida de sucesso e importância.

O CAPÍTULO NA PRÁTICA – EM MINHA VIDA

Na maior parte de minha vida, fui rápida em dizer coisas do tipo: "Eu trabalho melhor sob pressão", e: "Faço um trabalho melhor quando estou encarando o fim do prazo". Ler o capítulo de Hill sobre Decisão em *Pense e enriqueça* me atingiu como um raio. Me fez perceber que eu estivera apenas dando desculpas com essas afirmações, quando realmente me tornara uma campeã da procrastinação. Muitas de nós tendem a adiar decisões difíceis. Embora seja uma forma de procrastinação, penso que talvez seja também por medo das consequências ou medo da mudança. Alguns podem chamar isso de medo de balançar o barco.

Em caráter muito pessoal, uma das decisões mais difíceis de minha vida foi escolher deixar a organização *Pai Rico*. Eu a concebera e me dedicara de coração a construí-la por mais de dez anos. Cada livro era como um filho para mim. Contudo, por muitos anos me senti desconectada de meus parceiros. Não estávamos mais alinhados na missão da companhia. Eles queriam transformar a empresa em um modelo de franquia e vender franquias, e eu queria continuar criando produtos acessíveis para pessoas que quisessem assumir o controle de sua vida financeira. O ambiente no escritório oscilava de festivo em um dia para muito difícil e negativo no outro. Era bem parecido com uma montanha-russa.

Toda semana eu me perguntava: "Permanecer aqui é bom para Sharon?". E respondia depressa: "Não!". Então eu me perguntava: "Permanecer é bom para a companhia, ainda estou causando impacto positivo?". E a resposta era: "Sim". De modo que por muitos anos continuei tomando a decisão de permanecer em um ambiente que não era saudável para mim.

Procrastinei por dois anos antes de tomar a decisão que no fim acabou melhorando minha vida. De fato, percebi que a própria procrastinação havia se tornado um hábito. Toda vez que você procrastina, reforça a ação negativa. Quanto mais tempo você procrastina, mais programa a mente subconsciente a associar procrastinação e preguiça com a atividade que está tentando evitar. Isso se tornará um hábito nocivo de consequências negativas.

No dia em que tomei a decisão de sair, senti um tremendo alívio. Nunca me arrependi. Quando finalmente fiz o que era melhor para mim, outras portas de oportunidade abriram-se para mim. Fui convidada pelo presidente George W. Bush para participar de seu Conselho Consultivo em Cultura Financeira e servi aos presidentes Bush e Obama neste cargo. Foi uma tremenda honra, uma honra que eu não teria vivenciado se tivesse permanecido na *Pai Rico*.

Depois recebi o telefonema de Don Green convidando para trabalhar com ele no revigoramento da obra de Napoleon Hill – primeiro atuando com o coautor Greg Reid em *Three Feet from Gold*, e depois fazendo as anotações no manuscrito oculto de Hill com o título provocativo de *Mais esperto que o Diabo*. Que honra incrível, ser capaz de entrar para a maior marca de desenvolvimento pessoal do mundo, depois de ter construído a maior marca de finanças pessoais. Eu era verdadeiramente abençoada!

Mas a lição foi muito importante. Vivi vários anos de frustração que tiveram impacto sobre minha saúde de forma muito negativa. Ganhei peso e tive que usar remédio para a pressão devido ao estresse constante. Ao tomar a decisão CERTA PARA MIM, meu mundo teve uma reviravolta. Perdi peso, não preciso mais de remédio para a pressão. Posso enfocar minhas metas de negócio sem o estresse adicional de estar em um ambiente difícil.

Ouvi dizer que se leva três semanas para estabelecer um novo hábito (felizmente, um bom hábito), mas acho que eu tendo a sair da média, pois levei quase dois anos para tomar a DECISÃO de criar hábitos melhores.

Minha meta atual é dedicar empenho ainda maior a melhorar minha saúde por meio de exercícios e melhores hábitos alimentares. Vou largar o hábito procrastinador negativo de não me exercitar o bastante e substituí-lo por uma ação positiva diária voltada para uma saúde melhor.

Muitas mulheres são como eu e tendem a se deixar em último lugar, cuidando primeiro da família, do trabalho, dos negócios e da casa. Uma de minhas metas é ajudar as mulheres, inclusive eu mesma, a aprender a cuidar melhor de si. Ao fazer isso, teremos ainda mais condições de cuidar de nossa família, emprego, negócio e casa.

A MENTE SUPERIOR DA IRMANDADE

A sabedoria de mulheres importantes e bem-sucedidas sobre DECISÃO e Domínio da Procrastinação:

VIRGINIA "GINNI" ROMETTY
PRESIDENTE E CEO DA IBM
"Ações falam mais alto que palavras é uma coisa que acho que sempre aprendi com minha mãe. E até hoje penso nisso em tudo que faço. A segunda coisa, você sabe, penso a respeito disso, ela fez algumas coisas inacreditáveis. Assim, nada é intransponível depois disso. Você passa a acreditar que nada é intransponível. E acho que a terceira coisa que ela nos ensinou foi que você define a si mesma. Não deixe que os outros lhe definam. Você se define."

KATHIE LEE GIFFORD
APRESENTADORA DE TV, CANTORA E COMPOSITORA
"Jamais tive interesse em casar com a carreira ou a conta bancária de alguém".

MURIEL SIEBERT (1932-2013)
PRIMEIRA MULHER A TER UM ASSENTO NA BOLSA DE VALORES DE NOVA YORK E PRIMEIRA MULHER A CHEFIAR UMA FIRMA INTEGRANTE DA NYSE

"Não havia modelos femininos, então eu simplesmente abri meu próprio caminho."

"Lutei como uma filha da puta para ir em frente."

"Não criei meu negócio simplesmente batendo na porta e dizendo: 'Sou uma mulher, tenho direito'. Fiz meu sucesso combatendo com os rapazes."

"Uma parte da minha meta de carreira era: 'Aonde posso ir que não haja situação salarial desigual?'. Foi por isso que decidi comprar uma licença na bolsa de valores e trabalhar por minha conta."

MIA HAMM

JOGADORA NORTE-AMERICANA DE FUTEBOL APOSENTADA, MEMBRO DA GALERIA DA FAMA NACIONAL DO FUTEBOL

"Siga seu coração e faça disso a sua decisão."

CLARE BOOTHE LUCE (1903-1987)

PRIMEIRA MULHER NORTE-AMERICANA NOMEADA PARA UM POSTO DE EMBAIXADA IMPORTANTE, ATUANDO COMO EMBAIXADORA NA ITÁLIA E NO BRASIL

"Em última análise, não existe outra solução para o progresso do homem a não ser o trabalho honesto diário, a decisão honesta diária, as afirmações generosas diárias e a boa ação diária."

SHERYL SANDBERG

DIRETORA DE OPERAÇÕES DO FACEBOOK

"Mas as mulheres raramente tomam uma decisão única para deixar a força de trabalho. Elas tomam várias pequenas decisões ao longo do caminho."

"Não tenho respostas sobre como fazer as escolhas certas para mim, muito menos para qualquer outro. Sei que consigo muito facilmente passar tempo enfocando o que não estou fazendo. Quando lembro que ninguém pode fazer tudo e identifico minhas prioridades verdadeiras em casa e no trabalho, me sinto melhor – e sou mais produtiva no escritório e provavelmente também sou uma mãe melhor. Em vez da perfeição, devemos almejar o que seja sustentável e satisfatório."

CARLY FIORINA

EMPRESÁRIA NORTE-AMERICANA E CEO DA HEWLETT-PACKARD (1999-2205)

"Deixar a faculdade de direito foi a decisão mais difícil de minha vida. Mas senti aquele grande alívio de que é a minha vida e posso fazer o que quiser com ela."

SOLANGE KNOWLES

CANTORA E COMPOSITORA NORTE-AMERICANA (IRMÃ DE BEYONCÉ), QUE AOS 27 ANOS ESTAVA LUTANDO PARA ENCONTRAR O EQUILÍBRIO TRABALHO/VIDA E TOMOU A DIFÍCIL DECISÃO DE CANCELAR APRESENTAÇÕES FUTURAS A FIM DE SE FOCAR NA FAMÍLIA

"Qualquer decisão que tomo é baseada em mim, e a única pessoa a quem tenho que dar explicações é Deus."

ANN MCNEILL

ESPECIALISTA EM DESENVOLVIMENTO PROFISSIONAL

"Seu destino não é uma questão de sorte, é o resultado das escolhas que você faz todo dia. Essas escolhas vão fazê-la subir ou fazer com que seus sonhos afundem. Decida-se hoje a ser tudo que você criou e tudo que você merece. Seu sucesso está em suas mãos."

SHEIKA LUBNA QASIM

PRIMEIRA MULHER MINISTRA DOS EMIRADOS ÁRABES

"Cabe a nós mulheres decidir ... o que podemos e não podemos fazer."

MARIA SIMONE

ESTRATEGISTA EM TRANSFORMAÇÃO DE LINHA DE NEGÓCIO E FINANCIAMENTO, PALESTRANTE E AUTORA

"Quanto mais certas ficamos a respeito do que queremos alcançar, das pessoas que queremos atrair e da vida que queremos viver, mais fácil fica. É a falta de escolha – viver no padrão de praxe e lidando com o que quer apareça – que cria o caos e a decepção. Permita que seu coração e alma compartilhem a verdade e veja o que aparece. Comprometa-se a permitir e pare de negar a si mesma as coisas que você quer simplesmente porque não parecem lógicas ou outros lhe dizem que não tem como. Sempre tem como."

SHANDA SUMPTER

FUNDADORA E RAINHA VISIONÁRIA DA HEARTCORE BUSINESS

"A riqueza é criada pela maneira como você toma decisões, não por quantas oportunidades você pega. Você pode se colocar no fluxo das oportunidades."

CLARISSA BURT

EX-SUPERMODELO INTERNACIONAL E ATRIZ

"Talvez você esteja usando um desejo que não pode realizar para evitar de verdadeiramente se empenhar nas bênçãos que já possui."

PERGUNTE A SI MESMA

Use seu diário ao percorrer este trecho para identificar suas etapas de ação, ativar seus momentos de "sacação" e criar seu plano para obter sucesso!

Você consegue pensar em uma ocasião em que ficou perdida na indecisão ou procrastinou?

Como você lidou com isso?

Aqui estão alguns passos que podem ajudá-la a vencer a procrastinação.

1. Estabeleça metas definitivas claras. Certifique-se de que sejam metas INTELIGENTES:
    a. Específicas;
    b. Mensuráveis;
    c. Atingíveis;
    d. Realistas;
    e. Calendarizadas.
2. Compartilhe suas metas com sua família e amigos. Isso tornará as metas mais reais.
3. Elimine distrações que possam impedi-la de enfocar suas metas.
4. Reconheça seus maus hábitos – talvez você comece a pensar em responder e-mails, ou queira pegar alguma coisa para beber; isso são sinais de que está começando a procrastinar.
5. Não se preocupe com perfeição, apenas trate de começar.
6. Quebre a tarefa em tarefas menores.
7. Crie "pequenas vitórias" ao longo do caminho e celebre a conquista de cada uma.
8. Simplesmente faça isso agora!

Decida-se hoje a criar o seu plano de ação. Visite sharonlechter.com/women para recursos adicionais para ajudá-la a criar o sucesso que você tanto merece.

8

Persistência

O esforço sustentado necessário para induzir a fé

Nunca desista, pois este é exatamente
o lugar e a hora em que a maré vai virar.
– HARRIET BERCHER STOWE

LÁ ESTÁ VOCÊ, TÃO PERTO DE SUA META OU SENTINDO O ARDOR por começar algo novo – e um muro ergue-se à sua frente. Como você vai escalar e ultrapassar o muro?

Você recebe notícias inesperadas. A vida muda na mesma hora e você não consegue nem imaginar no que vai dar. Como você atravessa a incerteza?

Você está trabalhando faz muito tempo. Você alimenta sua paixão com ação e tem fé que sua determinação de continuar um dia será recompensada. Como você caminha por uma estrada que parece infindável?

Se alguma vez você encontrou a luz no fim do túnel, alguma vez se opôs ao medo e foi vitoriosa, ou alguma vez respondeu a dúvida e criticismo com realização, você já tem a resposta dentro de si. PERSISTÊNCIA é a chave para rebater com sucesso os obstáculos que a vida catapulta em seu caminho. É a arma que faz inimigos como o medo, a dúvida e a negatividade desmoronarem.

Em seu estudo e síntese da filosofia da realização, Hill observou: "Força de vontade e desejo, quando adequadamente combinados, formam um par irresistível".

Criancinhas oferecem uma bela demonstração disso. Quando jovens, somos inerentemente persistentes. Você alguma vez viu um pai esgotado por um filho implacavelmente insistente a respeito de alguma coisa? Seja por um brinquedo novo, uma sobremesa gostosa, ou uma oportunidade de brincar com um amigo, as crianças costumam combinar desejo com persistência para atingir o fim desejado.

Com o passar do tempo, essa persistência é diluída quando as crianças são ensinadas que cometer erros e receber críticas é sempre uma coisa ruim e que não seguir as regras não é aceitável na maioria dos ambientes.

De acordo com Hill, persistência é um estado mental, significando que pode ser cultivada por qualquer um. Uma pessoa treinando para ser persistente precisaria de uma base para este treinamento que inclui os oito seguintes fatores:

1. PROPÓSITO DEFINIDO. Saber o que se quer é o primeiro e talvez mais importante passo para o desenvolvimento da persistência. Um forte motivo força a pessoa a superar muitas dificuldades.
2. DESEJO. Em termos comparativos, é fácil adquirir e manter a persistência na busca de um objeto de intenso desejo.
3. AUTOCONFIANÇA. A crença na capacidade de executar um plano encoraja a pessoa a seguir adiante no plano com persistência. (A autoconfiança pode ser desenvolvida por meio do princípio descrito no capítulo sobre AUTOSSUGESTÃO.)
4. PLANOS DEFINIDOS. Planos organizados, embora possam ser frágeis e completamente impraticáveis, encorajam a persistência.
5. CONHECIMENTO EXATO. Saber que os planos são sólidos, baseados em experiência e observação, encoraja a persistência; "supor" em vez de "saber" destrói a persistência.
6. COOPERAÇÃO. Simpatia, compreensão e cooperação harmoniosa com os outros tende a desenvolver a persistência.
7. FORÇA DE VONTADE. O hábito de concentrar os pensamentos na elaboração de planos para a conquista de um propósito definido leva à persistência.
8. HÁBITO. Persistência é um resultado direto do hábito. A mente absorve e se torna parte das experiências diárias das quais se alimenta. O medo, o pior dos inimigos, pode ser curado efetivamente pela repetição forçada de atos de coragem.

Para as mulheres, a implementação e a aplicação de alguns desses oito fatores podem vir com um grande desafio, e as de outros com surpreendente facilidade.

Como cuidadoras, defensoras, confidentes e pacificadoras, as mulheres costumam colocar a si e seus desejos em último lugar. Para algumas mulheres, estabelecer um propósito definido pode dar a sensação de egoísmo. É importante perceber que, por outro lado, ter um propósito definido e trabalhar naquele sentido dará um bom exemplo e que, ao criar impacto positivo, estamos melhorando todas as vidas que tocamos. Podem ser as vidas de um grupo bem coeso, como a família próxima, mas é mais provável que se estenda a amigos e membros da comunidade.

A mesma vocação inata para estar a serviço dos necessitados e a disposição para sacrificar as próprias necessidades podem colocar em risco a autoconfiança de uma mulher. Entenda que proporcionar a si mesma uma oportunidade de ser a melhor mulher e atingir o potencial máximo vai prepará-la melhor para a seguir concretizar qualquer desejo natural de nutrir, empoderar ou por sua vez ajudar outros a chegarem a seu melhor potencial. Isso começa primeiro com a crença de que você merece, é digna e capaz de confiar em si mesma. Se você tem dúvidas relativas a alguma dessas afirmações, conceda-se um tempo adicional para entender e empregar a AUTOSSUGESTÃO.

Planejamento, conhecimento exato e cooperação proporcionam uma oportunidade para as mulheres alavancarem características que surgem naturalmente na maioria. Como as mulheres relutam menos para pedir ajuda, conseguem montar um plano sólido com o apoio e utilizando o conhecimento de outros onde necessário. Além disso, como colaboradoras naturais, as mulheres conseguem envolver-se com os outros facilmente. Quando vemos os outros empolgados com o que estamos fazendo, isso nos ajuda a manter a energia, entusiasmo e tenacidade necessários para persistir.

A tendência das mulheres de serem mais guiadas pelos aspectos emocionais que os homens pode influenciar a força de vontade e o hábito tanto de maneira positiva quanto negativa. Uma mulher capaz de direcionar suas emoções e energia no intuito de se concentrar em uma meta final e nas ações repetitivas necessárias para atingir o propósito desejado terá maior probabilidade de chegar ao sucesso.

Michelle Patterson compartilha como sua PERSISTÊNCIA lhe deu força de vontade para seguir em frente com a Conferência de Mulheres da Califórnia quando todos ao redor diziam que ela deveria cancelar. Ela tinha um sonho e uma visão e foi atrás com afinco mesmo em face de obstáculos de vulto.

Persistência é uma das maiores chaves para o sucesso. Significa que você segue andando em frente mesmo quando sente vontade de desistir. Muita gente abre mão de seus sonhos ao primeiro sinal de oposição ou infortúnio. Nessa vida, nada digno de ser alcançado vem fácil. Às vezes, você tem que lutar por seu sonho. Às vezes, você tem que deixar sua vontade e persistência puras carregarem-na a despeito de toda negatividade e oposição que possa encarar.

Desde a fundação, há três décadas, a Conferência de Mulheres da Califórnia tem reunido mulheres do mundo inteiro para aprenderem umas com as outras como crescer. O propósito da conferência era abordar a taxa de fracasso das mulheres em negócios na Califórnia. Na maior parte das vezes, o evento era organizado pela primeira-dama da Califórnia, a esposa do governador. Em 2012, porém, a esposa do governador Jerry Brown decidiu descontinuar o evento. A decisão da sra. Brown realmente me afetou e inspirou. Como produtora experiente de eventos de grande porte, decidi assumir a conferência, resolvida a mantê-la viva. Reservei um local, montei minha equipe, desenvolvi um plano e comecei a executá-lo. Eu tinha um desejo ardente e um plano de ação definido.

Ao longo dos meses seguintes, inscrevi milhares de participantes, atraí mais de 250 expositores e garanti mais de 150 oradores. Tudo começou bem, mas, à medida que o evento se aproximava, as coisas não andavam conforme o planejado. Sofri dois grandes revezes que puseram meu sonho e o evento em risco. Primeiro, a equipe terceirizada para tratar dos patrocínios fracassou nas projeções; não chegaram nem perto do que deveria ser. Segundo, o financiamento esperado para o negócio não se materializou. Quando venceu um pagamento da produção, percebi que meu negócio tinha um rombo de US$ 1,8 milhão. O evento corria o risco de ser cancelado, e tínhamos apenas dezessete dias para salvá-lo.

Naquele momento, senti que eu simplesmente não podia mais continuar. Depois de meses de trabalho duro e tendo colocado tudo que eu tinha naquele evento, as pessoas estavam me dizendo que eu tinha que cancelar! Um dos motivos de fracasso mais comuns em qualquer empreendimento é desistir cedo demais. A persistência lhe permite continuar agindo mesmo quando você não se sente motivada para fazê-lo; e com isso você continua acumulando resultados. Você segue em frente haja o que houver.

Foi exatamente o que eu fiz.

Com uma meta definida - realizar o evento e fornecer recursos para milhares de mulheres que necessitavam deles –, segui firme contra todas as adversidades. Não importa quantas pessoas falaram para eu encerrar o evento, simplesmente mantive o resultado final em mente e me ative ao plano. Lancei mão de todos os meus recursos e me ative ao plano.

Junto com minha equipe de consultores, fui do cancelamento e da possibilidade de falência para a redução do valor devido de US$ 1 milhão para menos de US$ 150 mil. Com persistência e atitude positiva, consegui fazer a Conferência de Mulheres da Califórnia de 2012 ser extremamente bem-sucedida.

No ano seguinte à conferência, muitas coisas maravilhosas começaram a acontecer. O tamanho e o âmbito das iniciativas de mulheres que a conferência enfocava haviam se expandido para praticamente todo assunto importante para as mulheres, não só na Califórnia mas em todo o país. Hoje, meu objetivo para a conferência, junto com nossa nova organização, a Fundação Rede de Mulheres, é aproveitar a paixão e a ambição incorporadas pela conferência e levá-las para todo o mundo.

Temos condições de causar maior impacto no mundo formando parcerias com as Nações Unidas e outros grupos importantes de mulheres. Ao também criar uma plataforma digital onde as mulheres podem se juntar para fazer parte de uma comunidade global *on-line* que fornece recursos e educação, consegui deixar a inspiração dos dois dias da Conferência de Mulheres da Califórnia disponível nos 365 dias do ano.

Com frequência reflito sobre o que teria acontecido se eu tivesse desistido por medo e deixado meu ego levar a melhor; todavia, ao não aceitar a derrota, a perda não passou de um empecilho temporário. Caso eu tivesse desistido quando estava no ponto mais baixo, nada disso teria sido possível. Por persistir e simplesmente dar um passo de cada vez, tive condições de criar uma organização que tem impacto em milhares de mulheres no mundo inteiro.

A história de Michelle demonstra não apenas persistência, mas também como ela continua empregando os oito fatores definidos por Hill como essenciais para o desenvolvimento da persistência.

Você pode estar pensando que sabe qual é o seu propósito definido, que definiu claramente seu desejo e que anteviu sua realização e o plano para chegar lá, apenas para levar uma puxada de tapete, incerta sobre por que as coisas não funcionaram. Qual foi a peça que faltou, incapacitando sua persistência?

Hill identificou os seguintes Sintomas da Falta de Persistência, afirmando: "Aqui você vai encontrar os verdadeiros inimigos que ficam entre você e uma realização notável".

1. Fracasso em reconhecer e definir clara e exatamente o que se quer.
2. PROCRASTINAÇÃO, com ou sem motivo. (Em geral, respaldada por um formidável conjunto de álibis e desculpas.)
3. Falta de interesse em adquirir CONHECIMENTO ESPECIALIZADO.
4. Indecisão, o hábito de "tirar o corpo fora" em todas as ocasiões, em vez de encarar os assuntos de frente. (Também respaldada por álibis.)
5. O hábito de se valer de álibis em vez de criar planos definidos para a solução de problemas.
6. AUTOCOMPLACÊNCIA. Não há muito remédio para essa aflição, e nenhuma esperança para os que dela padecem.
7. Indiferença, geralmente refletida na rapidez em fazer concessões em todas as ocasiões, em vez de fazer oposição e lutar.
8. O hábito de culpar os outros pelos próprios erros e aceitar circunstâncias desfavoráveis como inevitáveis.
9. FRAQUEZA DO DESEJO, devido à negligência na escolha de MOTIVOS que impelem a ação.
10. Disposição, até mesmo ânsia de desistir ao primeiro sinal de derrota. (Baseada em um ou mais dos seis medos básicos.)
11. Falta de PLANOS ORGANIZADOS, colocados por escrito para que possam ser analisados.
12. O hábito de deixar passar ideias ou de deixar de agarrar oportunidades quando estas se apresentam.
13. VONTADE em vez de DISPOSIÇÃO.
14. O hábito de se comprometer com a POBREZA em vez de almejar a riqueza. Ausência geral da ambição de ser, fazer e ter.
15. Procurar todos os atalhos para a riqueza, tentando CONSEGUIR sem DAR o justo equivalente, coisa que geralmente se reflete no hábito de apostar, tentando arranjar "barbadas".
16. MEDO DE CRÍTICAS, fracasso em criar planos e colocá-los em ação por causa do que os outros vão pensar, fazer ou dizer. Este inimigo faz parte do topo da lista, pois, em geral, existe na mente subconsciente,

onde sua presença não é reconhecida. (Ver os Seis Medos Básicos em um capítulo mais à frente.)

Ao repassar esses adversários da persistência, pergunte a si mesma se algum deles tem influência em sua vida. Embora seja difícil nos olharmos no espelho e fazermos um inventário de nossas ações e decisões, isso nos dá o poder de saber quais mudanças precisam ser feitas para se ter sucesso. Uma mulher que consegue identificar e ser honesta a respeito de qualquer obstáculo pelo qual se deixou atingir é muito mais corajosa do que a que teme o que pode vir a descobrir ou permite que o orgulho fique em seu caminho, com isso escolhendo ser travada pelo obstáculo.

"Pode não haver uma conotação heroica na palavra 'persistência', mas a qualidade é para o caráter de um homem [mulher] o que o carbono é para o aço."

Hill ofereceu o seguinte conselho para pegar impulso no desenvolvimento da PERSISTÊNCIA: "Você pode julgar necessário saltar fora da inércia mental ... movendo-se devagar no início, depois aumentando a velocidade até adquirir controle total sobre sua vontade. Seja PERSISTENTE, por mais devagar que, de início, você tenha que se mover. COM PERSISTÊNCIA VIRÁ O SUCESSO".

Repare que Hill refere-se a começar devagar e depois aumentar a velocidade. Isso significa dar um passo para começar, depois outro para progredir e então mais um, sem esperar que a vida crie as circunstâncias de que você precisa para o sucesso.

> Muita gente acredita que o sucesso material é resultado de "brechas" favoráveis. A única "brecha" com que qualquer um pode contar é com a "brecha" feita por si mesmo. Esta surge pela aplicação da PERSISTÊNCIA. O ponto de partida é o PROPÓSITO DEFINIDO.

Tracey Trottenberg é a fundadora da Amazing Women International (Mulheres Incríveis Internacional) e compartilhou a importância que a persistência e perseverança desempenharam em seu sucesso: "Tive muitos altos e muitos baixos ao longo de minha carreira e nos meus negócios, e ir fundo para valer e seguir perseverante foi fenomenal, e aquele livro [*Pense e enriqueça*] me se fez lembrar de que não se trata apenas de ir, ir e seguir indo só por ir, mas na verdade do que acontece com aquela parte de você – aquela parte de mim que realmente apareceu quando eu fui mais fundo e não parei; isso é o número um, e o número dois tem realmente a ver com fé.

> À medida que fui realmente fundo, deixei aquilo penetrar, acreditei enquanto lia o livro e trabalhava o conteúdo, meu negócio cresceu exponencialmente, com facilidade e graça.

Paula Fellingham, fundadora da *Women's Information Network* (Rede de Informação das Mulheres), compartilha como a persistência não só ajudou a construir uma rede global de mulheres, mas também como ela vê mulheres do mundo inteiro utilizando a persistência para construir sucesso para si mesmas e suas famílias.

> Acredito que esta seja a época mais magnífica da história para ser mulher. Neste momento está ocorrendo uma ascensão e despertar das mulheres do mundo com mais alcance e mais velocidade do que qualquer coisa já vivenciada na história.
>
> Sim, as mulheres ao redor do mundo estão colocando os ombros para trás e erguendo a cabeça à medida que entendem, como nunca antes, que agora é a nossa hora. A humanidade está assistindo este fenômeno global, e alguns estão preocupados. A maioria está exultante.
>
> Observei que um dos componentes mais poderosos para o surto de progresso das mulheres é a persistência delas. De fato, muitas mulheres que fazem parte do atual avanço global feminino encarnam este valor. Elas entendem que a persistência é um elemento crítico para o sucesso em sua vida pessoal e seus negócios.
>
> Como fundadora da *Women's Information Network* (WIN), testemunhei uma profunda persistência em ação ao conhecer mulheres de muitos países. Um exemplo notável é Edel Quinn. Ela trabalha incansavelmente nas favelas de Kibera, em Nairóbi, no Quênia, onde quase um milhão de pessoas vivem em uma milha quadrada. Edel ensina as mulheres como dar início a pequenos negócios para que eventualmente possam sair da favela e proporcionar uma vida melhor para os filhos.
>
> Em uma tarde chuvosa, enquanto caminhava com Edel pela favela e conversava com as mulheres de lá, fiquei profundamente impressionada com suas atitudes positivas e vigor emocional. Aquelas que conheci eram alegres, esperançosas, tenazes e persistentes no esforço para livrarem a si mesmas e suas famílias de sua situação terrível. Nossas irmãs em Kibera personificam verdadeiramente a definição de persistência, que é "continuar com firmeza a despeito de

problemas e obstáculos".

Napoleon Hill comentou: "Não existe substituto para a persistência! Ela não pode ser suplantada por nenhuma outra qualidade!". O sr. Hill afirmou que persistência é um estado mental, bem como um traço de caráter. Concordo de todo coração.

As mulheres que persistem são aquelas que acreditam em suas metas com força suficiente para continuar tentando e trabalhando através das épocas difíceis. Todas nós mulheres sabemos como são as épocas difíceis porque cada uma de nós experimentou um "fogo do ourives" na vida em alguma medida. Quando o "calor" aumenta, algumas mulheres choramingam, acusam e desistem. Outras brilham, trabalham e persistem.

As mulheres de hoje reconhecem que nos amparamos nos feitos daquelas mulheres heroicas que exemplificaram a persistência ao longo da história. Amelia Earhart é uma de minhas favoritas. Depois de numerosos sucessos internacionais como piloto, em 1937 ela morreu na tentativa de ser a primeira mulher a voar sozinha ao redor do mundo. Em sua última carta, Amelia respondeu à pergunta de seu marido preocupado. Ele perguntou por que ela tentava persistentemente alcançar aquelas metas elevadas. Amelia escreveu: "Quero fazer porque quero. As mulheres devem tentar fazer coisas como os homens tentaram. Se fracassarem, seu fracasso deve ser um desafio para outras".

Como mulheres viajando juntas pela vida no século XXI, vamos celebrar alegremente nosso progresso e também servir animadamente nossas irmãs necessitadas. Devemos persistir em fazer o bem – todo dia –, haja o que houver.

Deixo-lhe meu amor e meu convite para se conectar de coração a coração a nossas irmãs durante essa empolgante ascensão e despertar global das mulheres do mundo.

O CAPÍTULO NA PRÁTICA – EM MINHA VIDA

Você já foi chamada de teimosa, obstinada, tenaz ou determinada? Todos esses adjetivos são sinônimos de persistente.

Tenho que admitir que sempre fui muito persistente. Quando criança, tinha que encontrar a resposta certa e completa para cada tarefa do tema de casa recebido. No ensino médio e na faculdade, virava noites para garantir que os trabalhos ficassem tão perfeitos quanto possível (graças a Deus pelo corretor líquido!).

Levei isso para minha vida profissional, às vezes ao extremo. Para mim é dureza desapegar de cada livro que escrevo, pois cada vez que repasso os manuscritos penso em mais coisas que quero acrescentar. Aprendi a me impor limites de prazo a fim de forçar a conclusão de cada livro.

E, uma vez que o livro esteja concluído, é preciso persistência de verdade para promovê-lo de forma adequada. Muitos autores têm a atitude "escreva que vai vender" e ficam tristes e desapontados quando as vendas de livros deles não explodem. Autores de sucesso sabem que eles são a melhor ferramenta de *marketing*. Você tem que promover com afinco, ir aos veículos de comunicação constantemente e marcar eventos, tirar proveito das mídias sociais para espalhar a novidade e se comprometer com persistência a promover o livro para que seja um sucesso.

Você talvez saiba que *Pai rico*, pai pobre ficou na lista de mais vendidos do *New York Times* por mais de sete anos. O que você talvez não saiba é que levamos três anos para chegar lá. Eu expedia livros da minha mesa de jantar e ia ao correio todo dia enviar pedidos. Tomei um choque quando o correio disse que eu não podia mais levar quantidades tão grandes para aquela agência, e encontrei uma distribuidora para tratar do envio.

Na marca dos três anos, após constante e infindável promoção, e fazendo de tudo para divulgar nossa mensagem, chegamos às listas. Foi aí que as grandes editoras vieram atrás de nós. Não haviam se interessado quando oferecemos o livro pela primeira vez, mas, quando mostramos nosso sucesso, vieram bater à nossa porta.

Em conjunto com meus esforços editoriais, ao longo dos últimos vinte anos existe a minha paixão para fazer a educação financeira entrar nos currículos escolares. Tem sido uma batalha custosa, repleta de burocracia, gente que resiste francamente a qualquer mudança, bem como administradores de escola abarrotados demais com os assuntos do dia a dia para sequer reservar um tempo para ouvir nossa iniciativa. Em junho de 2013, entretanto, conquistamos nossa primeira vitória importante, quando a governadora do Arizona assinou projeto de lei estipulando o primeiro grande passo para garantir que os alunos de ensino médio do Arizona tenham proficiência em educação financeira ao se formar.

Acabo de concluir um currículo de faculdade chamado "Mestria Financeira, Cultura Financeira para o Mundo Real", que será divulgado, com persistência, para faculdades e universidades, cobrindo todos os aspectos das finanças pessoais. Nossa esperança é que ajude universitários a ficarem fora da monumental dívida estudantil e os deixe melhor preparados para o futuro financeiro que irão encarar. Nossa tarefa será convencer administradores de faculdade que tal curso é tão importante e necessário que eles o adotem, e a seguir encorajem os alunos a cursar. Será preciso grande persistência.

Hoje, quando alguém me chama de teimosa, simplesmente sorrio e digo: "Obrigada, e sim, sou!".

A MENTE SUPERIOR DA IRMANDADE

A sabedoria de mulheres importantes e bem-sucedidas sobre PERSISTÊNCIA:

ESTÉE LAUDER (1906-2004)
COFUNDADORA DA ESTÉE LAUDER COMPANIES
"Quando pensei que não podia continuar, me forcei a seguir em frente. Meu sucesso é baseado na persistência, não na sorte."

ROSA PARKS (1913-2005)
ATIVISTA AFRO-AMERICANA DOS DIREITOS CIVIS
"Se tenho que encarar alguma coisa, eu encaro, não importa quais possam ser as consequências. Nunca tive nenhum desejo de desistir. Não achava que desistir fosse uma forma de se tornar uma pessoa livre."

DOLLY PARTON
CANTORA E COMPOSITORA NORTE-AMERICANA DE MÚSICA COUNTRY, ATRIZ, ESCRITORA E ATIVISTA CULTURAL
"Eu vejo assim: se você quer o arco-íris, tem que aguentar a chuva. Não podemos dirigir o vento, mas podemos ajustar as velas. Tempestades fazem as árvores criar raízes mais profundas."

HELEN KELLER (1880-1968)
ESCRITORA E ATIVISTA POLÍTICA NORTE-AMERICANA
"O caráter não pode ser desenvolvido no sossego e tranquilidade. Apenas pela experiência de provação e sofrimento a alma pode ser fortalecida; a ambição, inspirada; e o sucesso, atingido."

MARIAN WRIGHT EDELMAN

PRESIDENTE E FUNDADORA DO FUNDO DE DEFESA DAS CRIANÇAS

"Você não é obrigada a vencer. Você é obrigada a seguir tentando fazer o melhor que pode todos os dias."

CHIN-NING CHU (1947-2009)

CONSULTORA DE NEGÓCIOS SINO-AMERICANA E AUTORA DE *BEST-SELLERS* NA ÁSIA E NA COSTA DO PACÍFICO

"Sem vigor para enfrentar a crise, não se verá a oportunidade dentro dela; é dentro do processo de resistência que a oportunidade se revela."

MARILYN MONROE (1926-1962)

ATRIZ, MODELO E CANTORA NORTE-AMERICANA

"Só porque você fracassou uma vez não quer dizer que vá fracassar em tudo."

ELEANOR ROOSEVELT (1884-1962)

PRIMEIRA-DAMA DOS ESTADOS UNIDOS A OCUPAR O CARGO POR MAIS TEMPO, DURANTE OS QUATRO MANDATOS DO MARIDO, O PRESIDENTE FRANKLIN D. ROOSEVELT. MAIS TARDE O PRESIDENTE HARRY S. TRUMAN CHAMOU-A DE "PRIMEIRA-DAMA DO MUNDO", EM TRIBUTO A SUAS REALIZAÇÕES EM DIREITOS HUMANOS

"Adquirimos força, coragem e confiança a cada experiência em que realmente paramos para olhar o medo de frente ... devemos fazer o que pensamos não conseguir."

MARY PICKFROD (1892-1979)

ATRIZ DO CINEMA MUDO CONHECIDA COMO "NAMORADINHA DA AMÉRICA" E COFUNDADORA DA UNITED ARTISTS

"Você pode ter um novo começo em qualquer momento que escolher, pois essa coisa que chamamos de 'fracasso' não é cair, mas continuar caído."

RICHELLE E. GOODRICH

ESCRITORA NORTE-AMERICANA CONTEMPORÂNEA

"Será que alguma coisa é verdadeiramente impossível? Ou será que é o caminho para nossas metas que parece incerto demais para seguirmos? Me parece que, se você procura o bastante, reza o bastante, em geral, depara com um rastro de farelos de pão que marca a trilha levando à meta que certa vez você considerou fora de seu alcance."

GISELA RICHTER (1882-1972)
ARQUEÓLOGA CLÁSSICA E HISTORIADORA DE ARTE
"Uma série de fracassos pode culminar no melhor resultado possível."

PERGUNTE A SI MESMA

Use seu diário ao percorrer este trecho para identificar suas etapas de ação, ativar seus momentos de "sacação" e criar seu plano para obter sucesso!

Eu sou persistente?

Se você não tem certeza da resposta, revise os oito fatores essenciais para PERSISTÊNCIA e os Sintomas da Falta de Persistência de Hill, sendo sincera ao fazer o inventário dos que se aplicam a você.

Para ajudá-la a melhor determinar seu nível de PERSISTÊNCIA, responda o seguinte:

1. As pessoas já se referiram a você como sendo "guerreira"?
2. Você cresce sob pressão ou tende a se sentir assoberbada?
3. Você possui ferramentas para superar emoções enraizadas na negatividade?
4. Seu diálogo interno é basicamente encorajador, ou você tende para um diálogo interno negativo?
5. Você espera a oportunidade vir até você, ou faz as suas próprias brechas?

Se você verificar que não foi feita para desafios, ou que gostaria de ter mais fibra emocional, fique certa de que estas são coisas plenamente sob seu controle! Você tem o poder de mudar.

Relembre uma ocasião em que foi exigido que você escolhesse entre duas situações, nenhuma delas atraente. Lá estava você, insegura a respeito do que fazer, e todavia tinha que escolher. Não importa se você fez a escolha certa. O que importa é que você persistiu a despeito da adversidade para ultrapassar aquele momento – e cá está você hoje, melhor por causa disso.

Como você se sentiu do lado vencedor da adversidade? Relembre o alívio, a alegria, ou qualquer emoção positiva recompensadora. Deixe que esta seja o graveto que acende a fogueira de sua persistência!

Hill amplia nossa instrução para o desenvolvimento da persistência com estes quatro passos:

Existem quatro passos simples que levam ao hábito da PERSISTÊNCIA. Eles não requerem grande dose de inteligência, nenhum grau particular de instrução, e nada mais são do que um tempinho de esforço. Os passos necessários são:

1. UM PROPÓSITO DEFINIDO RESPALDADO POR um DESEJO ARDENTE DE REALIZAÇÃO.
2. UM PLANO DEFINIDO, MANIFESTADO EM AÇÃO CONTÍNUA.
3. UMA MENTE FIRMEMENTE FECHADA A TODAS INFLUÊNCIAS NEGATIVAS E DESENCORAJANTES, inclusive sugestões negativas de pais, amigos e conhecidos.
4. UMA ALIANÇA CORDIAL COM UMA OU MAIS PESSOAS QUE VÃO ENCORAJÁ-LA A LEVAR ADIANTE TANTO O PLANO QUANTO O PROPÓSITO.

Você identificou seu propósito definido e desejo ardente? Caso sim, tome alguns minutos para revisá-los agora. Caso não tenha identificado quando terminar este livro, retroceda e repasse o PROPÓSITO DEFINIDO a fim de explorar suas paixões e por fim determinar seu propósito.

Você tem um plano para realizar seu propósito definido? Agora é a hora de começar a repassar seu plano para ter certeza de que você definiu ações específicas a fim de seguir em frente.

A negatividade é um incômodo disseminado em sua vida ou você tomou medidas para resguardar sua mente? Assuma o controle de seu ambiente e daquilo que você permite que a influencie a fim de eliminar o efeito da negatividade sobre você.

Quem é mais encorajador em sua vida? Encontre maneiras de nutrir a persistência cercando-se de gente que vai apoiá-la e ajudá-la a prosseguir até você atingir seu propósito.

9

O poder da Mente Superior

Cerque-se da Mente Superior.
Esta é a sua força motriz.

Sozinhas podemos fazer muito pouco;
juntas podemos fazer muito.
– HELEN KELLER

VOCÊ JÁ OUVIU O DITADO: "DUAS CABEÇAS PENSAM MELHOR QUE UMA!". Isso nunca foi mais verdadeiro do que hoje em dia. O mundo dos negócios está mudando. Por muitos anos os negócios foram baseados em intensa competição e se criou um ambiente de ganhar-e-perder, mas hoje felizmente vemos uma transformação, e a colaboração e a cooperação criam uma plataforma de ganhar-e-ganhar para todas as partes envolvidas nos negócios.

Você alguma vez praticou esportes em equipe? Lembra dos trabalhos em grupo que eram uma tremenda diversão quando estava na escola? Ou quem sabe lembre de outros trabalhos em grupo nos quais desejou ejetar um membro ou dois. Você pertence a alguma organização de associados que apoia seu aprendizado ou a realização de suas metas pessoais e profissionais? Pense em como se sente bem quando sai de uma reunião em que teve um momento de "sacação".

Napoleon Hill escreveu sobre o PODER DA MENTE SUPERIOR pela primeira vez no início dos anos 1900. Sua descrição de MENTE SUPERIOR começa pela descrição do poder gerado a partir dos benefícios do pensamento coletivo de um grupo de indivíduos.

> A ACUMULAÇÃO DE DINHEIRO REQUER PODER! O PODER É NECESSÁRIO PARA A RETENÇÃO DO DINHEIRO DEPOIS DE ACUMULADO!

O poder a que ele se refere não é o poder ditatorial, mas sim o poder obtido pela aquisição de conhecimento. Ele compartilha que existem três fontes de conhecimento organizado:

1. Inteligência Infinita – aproveitada por meio da Imaginação Criativa, conforme descrito no capítulo sobre a Imaginação (ver Capítulo 5).
2. Experiência Acumulada – É aqui que Hill inclui toda a educação formal, bem como o conhecimento registrado e disponível em uma biblioteca pública. Hoje se incluiria a informação acessível via internet, com a advertência de que é preciso validar as fontes da informação.
3. Experimento e Pesquisa – Embora Hill tenha se referido a cientistas que buscam novos conhecimentos por meio de experimento e pesquisa, acho que isso também se refere a qualquer um em busca de novos territórios – construindo novos negócios, tomando um caminho menos percorrido, onde a Imaginação Criativa de novo entra em cena.

Se o poder é obtido pela acumulação dos três tipos de conhecimento, Hill destaca que seria difícil para uma pessoa executar a tarefa sozinha. A fim de ser verdadeiramente bem-sucedida, você deve encontrar uma equipe de pessoas para trabalhar junto, de modo que o conhecimento possa ser adquirido mais rapidamente para a realização de seu propósito definido.

É esta a essência do PODER da MENTE SUPERIOR. Hill define a MENTE SUPERIOR da seguinte forma:

> A Mente Superior é a coordenação do conhecimento e do esforço, em espírito de harmonia, entre duas ou mais pessoas, para se alcançar um propósito definido.

Ele a seguir descreve duas vantagens distintas da MENTE SUPERIOR. Primeiro, as óbvias vantagens econômicas dos resultados obtidos por meio do esforço coletivo. Você adquire a vantagem da experiência, educação, aptidão inata e imaginação de outras mentes com sua MENTE SUPERIOR. Este tipo de aliança cooperativa gera os alicerces de quase toda grande fortuna.

Em segundo, Hill descreve o benefício espiritual de um esforço em grupo: "Duas mentes jamais se reúnem sem, com isso, criar uma terceira força invisível, intangível, que pode ser comparada a uma terceira mente". Este ESPÍRITO DE HARMONIA cria uma energia ampliada, que fica à disposição de cada indivíduo do grupo. Ele descreve isso como a fase "psíquica" da MENTE SUPERIOR.

O ditado: "O conjunto é maior que a soma de suas partes" refere-se a este elemento espiritual. Você consegue lembrar de uma ocasião em que esteve envolvida em um projeto em equipe no qual a interação proporcionou essa energia ampliada, em geral acrescentando um elemento de diversão ao projeto em si?

Pois bem, o contrário também é verdade. Quando você está envolvida em uma iniciativa de grupo onde existe DESARMONIA, a energia negativa ampliada pode ser manifestada por meio de conflito ou aumento da frustração, e pode tornar a realização do propósito definido do grupo muito mais difícil de se efetuar. Isso é particularmente verdadeiro quando o "líder" assume um papel ditatorial sobre a MENTE SUPERIOR, o que provoca impacto dramático na capacidade de pensamento coletivo do grupo.

Parece que as mulheres são mais receptivas a trabalhar em grupo que os homens. Katherine Crowley, psicoterapeuta que estudou em Harvard, e Kathi Elster, consultora de gestão e *coach* executiva, escreveram o livro *Mean Girls at Work: How to Stay Professional When Things Get Personal*, enfocando a intimidação feminina no local de trabalho e como muitas líderes mulheres ainda não ajudam outras mulheres a terem êxito.

Elas também compartilham seus *insights* sobre as diferenças entre homens e mulheres no ambiente de trabalho. Uma breve sinopse da filosofia delas: "Os homens são da zona de combate, as mulheres são do círculo de apoio". Em uma entrevista elas compartilharam:

> A maioria das mulheres entra nas empresas com o desejo de fazer parte de uma equipe, de se conectar com os outros integrantes e produzir resultados excepcionais. Enquanto os homens são cordiais com os colegas, as mulheres costumam relacionar-se com os companheiros de trabalho, clientes e vendedores como amigas. Os homens, por outro lado, parecem assumir e aceitar que o local de trabalho é um ambiente competitivo.

Isso parece validado na reportagem do *Los Angeles Times* sobre uma pesquisa recente da Ernst & Young que revelou que 90% das mulheres executivas de negócios pesquisadas indicaram o uso de equipes como sua escolha de número 1 para lidar com problemas nos negócios. Além disso, 82% das mulheres pesquisadas indicaram que uma organização composta de equipes operando harmoniosamente era uma chave para chegarem a suas metas nos negócios.

Essa pesquisa, entretanto, foi aplicada a mulheres executivas de grandes corporações, com receitas anuais acima de US$ 250 milhões. Então, como as mulheres acham membros de equipe ou grupos de apoio quando estão em organizações menores, são donas de seus próprios negócios ou têm um problema em sua vida pessoal? Para questões pessoais, as mulheres tendem a buscar seu círculo de amigos ou encontrar grupos de apoio locais, sendo que ambos podem ser considerados grupos de MENTE SUPERIOR. Para responder à necessidade desse tipo de apoio em questões de negócios, foram criadas organizações no mundo inteiro para oferecer oportunidades de educação, orientação e apoio entre pares, bem como estabelecer modelos contábeis para mulheres nos negócios.

Uma dessas organizações para proprietárias de negócios é a Organização das Mulheres Presidentes (*Women President's Organization–WPO*), fundada por sua presidente, Marsha Firestone, Ph.D., para fornecer apoio entre pares, de modo que mulheres presidentes possam reunir-se regularmente para ajudar umas às outras.

Quando solicitada a explicar o propósito e o sucesso de sua organização, ela compartilhou:

> *Mente Superior: revelando o gênio do grupo*
> O conceito de Mente Superior no cerne do modelo de negócios da Organização das Mulheres Presidentes (WPO) é o grupo consultivo de pares. O objetivo que mulheres proprietárias de negócios compartilhem os benefícios de sua perícia, experiência e educação, o que está dando certo para elas e o que não está funcionando, proporcionando retorno em tempo real e no alvo. Projetada especialmente para líderes de companhias de segundo estágio, que saíram da fase inicial e estão focadas em crescimento constante e sustentável, a premissa fundamental da ferramenta de aprendizado entre pares da WPO enfoca o compartilhamento de experiências em vez do oferecimento de conselho.
>
> Em capítulos compostos por aproximadamente vinte empreendedoras de talento, as mulheres integrantes da WPO abordam suas preocupações empresariais no formato de mesa-redonda, e funcio-

nam como um conselho de administração informal de suas empresas. Cada capítulo é orientado pelos quatro Cs da WPO: colaboração, confidencialidade, comprometimento e conexões. Não existe um currículo fixo. Trata-se de dar, tanto quanto de receber.

A meta é acelerar o crescimento, implementar os próximos passos e promover a segurança econômica. As associadas assumem o compromisso de apoiar umas às outras e compartilhar seu conhecimento especializado. O grupo é composto de negócios não competitivos com receita mínima na faixa de um milhão de dólares. Está todo mundo em pé de igualdade. Sentam-se em grupos com outras que sabem como é estar na situação delas, encarando muitas das mesmas questões e se beneficiando com outras que "estiveram lá, fizeram aquilo". As presidentes de capítulos da WPO são proprietárias de negócios treinadas no processo de mesa-redonda, e trabalham para fazer surgir o gênio do grupo.

O processo proporciona resultados práticos e também intangíveis. As mulheres são propensas à falta de confiança. Pesquisas mostram que meninas a partir dos onze anos de idade começam a se agarrar aos pensamentos mais autocríticos que conseguem inventar. Os capítulos da WPO trabalham para reformar essa falta de confiança e validar as estratégias de negócios das participantes.

Os grupos consultivos de pares da WPO proporcionam a validação necessária para que as medidas e estratégias adotadas pelas mulheres empreendedoras sejam valiosas. Um dos resultados mais importantes é a redução do estresse por ser dada a oportunidade de se falar sobre questões que essas proprietárias de negócios não podem discutir com a família ou colegas de trabalho.

Entendemos o valor de interagir e aprender com colegas que enfrentam problemas semelhantes em sua liderança e negócios. As sócias da WPO abordam preocupações financeiras, desenvolvimento organizacional, contratação e demissão, e outros temas.

As mulheres presidentes de companhias de muitos milhões de dólares são confrontadas com os desafios cotidianos de gerir um negócio. Estar em suas peles pode ser solitário. Em encontros mensais intensos e íntimos, as associadas da WPO tratam de uma variedade de temas que possuem impacto significativo no sucesso profissional e pessoal. É o local onde nos conectamos, aprendemos e nos transformamos.

Existem muitas organizações que proporcionam educação, orientação e oportunidades de rede social tanto para mulheres profissionais quanto para mulheres donas de negócios. Sua meta deve ser localizar um grupo que melhor se ajuste a suas necessidades, onde você possa se conectar com outras mulheres mais adequadas para fazer parte de sua MENTE SUPERIOR. Algumas dessas organizações estão listadas aqui com uma breve descrição de seu foco central.

A Associação Nacional de Mulheres Proprietárias de Negócios (*National Association of Women Business Owners - NAWBO*) impulsiona mulheres empreendedoras nas esferas de poder econômico, social e político do mundo inteiro mediante:

- fortalecimento da capacidade de criação de riqueza de nossas associadas e promoção do desenvolvimento econômico dentro da comunidade empreendedora;
- criação de mudança inovadora e efetiva na cultura empresarial;
- formação de alianças estratégicas, coalizões e afiliações;
- transformação da política pública e influência sobre os formadores de opinião.

Em 1975, um grupo de uma dúzia de empresárias de mentalidade semelhante da região de Washington, D.C. reuniu-se para compartilhar informações e criar um ambiente de comunidade profissional para promover e fortalecer seus interesses empresariais. Desde então, a NAWBO cresceu para se tornar a voz firme e unificada de mais de dez milhões de empresas pertencentes a mulheres em todo o país.

A NAWBO criou uma afiliação com a Associação Mundial das Mulheres Empreendedoras (*Les Femmes Chefs d'Enterprises Mondiales*), fundada na França em 1945 ao fim da Segunda Guerra Mundial por Yvonne Foinant. Oferecendo solidariedade e amizade, reúne mulheres de mentalidade semelhante que compartilham de um interesse comum: empreendedorismo. Hoje a rede da FCEM inclui mais de oitenta países dos cinco continentes e é liderada pela presidente mundial Laura Frati Gucci.

85 Broads é uma rede global de trinta mil mulheres pioneiras inspiradas, empoderadas e conectadas de todo o mundo. As "sócias fundadoras" da 85 Broads eram mulheres que trabalhavam no Goldman Sachs na Broad Street, 85, a antiga sede do banco de investimento em Nova York. Ao longo da década passada, a 85 Broads expandiu seu quadro de associadas para incluir mulheres

ex-alunas e estudantes das principais faculdades, universidades e escolas de pós-graduação do mundo. As integrantes estão localizadas em mais de 130 países ao redor do mundo e trabalham para milhares de companhias com e sem fins lucrativos. Sallie Krawcheck, ex-presidente de Gestão de Patrimônio do *Bank of America*, comprou a 85 Broads de sua fundadora, Janet Hanson, empreendedora e ex-executiva do Goldman Sachs. Em uma entrevista no *HuffPost Live*, Sallie compartilhou seus pensamentos sobre sucesso dizendo: "A regra tácita número 1 do sucesso é rede social. Ter uma rede de pessoas do mesmo gênero é bom para ambos os gêneros. Você deve se interligar com todo mundo, mas há algo de mais confortável para as pessoas em perguntar: "Ei, que tal essa questão [com o mesmo gênero]?".

A Rede de Informações de Mulheres (*Women's Information Network-WIN*) proporciona educação e empoderamento *on-line* e in situ a mulheres do mundo inteiro (152 países) em questões de vida pessoal e negócios. A WIN convida todas as mulheres, de todas as idades, todas as culturas e todas as religiões a participar. Paula Fellingham, CEO da WIN, compartilha a declaração de missão: "A missão da WIN é fortalecer mulheres e famílias do mundo inteiro por meio da educação, esclarecimento e empreendedorismo, em um esforço para erradicar o analfabetismo, a pobreza e a fome, e aumentar o nível de amor, prosperidade e paz na terra. O lema da WIN: 'Somos mulheres ajudando mulheres a viver nossa melhor vida'".

A *eWomenNetwork* foi fundada por Sandra Yancey em 2000, na sala da garagem na sua casa suburbana em Dallas, no Texas. Com experiência empreendedora limitada, Sandra abriu seu próprio caminho para criar uma das maiores e mais premiadas organizações de rede de negócios da América do Norte. Hoje a *eWomenNetwork* é um empreendimento de muitos milhões de dólares com 118 capítulos em seis países, ajudando milhares de mulheres a cultivar seus negócios. A organização produz mais de mil eventos de negócios de mulheres por ano, incluindo um dos maiores – a Conferência Internacional de Negócios de Mulheres na América do Norte, com duração de quatro dias. Sandra criou a Fundação *eWomanNetwork*, que concedeu subvenções a 94 organizações sem fins lucrativos e bolsas de estudo para 132 líderes femininas emergentes.

A Associação Nacional de Mulheres Executivas (*National Association for Female Executives-NAFE*) é uma das maiores organizações do país para mulheres profissionais e donas de negócios, e oferece recursos – por meio de educação, rede social e *lobby* público – para empoderar suas associadas para atingirem o sucesso profissional e pessoal. A drª Betty Spence atua como presidente desde 2001.

Existem inúmeras outras organizações, demais para listar aqui, à sua disposição. Muitas são para setores específicos, enquanto outras, como a WPO, esforçam-se para diversificar as sócias entre diferentes setores, criando um ambiente colaborativo, não competitivo.

Somadas a essas grandes organizações, existem mulheres profissionais que oferecem orientação e oportunidades para guiar mulheres empreendedoras a levar seus negócios para o próximo nível. Ao participar da Conferência de Mulheres da Califórnia, as seguintes mulheres compartilharam seus pensamentos sobre a importância de se ter uma MENTE SUPERIOR.

Ali Brown, fundadora e CEO da *Ali International LLC*, criou uma empresa dinâmica dedicada a empoderar mulheres empreendedoras ao redor do mundo, e atualmente possui mais de 65 mil participantes em seus programas *on-line* e *off-line*. Quando indagada sobre o poder de uma Mente Superior, Ali reconheceu de imediato o poder da obra de Napoleon Hill e o papel que esta desempenhou para moldar seu sucesso.

Ela compartilhou: "Alguém me deu uma cópia de *Pense e enriqueça* quando eu estava ali pelos vinte anos. Lembro de pegar, olhar e dizer: 'Por que eu deveria dar ouvidos a esse cara velho, que já morreu?'. Foi realmente o que pensei. Lembro de deixar o livro de lado. Uns anos depois, quando estava por minha conta e lancei meu primeiro negócio, me mudei. Ao desempacotar a mudança, encontrei o livro de novo. Pensei: "Ah, que tal me livrar desse aqui?". Em vez disso, abri, e o livro teve todo um novo significado para mim. O capítulo que teve maior influência em minha vida foi sobre a Mente Superior, porque eu vinha trabalhando sozinha há muito tempo e percebi que tinha que me cercar de gente bem-sucedida. Poderíamos compartilhar nossos desafios, nossas estratégias para o sucesso. Eu poderia conseguir os conselhos de que precisava. Aquele princípio mudou minha vida".

"Duas cabeças pensam melhor que uma" – e trabalhar com outras donas de negócios bem-sucedidas que vão ajudá-la no pensamento em grupo a respeito de seu negócio e nos seus desafios é algo que vai ajudá-la a desenvolver ideias e respostas mais rápido.

Mari Smith, considerada uma especialista destacada em mídia social e evangelista do Facebook, foi nomeada uma das dez principais influenciadoras da mídia social pela *Forbes*. Mari ajuda profissionais independentes, empreendedoras e donas de negócios a acelerar seus lucros usando uma estratégia de *marketing* social integrado, com foco particular no Facebook e Twitter.

Em uma entrevista ela compartilhou: "O que Napoleon Hill ensina em *Pense e enriqueça* a respeito de com quem você se cerca e de quem lhe apoia em um grupo coeso onde você tem o respaldo de absolutamente todo mundo teve uma influência profunda em mim. Passados treze anos, gosto de brincar dizendo que sou um sucesso da noite para o dia – com dez anos na preparação. Agora estou fazendo minhas próprias Mentes Superiores e implementando muito do que Napoleon Hill falou a respeito.

"A importância da mentalidade de milionária – de que realmente temos controle sobre nossa mente, de que nossos pensamentos tornam-se realidade, e daqueles com quem estamos nos associando e por quem estamos sendo influenciados – faz uma tremenda diferença em nosso sucesso".

Novalena Betancourt, autora de *Total Female Package*, é uma jovem dedicada a ajudar outras mulheres a terem sucesso. Novalena também leu *Pense e enriqueça* muitas vezes e abraça a mensagem de Hill sobre a necessidade de se criar sua própria Mente Superior.

Ela compartilha: "Você precisa ter as associações a seu redor. Você precisa ter uma equipe a postos e não apenas uma equipe qualquer. Têm que ser pessoas específicas, que possam colocar sua visão em prática, e esta visão tem que estar dentro das competências delas. Assim, olhe suas ferramentas de comunicação, suas estratégias e se conheça por completo, de modo que possa se conectar às pessoas e vocês se envolvam uma com a outra, sirvam uma à outra como recurso, pesquisem juntas e promovam uma à outra. Com uma equipe forte por trás de sua visão, tudo é possível".

Wake Up Women. Karen Mayfield, fundadora da *Wake Up Women*, compartilhou: "Cada experiência que tive me preparou para minha incumbência universal de despertar mulheres. Empoderar mulheres ao redor do mundo tornou-se uma possibilidade quando vi aquelas palavras pela primeira vez e soube de modo inerente que, ao despertar uma mulher, ela despertaria o mundo ao seu redor! Quando você se eleva acima de seus problemas, você flui com as suas possibilidades".

O CAPÍTULO NA PRÁTICA – EM MINHA VIDA

Não existe nada melhor do que trabalhar em uma equipe onde todo mundo trabalha para a mesma meta comum. A química da paixão e comprometimento compartilhados carrega o ar de energia, e as ideias começam a fluir como que sem esforço.

Não há nada pior do que trabalhar em uma equipe onde os membros têm objetivos ocultos e não compartilham a mesma meta comum. O resultado é um ambiente carregado de energia negativa, e em geral com muito esforço perdido.

Tive a bênção de trabalhar com equipes maravilhosas a maior parte de minha vida, e a desafortunada experiência de estar em várias equipes que não eram tão maravilhosas.

Entrar para a WPO no final dos anos 1990 foi um dos grandes presentes que dei a mim mesma. Encontrar um grupo de mulheres cujas metas comuns eram aconselhar umas às outras, celebrar o sucesso umas das outras e servir como caixa de ressonância, oferecendo o apoio necessário durante a maré baixa em nossas carreiras, tudo isso em um ambiente seguro e confidencial, é inestimável.

Muitas de minhas melhores amigas atuais são mulheres de meu capítulo da WPO. Crescemos juntas, literalmente, em nossas vidas profissionais e pessoais. Proporcionamos umas às outras um importante elemento de responsabilidade. O vínculo que formamos é profundo e precioso para cada uma de nós.

Viajando pelo mundo a falar para grupos de mulheres, tenho condições de recorrer às experiências compartilhadas de nosso grupo para garantir que minha mensagem seja oportuna, relevante e significativa. Ao me referir ao poder da Mente Superior, em geral cito a equação 1 + 1 = 2. Como resultado do poder do pensamento em conjunto com um grupo de mulheres comprometidas umas com as outras, reformulei a equação para:

$$1 + 1 = 11!$$

Isso é o que melhor descreve o benefício de uma MENTE SUPERIOR poderosa.

Natalie Ledwell começou sua companhia, a *Mind Movies*, e depressa aprendeu o poder positivo exponencial de usar uma Mente Superior. Ela compartilhou: "O poder de uma pessoa é uma coisa ... mas quando você o turbina por 10, cria um turbilhão e uma onda gigante que não podem ser detidos. Existem muitas redes sociais a que você pode se juntar para lhe darem uma mão e ajudarem para que suas ideias maravilhosas capazes de mudar o mundo recebam aquele poder de 10 e então você tenha condições de criar uma onda gigante de mudança".

Napoleon Hill também escreveu sobre a poderosa MENTE SUPERIOR entre um homem e uma mulher ... e que a Mente Superior mais poderosa é aquela entre marido e esposa, e isso, com certeza, é verdade na minha vida.

Tenho muita sorte por ter meu marido, Michael, em minha vida. Somos muito diferentes em nossos processos de pensamento, porém, quando juntamos nossas cabeças para resolver uma questão de negócios, a mágica acontece. De fato, temos muitos amigos e clientes que nos ligam e simplesmente dizem: "Precisamos de vocês na nossa mesa". Nossa mesa de jantar deu origem a muitos negócios e ajudou muitos outros a estourar da platitude para um sucesso maior.

Michael e eu acreditamos que orientar os outros é uma parte importante do processo da Mente Superior. Não apenas buscamos conselhos em nossas questões de negócios, mas nos empenhamos em servir a outros em busca de conselhos para suas questões de negócios. Além disso, envolvemos os membros mais jovens de nossa equipe, de modo que possam aprender com o processo da Mente Superior e também trazer sua valiosa perspectiva para a mesa.

Negócios são um esporte de equipe. O processo da Mente Superior proporciona a oportunidade de se obter novas perspectivas e alavancar *expertise* alternativa às que temos individualmente. Mas certifique-se de ter as pessoas certas em sua equipe!

A MENTE SUPERIOR DA IRMANDADE

A sabedoria de mulheres importantes e bem-sucedidas sobre o PODER DA MENTE SUPERIOR:

MARGARET MEAD (1901-1978)
ANTROPÓLOGA CULTURAL NORTE-AMERICANA

"O relacionamento de irmãs é provavelmente o mais competitivo dentro da família, mas, quando as irmãs estão crescidas, torna-se o relacionamento mais forte."

"Nunca duvide de que um grupinho de cidadãos conscienciosos e comprometidos possa mudar o mundo. De fato, esta é a única coisa que já fez isso."

MIA HAMM
JOGADORA NORTE-AMERICANA DE FUTEBOL APOSENTADA, MEMBRO DA GALERIA DA FAMA NACIONAL DO FUTEBOL

"Sou membro de uma equipe e confio na equipe, cedo a ela e me sacrifico por ela, pois a equipe, não o indivíduo, é a campeã definitiva."

EMILY KIMBROUGH (1899-1989)

ESCRITORA E JORNALISTA NORTE-AMERICAMA

"Lembre-se: todos nós tropeçamos, todos nós. Por isso é um conforto seguir de mãos dadas."

MELISSA ROSENBERG

ROTEIRISTA NORTE-AMERICANA, COFUNDADORA DA LIGA DE MULHERES ESCRITORAS DE HOLLYWOOD

"Não importa se você é a pessoa mais inteligente do lugar: se você não for alguém de quem as pessoas gostem de estar perto, você não irá longe. O mesmo é válido quanto a ajudar aqueles na fila atrás de você. Levo a sério meu papel de mentora de jovens cineastas femininas – me certifico de doar uma parte do meu tempo."

PHYLICIA HASHAD

ATRIZ, CANTORA E DIRETORA DE PALCO NORTE-AMERICANA, GANHADORA DE UM PRÊMIO TONY

"Qualquer ocasião em que as mulheres se unem com uma intenção coletiva é poderosa. Sejam sentadas para fazer uma colcha, na cozinha preparando uma refeição, em um clube lendo o mesmo livro, em volta da mesa jogando cartas ou planejando uma festa de aniversário, quando as mulheres de reúnem com uma intenção coletiva, a mágica acontece."

DEBORAH BATEMAN

VICE-PRESIDENTE EXECUTIVA, DIRETORA DE ESTRATÉGIAS DE PATRIMÔNIO DO BANCO NACIONAL DO ARIZONA

"A beleza de mulheres ajudando mulheres é que se trata de um círculo completo. Mulheres doam de maneira franca e amorosa – e são muitas as dádivas em contrapartida, inclusive entender o valor que trazemos e descobrir nosso propósito."

PERGUNTE A SI MESMA

Use seu diário ao percorrer este trecho para identificar suas etapas de ação, ativar seus momentos de "sacação" e criar seu plano para obter sucesso!

Responda às seguintes perguntas em seu diário:

Você atualmente está engajada em uma Mente Superior?

Essa Mente Superior está estruturada para atingir uma certa meta?

Quando foi a última vez que se reuniram?

A que outros grupos você pertence?

Você consideraria juntar-se a uma nova organização para ajudar a conduzi-la a seu próximo nível de sucesso? Que organização parece mais atraente para você?

Você vai se comprometer a participar de um encontro no próximo mês?

Talvez você tenha decidido criar sua própria Mente Superior.

Liste algumas pessoas que você acha que seriam grandes membros de sua Mente Superior.

Agora que identificou quem é ou deve ser sua Mente Superior, identifique a especialidade de cada uma.

Seu grupo de Mente Superior representa mulheres que hoje são quem você gostaria de ser? São indivíduos que representam um conjunto variado de aptidões?

Passos para criar uma nova Mente Superior

1. Supere a si mesma. Muita gente tem medo de admitir que precisa de ajuda.
2. Seja específica sobre o que deseja alcançar.
3. Dê um nome ao grupo, torne-o mais real.
4. Marque datas de reunião.
5. Vocês vão se encontrar em pessoa, por telefone ou on-line?

6. Haverá alguma taxa?
7. Convide pessoas que se comprometerão a ajudá-la a atingir sua meta.
8. Tenha respeito pelo comprometimento delas. Como você pode retribuir?
9. Para mostrar seu apreço, inclua alguma diversão.
10. Escute, mas não mande. Seja a líder lembrando as participantes que haverá reunião e estando preparada, mas permita que as integrantes de sua Mente Superior contribuam com as ideias delas enquanto você escuta.
11. Desfrute da sinergia da energia, comprometimento e empolgação que as participantes levam para uma Mente Superior.

MENTE SUPERIOR DA IRMANDADE DE MULHERES CHEFES DE ESTADO

RAINHA ELIZABETH II

SOBERANA DO REINO UNIDO E OUTROS QUINZE REINOS DA COMMONWEALTH

"Não conheço uma fórmula única para o sucesso. Mas ao longo dos anos observei que alguns atributos de liderança são universais e, em geral, referem-se a encontrar formas de encorajar as pessoas a combinar seus esforços, talentos, insights, entusiasmo e inspiração para trabalharem juntas."

"Eu tenho que ser vista para ser acreditada."

CRISTINA FERNÁNDEZ DE KIRCHNER

PRESIDENTE DA ARGENTINA

"Nossa sociedade precisa que as mulheres sejam mais numerosas em cargos de tomada de decisão e nos setores de empreendimento. Sempre temos que passar em um teste duplo: primeiro temos que provar que, apesar de mulheres, não somos idiotas; e, segundo, o teste em que todo mundo tem que passar."

RAINHA MARGRETHE II

SOBERANA DA DINAMARCA

"Eu posso, é claro, fazer tudo que quero, assim como qualquer outra pessoa. Eu simplesmente tenho que me abster de dizer tudo o que penso."

ANGELA MERKEL

CHANCELER DA ALEMANHA

"A questão não é se somos capazes de mudar, mas se estamos mudando rápido o bastante."

"Não estou aqui apenas pelas mulheres, mas também pelos homens."

ELLEN JOHNSON SIRLEAF

PRESIDENTE DA LIBÉRIA

"Toda vez que me meti em problemas, sobreviver àquilo tornou-se um desafio para mim, e todo desafio tornou-se uma oportunidade para eu avançar mais para cima, assumir uma posição melhor e assumir um cargo de liderança ... Essa é a história de uma longa vida."

DILMA VANA ROUSSEFF

PRESIDENTE DO BRASIL

"Espero que os pais e mães de menininhas olhem para elas e digam: 'Sim, as mulheres podem'."

"Acredito que o Brasil estava preparado para eleger uma mulher. Por quê? Porque as mulheres brasileiras alcançaram isso. Não cheguei aqui sozinha, por meus próprios méritos. Somos uma maioria aqui neste país."

YINGLUCK SHINAWATRA

EX-PRIMEIRA-MINISTRA DA TAILÂNDIA (2011-2014)

"Talvez eu possa trazer um pouco de toque feminino à abordagem deste conflito [entre as partes da disputa pelo mar do sul da China] e focar mais no que podemos fazer juntos do que naquilo que nos divide."

PARK GEUN-HYE

PRESIDENTE DA COREIA DO SUL

"A aceitação de uma presidente mulher pela sociedade sul-coreana pode ser o início de uma grande mudança."

DALIA GRYBAUSKAITÉ

PRESIDENTE DA LITUÂNIA

Sobre ser eleita a primeira presidente mulher: "O sabor da vitória é o peso da responsabilidade."

KAMLA PERSAD-BISSEBAR

PRIMEIRA-MINISTRA DA REPÚBLICA DE TRINIDAD E TOBAGO

"Sou grata pelo imenso apoio das mulheres e de grupos de mulheres do país e pela extensão em que isso ajuda a romper as barreiras que tantas mulheres competentes encaram. Celebro esta vitória em nome delas. Porém, o panorama é muito mais amplo do que qualquer grupo individual, e essas mesmas mulheres seriam as primeiras a reconhecer isso."

SHEIKH HASINA

PRIMEIRA-MINISTRA DE BANGLADESH

"Como mulher, obviamente sou partidária da saúde feminina. Acredito que mulheres saudáveis geram e criam filhos saudáveis, contribuindo assim para uma nação saudável."

ATIFETE JAHJAGA

PRESIDENTE DE KOSOVO

"Minha eleição como chefe de estado mulher mostra a disposição da sociedade e das instituições de Kosovo de engrandecer e construir um estado baseado em verdadeiros princípios democráticos. A democracia não é plena até que metade de sua população esteja igualmente representada em todos os níveis da sociedade. Não vou parar até este princípio estar concretizado."

HELLE THORNING SCHMIDT

PRIMEIRA-MINISTRA DA DINAMARCA

"Tento pensar de forma fraternal ao longo de todo o meu dia. Quanto mais poder e influência tenho, maior a responsabilidade que repousa sobre meus ombros."

NKOSAZANA DLAMINI-ZUMA

PRESIDENTE DA COMISSÃO DA UNIÃO AFRICANA (ÁFRICA DO SUL)

"A necessidade de incubadoras de negócios foi suscitada para permitir que mulheres e jovens sejam mais bem treinadas e equipadas com as habilidades necessárias à medida que crescem de microempresas para médias e grandes empresas visando à satisfação das demandas nacionais e internacionais e à contribuição para as economias de seus respectivos países."

HELEN CLARK

ADMINISTRADORA DO PROGRAMA DAS NAÇÕES UNIDAS PARA O DESENVOLVIMENTO (UNDP) E EX-PRIMEIRA-MINISTRA DA NOVA ZELÂNDIA

"É verdade que como uma líder mulher você provavelmente atrai uma quantidade desproporcional de influência porque pouquíssimas de nós são. Pense à frente. Tenha um plano. Deixe espaço para si mesma. Reavalie. Redefina suas metas ... Penso que é importante ter metas, mas elas vão mudar com o tempo, à medida que as circunstâncias mudem."

GOLDA MEIR (1898-1978)

PRIMEIRA-MINISTRA DE ISRAEL (1969-1974)

"Confie em si mesma. Crie o tipo de eu com quem você ficaria feliz por viver o resto da vida. Faça o máximo de si abanando as minúsculas centelhas interiores de possibilidade para que se tornem labaredas de realização."

"Se as mulheres são melhores que os homens não posso dizer – mas posso dizer que com certeza não são piores."

MARGARET THATCHER (1925-2013)
PRIMEIRA-MINISTRA DO REINO UNIDO (1979-1990)
"Se você quer que algo seja dito, peça a um homem; se quer que algo seja feito, peça a uma mulher."
"Pode ser o galo que canta, mas é a galinha que põe os ovos."

MENTE SUPERIOR DA IRMANDADE DE MULHERES DOS MEIOS DE COMUNICAÇÃO

JILL ABRAMSON
EX-EDITORA-EXECUTIVA DO *NEW YORK TIMES* (2011-2014)
"Não espero jamais poder beneficiar todas as mulheres, mas tento dar uma força, sem excluir os homens, mas tenho um particular interesse pela carreira e trabalho de mulheres mais jovens no Times ... e sou ... franca a respeito. Se alguém tem algum problema com isso, que pena."

ARIANNA HUFFINGTON
PRESIDENTE E EDITORA-CHEFE DO GRUPO DE COMUNICAÇÃO *HUFFINGTON POST*
"A primeira revolução foi as mulheres conseguirem votar, a segunda foi conseguir um lugar igual em todos os níveis da sociedade ... a terceira revolução está mudando o mundo que os homens projetaram. Ele não é sustentável. Sustentabilidade não tem a ver apenas com o meio ambiente, existe a sustentabilidade pessoal. Ironicamente, quando obtivermos êxito em fazer essas mudanças, não só teremos muitos homens gratos porque eles estão pagando um preço alto demais, como teremos muito mais mulheres no topo. Atualmente, muitas mulheres deixam o posto de trabalho porque não querem pagar o preço."

CHRISTIANE AMANPOUR
ÂNCORA DE NOTICIÁRIOS DA ABC E DA CNN
"Caras Garotas do Mundo,
"Existem mais de sete bilhões de pessoas no mundo. Metade delas são mulheres e meninas.
"Imagine só o mundo inteiro ascendendo, como irá acontecer, quando todas as mulheres e meninas tiverem poder.

"Tem que começar pela educação. Todo o pessoal das estatísticas é categórico no seguinte: educação = empoderamento, aqui nos Estados Unidos, no Uruguai e Ulan Bator ... Já está na hora do resto do mundo se ligar nisso.

"Vão, garotas! Botem pilha no mundo! Nós podemos fazer isso."

MOIRA FORBES

EDITORA DA *FORBESWOMAN*

"Além de nossas fronteiras, ter as sociedades dando poder e liberando o poder mental de metade da população do mundo é um benefício para todos nós."

"Líderes devem usar tanto o poder duro quanto o suave, mas agora mais que nunca devem ter a capacidade de se conectar com aqueles ao seu redor. Seus seguidores agora são partes interessadas, de modo que as lideranças atuais têm que encorajar a colaboração enquanto tomam decisões que apoiam sua visão e prioridades em um cenário global."

DIANE SAWYER

ÂNCORA DO NOTICIÁRIO ABC WORLD NEWS

"No Capitólio, um marco na história. Uma após outra, mulheres tomaram posse como senadoras. Pela primeira vez, um total de vinte senadoras dos Estados Unidos; são advogadas, fazendeiras, uma ex-governadora. Também são mães ... e dizem que lutaram para vencer campanhas duras e que não vão parar agora. Elas estão vivendo, respirando história, subindo os degraus e emitindo um sinal. São vinte senadoras, republicanas e democratas, que dizem estar fartas dos impasses e da forma como o Congresso funciona."

ELLEN DEGENERES

COMEDIANTE STAND-UP E APRESENTADORA DE TV NORTE-AMERICANA

"A pior coisa para uma mulher é olhar uma revista e ver uma menina de dezesseis ou dezessete anos trabalhada na maquiagem. Não é justo! Para mim, ser bonita é estar confortável em sua própria pele."

ANNA WINTOUR

EDITORA-CHEFE DA VOGUE

"Quando as mulheres estão em posição de poder e são retratadas em uma revista feminina como a Vogue ... tendem a ser incrível e injustamente criticadas. É uma abordagem incrivelmente antiquada. Só porque você está numa posição de poder, tem boa aparência e gosta de moda – isso significa que você seja uma idiota,

ou que não seja decente estar em uma revista feminina? Se uma mulher aparece na GQ, não sofre o mesmo tipo de crítica."

GRETA VAN SUSTEREN
APRESENTADORA DA FOX NEWS

"Eis aqui um 'segredinho sujo' e um conselho para mulheres no local de trabalho: algumas mulheres são muito generosas com outras mulheres no local de trabalho, outras querem cortar sua garganta e tentar abalar você. Mulheres jovens precisam encontrar aquelas mulheres no local de trabalho que apreciam o sucesso de outras mulheres – e receber conselhos delas, receber orientação etc. É divertido trabalhar juntas e curtir o sucesso das outras."

MEGYN KELLY
APRESENTADORA DA FOX NEWS

"Você pode ter tudo, mas vai ficar muito cansada."

"Mas eu realmente quero que as pessoas saibam que rejeito esse pensamento, essa sugestão de que você tem que escolher entre uma carreira de primeira linha e uma família adorável e importante. Porque eu vivo isso ... tenho um marido maravilhoso, maravilhoso, presente, que me apoia. E sei que nem sempre é esse o caso. Mas é possível para mim."

GAYLE KING
COÂNCORA DO CBS THIS MORNING E EDITORA ESPECIAL DA REVISTA O

"Fracasso não significa que você não seja boa. Pode ser, isso sim, uma poderosa oportunidade para examinar e reavaliar suas metas. Às vezes você fracassa por um motivo. Use isso para traçar sua próxima rota. Muitas vezes quando uma porta se fecha, outra se abre. E tudo, ainda que na ocasião você não acredite, acontece do jeito que é para ser, o bom e o mau."

LESLEY JANE SEYMOUR
EDITORA-CHEFE DA REVISTA MORE

"Ser mãe significa que posso fazer qualquer serviço de alta voltagem, ponto. Sem o sistema de suporte de minha família (mesmo que minha filha esteja constantemente me censurando, como é típico aos doze anos de idade) eu não estaria onde estou agora, uma vez que dependo deles em termos de amor e cuidado. O trabalho é um trabalho, é maravilhoso, mas ter os amores verdadeiros de minha vida em casa – meus filhos e marido – significa que posso manter o trabalho onde deve ficar, em seu devido lugar."

ALISON ADLER MATZ

EDITORA DA REVISTA MORE

"Você tem que ter paixão – tem que acreditar, ou do contrário dá para perceber. Ter me alinhado com pessoas realmente inteligentes – eu atribuiria muito de meu sucesso a isso, a ser uma esponja, aprendendo tudo que posso [com elas] todos os dias."

PAT MITCHELL

EX-PRESIDENTE E CEO DA PBS

"Um mundo onde as moças sejam valorizadas porque devem ser; elas têm tanto com o que contribuir, e é essa a oportunidade econômica que o mundo está perdendo. E então um mundo onde a voz da mulher realmente faça diferença. Porque temos um conjunto diferente de valores, e, se falarmos e vivermos este conjunto, o mundo então refletirá isso. E este lugar está destinado a ser mais imparcial e justo."

KATIE COURIC

JORNALISTA E APRESENTADORA DE TALK-SHOW

"Seja destemida. Tenha coragem de correr riscos. Vá onde não existam garantias. Saia de sua zona de conforto, mesmo que signifique ficar desconfortável. A estrada menos percorrida às vezes é cheia de bloqueios, solavancos e terreno inexplorado. Mas é nessa estrada que seu caráter é verdadeiramente testado e tem a coragem de aceitar que você não é perfeita, nada é, e ninguém é – e tudo bem."

KATHIE LEE GIFFORD

APRESENTADORA DE TV, CANTORA E ATRIZ

"Meu pai ... costumava dizer: 'Meu bem, encontre algo que você ame fazer e então descubra um jeito de ser paga para isso'. Ele entendia que, ali onde está sua verdadeira paixão, é onde está também a sua alegria. Uma vida alegre é uma vida verdadeiramente bem-sucedida. Talvez não pelos padrões do mundo, mas de quem é mesmo esta vida?"

TINA BROWN

FUNDADORA DA TINA BROWN LIVE MEDIA

"Foi sempre tão perigoso para as mulheres públicas? ... Quando uma mulher é o tema, o vórtice de veneno atinge o clímax da rotação."

MIKKI TAYLOR

EDITORA ESPECIAL DA ESSENCE

"Muitas mulheres vivem como se fosse um ensaio geral. Senhoras, a cortina abriu, e vocês estão em cena."

LISA GERSH

EX-CEO DA MARTHA STEWART LIVING OMNIMEDIA

"Quando as coisas estão indo realmente mal, certifique-se de passar o batom. As pessoas estão observando e querem ver se você é confiante – especialmente em tempos de dificuldade."

CATHIE BLACK

EX-CHEFE E PRESIDENTE DA HEARST MAGAZINES

"Você pode amar seu emprego, mas seu emprego não vai amá-la."

"As mulheres estão sempre se angustiando com as coisas. Os homens não fazem isso."

BARBARA WALTERS

RADIOJORNALISTA E APRESENTADORA DE TV NORTE-AMERICANA

"Se é mulher, é cáustica; se é homem, tem autoridade."

"O sucesso pode fazê-la seguir por dois caminhos. Pode torná-la uma primadona – ou pode aparar as arestas, eliminar as inseguranças, deixar sair as coisas boas."

DRª JOSEPHINE GROSS

COFUNDADORA E EDITORA-CHEFE DA NETWORKING TIMES

"Existe um lugar especial no céu para mulheres que ajudam outras mulheres. Este 'céu' é um lugar de sonhos compartilhados, colaboração, orientação e celebração de nossa irmandade global."

"Quando as mulheres apoiam umas às outras, as recompensas são transgeracionais. Mulheres que conferem poder a mulheres fazem prosperar as famílias e as aldeias crescer, e o mundo se torna um lugar melhor."

MONICA SMILEY

EDITORA E *PUBLISHER* DA *ENTERPRISING WOMEN MAGAZINE*

"É vital que as mulheres tenham um lugar à mesa quando decisões políticas importantes e de impacto em nossos negócios e nossa vida são debatidas."

SUSAN KANE

EDITORA-CHEFE DA *SUCCESS MAGAZINE* (EM UMA ENTREVISTA NA CBS)

"Às vezes, você coloca seu trabalho em primeiro lugar. Às vezes, você coloca seus filhos em primeiro lugar."

"Se estamos felizes, temos um impacto muito maior sobre nossos filhos do que se estamos infelizes. Se somos felizes trabalhando, seremos mães melhores."

MENTE SUPERIOR DA IRMANDADE DE MULHERES CEOs

DENISE MORRISON

CEO DA CAMPBELL SOUP COMPANY

"As mulheres precisam se encarregar, têm que reconhecer que não podem chegar lá sozinhas. Vão precisar de mentores e patrocinadores, e construir relações, e também precisam retribuir nessas relações. Eu uso a expressão: trabalhar a rede social dá trabalho ... Agora é hora de as mulheres serem estratégicas a respeito de si mesmas."

VIRGINIA "GINNI" ROMETTY

CEO DA IBM

"Não seja a sua 'primeira e pior' crítica."

"Não deixe que os outros a definam. Você se define!"

MARILLYN A. HEWSON

CEO E PRESIDENTE DA LOCKHEED MARTIN CORPORATION

"As mulheres devem estar preparadas para assumir tarefas novas e mais desafiadoras ... e buscar mentores ... criar redes sociais com outros e aprender com eles. E o mais importante: sempre desempenhar o nosso melhor e enfocar o aprendizado contínuo."

DATO DRª JANNIE CHAN

COFUNDADORA E VICE-PRESIDENTE EXECUTIVA DA *HOUR GLASS LTD.*

"A vida de uma mulher é como um número de malabarismo. Estamos constantemente tentando equilibrar diferentes papéis."

PATRICIA A. WOERTZ

PRESIDENTE E CEO DA ARCHER DANIELS MIDLAND

"Tive uma criação muito pragmática. Não sou de ficar empacada na dúvida ou de permanecer no dilema. Em vez disso você faz escolhas inteligentes. Corre riscos razoáveis. Calibra, decide e vai em frente com comprometimento."

ELLEN J. KULLMAN

PRESIDENTE E CEO DA DUPONT

"Não se trata de ter hora marcada; tanto a vida pessoal quanto a profissional são 24/7. Tem mais a ver com fazer a repartição certa para cada uma e reconhecer que será diferente a cada dia. Mas você não consegue fazer essas tarefas a menos que realmente ame o que faz."

MARISSA MAYER

CEO E PRESIDENTE DO YAHOO!

"Sempre fiz alguma coisa que eu realmente não estava pronta para fazer. Acho que é assim que você cresce. Quando chega aquele momento de: 'Uau, não estou realmente certa de que posso fazer isso', e você vai em frente nesses momentos, é quando você rompe uma barreira."

"Você não pode ter tudo que quer, mas pode ter as coisas que realmente importam para você."

ROSALIND BREWER

PRESIDENTE E CEO DO SAM'S CLUB

"Acredito sinceramente em tratar as pessoas como eu gostaria de ser tratada, e com respeito e intenções honestas. Sempre que sou fiel a isso, o sucesso acontece para mim, para os negócios e para a empresa."

HEATHER BRESCH

CEO DA MYLAN, INC.

"Precisamos tratar melhor das questões que tolhem as mulheres de papéis de liderança. Parte da equação, com certeza, é social. Entretanto, a outra metade é aquilo que considero 'a lacuna da ambição'. As mulheres não necessariamente entendem que é possível ter o mesmo nível de ambição dos homens – elas deixam-se tolher pelos obstáculos, em vez de se empoderar com as possibilidades. Começando cedo na vida e na escola, precisamos garantir que as mulheres desenvolvam confiança e aptidões para trabalhar em uma equipe que lhes permita atingir o auge da liderança."

URSULA M. BURNS
PRESIDENTE E CEO DA XEROX

"Na maior parte dos dias, mesmo quando a Xerox estava a perigo, eu mal podia esperar para chegar ao escritório. Eu amo meu trabalho. Você deve amar o seu também."

"Todos os dias dou um passo de cada vez. Com certeza, tenho orgulho de onde estou, mas tenho muito mais orgulho por proporcionar valor à companhia, ao nosso pessoal, nossos clientes e nossos acionistas."

IRENE ROSENFELD
CEO E PRESIDENTE DA MONDELEZ INTERNATIONAL (ANTIGA KRAFT)

"Nossa força de trabalho emergente não está interessada em liderança de comando e controle. Não quer fazer as coisas porque eu mandei fazer; quer fazer coisas porque quer fazer."

PHEBE NOVAKOVIC
PRESIDENTE E CEO DA GENERAL DYNAMICS

"No fundo, estamos no negócio para obter um retorno justo para nossos acionistas. Ao fazer isso, devemos usar os ativos da empresa com sabedoria e devemos cumprir nossas promessas aos nossos clientes, parceiros e nosso pessoal. Esta é a ética que guia nossa conduta e decisões."

DONNA KARAN
EX-PRESIDENTE DA DONNA KARAN INTERNATIONAL, INC.

"Delete o negativo, acentue o positivo!"

ILENE LANG
EX-PRESIDENTE E CEO DA CATALYST

"Patrocinadores influentes e muito bem situados podem dar uma supercarga na carreira de uma mulher ou de um homem, garantindo acesso a incumbências que ajudam a impulsionar o protegido para o topo da lista de promoções."

MARY BARRA
CEO DA GENERAL MOTORS

"Estou orgulhosa por representar os homens e mulheres da General Motors e por ter este papel; é uma honra imensa para mim. Quero focar apenas em liderar a equipe."

ALEXA VON TOBEL

CEO DA LEARNVEST

"Quando todo mundo faz zigue, faça zague. Seja alguém que corre riscos. Larguei a Escola de Administração de Harvard no meio da recessão para lançar a LearnVest. Foi uma ideia louca? Provavelmente. Mas eu estava apaixonada por minha missão e tinha um sólido plano de negócios a postos. Mergulhar é um ato apavorante, mas as recompensas fazem tudo valer a pena."

"Vista-se, arrume-se, apareça. É importante estar pronta para sair, seja qual o for o dia que você tenha pela frente. Apareça com um sorriso e uma tremenda atitude."

MARGERY KRAUS

FUNDADORA E CEO DA APCO WORLDWIDE

"As chaves para começar a ter sucesso em qualquer profissão, creio eu, são conhecer a si mesma muito bem e lançar mão de seus pontos fortes. Tenha confiança em suas aptidões e contribuições singulares, e rodeie-se de gente forte e experiente. Não seja tímida. Não tenha medo de tentar coisas novas. O trabalho deve ser uma experiência de aprendizado contínuo. Não importa que serviço você receba, faça com entusiasmo, esperteza e vigor – você nunca sabe aonde aquilo vai dar."

MENTE SUPERIOR DA IRMANDADE DAS MULHERES EDUCADORAS

ANNA MONAR

FUNDADORA E PRESIDENTE DA READERS ARE LEADERS USA

"Para alguns, educação é apenas uma chatice; para a maioria, educação é alimento para o cérebro e enriquecimento do presente e do futuro."

SHIRLEY TILGHMAN

EX-PRESIDENTE DA UNIVERSIDADE DE PRINCETON

"Minha meta sempre foi fazer o serviço o melhor que eu possa, onde estou naquele momento. Isso é uma tremenda habilidade de enfrentar as coisas."

JULIET V. GARCÍA

PRIMEIRA MULHER HISPÂNICA A SE TORNAR PRESIDENTE DE UMA UNIVERSIDADE – A UNIVERSIDADE DO TEXAS EM BROWNSVILLE

"Estamos tentando emitir um sinal muito claro de que o capital humano latino neste país simplesmente necessita de acesso às mesmas oportunidades presentes para outras pessoas."

LAURA BUSH

EX-PRIMEIRA-DAMA DOS ESTADOS UNIDOS

"O amor pelos livros, por segurar um livro, virar suas páginas, olhar suas ilustrações e viver suas histórias fascinantes anda de mãos dadas com o amor pelo aprendizado."

BEVERLY DANIEL TATUM

PRESIDENTE DO SPELMAN COLLEGE

"Estamos mudando o mundo o tempo todo, às vezes para melhor, às vezes para pior. Não estamos sempre conscientes do modo como estamos mudando o mundo, mas cada um de nós em nossas interações cotidianas está causando um impacto."

DONNA HENRY

REITORA, UNIVERSIDADE DA VIRGÍNIA – WISE

"Quando olho para trás em minha vida, fico convencida de que a educação teve a maior influência em minha carreira. Como universitária de primeira geração, a faculdade que ensinou a mim e aos amigos que fiz me ajudou a divisar um futuro inimaginável. Meus mentores me encorajaram a ver meus pontos fortes e aptidões, o que no fim levou à reitoria na U.Va. – Wise."

JANET NAPOLITANO

PRESIDENTE DA UNIVERSIDADE DA CALIFÓRNIA E EX-SECRETÁRIA DE SEGURANÇA INTERNA DOS EUA

"Ao avançarmos pelo século XXI, a necessidade de um sistema de ensino público de qualidade se tornará em muito uma questão econômica e uma questão de direitos civis. Porque, como a nossa economia depende mais de cabeças e menos de músculos, a única forma pela qual se pode garantir todas as bênçãos da liberdade é recebendo uma educação de qualidade."

CONDOLEEZA RICE

EX-DIRETORA DA UNIVERSIDADE DE STANFORD E EX-SECRETÁRIA DE ESTADO

"A essência da América - aquilo que realmente nos une -não é a etnia, nacionalidade ou religião, é uma ideia - e essa ideia é: você pode vir de condições humildes e fazer grandes coisas. Não importa de onde você veio, mas para onde está indo."

SUN-UK KIM

PRESIDENTE DA UNIVERSIDADE FEMININA EWHA, REPÚBLICA DA COREIA

"A Ewha situa-se em um ponto crucial, confrontada por novos desafios. Estamos decididas a transformar esses desafios em novas oportunidades que abrirão a porta para novas e empolgantes mudanças, para se construir uma instituição equipada para educação de nível mundial e pesquisa; que busque futuros paradigmas enraizados nos novos valores da feminilidade; que leve destemidamente a um futuro arrojado de experimentação e desafio; que se empenhe para definir e executar as novas responsabilidades sociais da universidade do nosso tempo."

DREW FAUST

PRESIDENTE DA UNIVERSIDADE DE HARVARD

"Educamos mulheres primeiro porque é justo - um patamar de igualdade, pois que aspiramos incluir as mulheres como participantes plenas e iguais na sociedade. Educamos mulheres também porque é inteligente - as mulheres são a metade de nossos recursos humanos, e cada vez mais vemos os efeitos benéficos de mulheres instruídas em todos os setores da vida e em todas as partes do mundo. Por fim, educamos mulheres porque é transformador. A educação não impulsa apenas rendimentos e economias, ela nos eleva, neutralizando diferenças, abrindo um território comum e aproveitando o máximo de nossas aptidões humanas."

DAWN DEKLE

PRESIDENTE DA UNIVERSIDADE AMERICANA DO IRAQUE

"Ver estudantes mulheres caminhando pelo palco de formatura, sabendo o que o talibã fez com a educação das mulheres. Foi um dos melhores dias da minha vida profissional."

MENTE SUPERIOR DA IRMANDADE DAS MULHERES LÍDERES EM *MARKETING* DE REDE

As mulheres a seguir criaram sucesso financeiro para si mesmas e suas famílias enquanto tornavam-se líderes e mentoras de milhões de outras mulheres dentro do setor de *marketing* de rede. Elas vêm de quase trinta diferentes companhias ao redor do mundo. O setor de *marketing* de rede oferece uma forma de baixo custo para começar seu negócio, com sistemas aprovados e mentoras talentosas. Ao considerar o *marketing* de rede é importante pesquisar a companhia, seu modelo de receita e seu treinamento para decidir qual empresa pode ser a certa para você.

CAMILITA P. NUTTAL

"Começar mais tarde ou eventualmente é tarde demais. Não há momento melhor do que o presente."

JANINE AVILA

"Não posso imaginar onde eu estaria hoje se não tivesse lido Pense e enriqueça *e integrado os princípios ao meu negócio e à minha vida. Como uma atarefada mãe de sete filhos, estava girando em círculos, determinada e apaixonada, mas sem o 'Planejamento Organizado' descrito no livro, e perdendo tempo e recursos até estudar e entender o valor de 'ser decidida por natureza'.* Pense e enriqueça *é um presente que que continuo a dar a mim mesma e aos outros."*

YOUNGHEE CHUNG

"Posso sentir 110% quando estou nas vendas. Posso ver o crescimento, não apenas financeiro, mas mental. É difícil ser bem-sucedida em sociedade, mas consigo ajudar aquelas que são realmente dedicadas."

MEGAN WOLFENDEN

"As mulheres têm mais opções que nunca e com isso vem a responsabilidade. Para mantermos nossa vida nos trilhos precisamos continuar aprendendo, nos desenvolvendo e fazendo as perguntas certas constantemente. Todos os obstáculos podem ser superados e grandes realizações podem ser suas com tempo, paciência e ação constante conforme os princípios corretos para o sucesso."

MARJORIE FINE

"Você receberá de volta o que investe. Acho que as mulheres estão descobrindo que isso é verdade. Existem líderes mulheres fenomenais nesse setor, e você vai vê-las entrarem em cena e assumirem papéis de liderança."

SHARON WEINSTEIN

"A oportunidade de retribuir ajudando outras a se ajudarem e melhorarem sua saúde e vida é um privilégio."

TAUREA AVANT

"Não se trata de você. Trata-se das moças que estão lhe observando!"

SYLVIA CHUKWUEMEKA

"Adoro mostrar a indivíduos como podem sair da correria inútil e ir para a via expressa e como trabalhar de forma inteligente em vez de apenas dar duro sem arriscar compromissos existentes."

LISA M. WILBER

"Deixei de morar num trailer em um estacionamento de trailers, dirigindo um Yugo e comendo massa, para faturar uma renda anual de seis dígitos. Tudo começou no dia em que finalmente assumir 100% de responsabilidade por minhas ações e meus resultados."

SHELBY FORD

"Quando você tem uma experiência positiva com um produto, é natural compartilhar com sua família, amigos e vizinhos. Mas, quando um produto muda sua vida para valer, você não consegue deixar de compartilhar com todos que conhece."

BELYNDA LEE

"Sucesso é um ato criativo. Também é a melhor rota para a satisfação e a totalidade. Assim, enquanto está à caça do sucesso, comece a fazer coisas que a façam sentir-se completa mesmo que sejam fora do padrão. Não há nada de errado em ser uma realizadora de elite singular. Em seu caminho para o sucesso, você pode ter opiniões aplicadas a você – ignore-as e sacie seu apetite. Permaneça focada em ativar seu talento maior. Porque, uma vez que você tenha sucesso, este vai despertar a alegria, e isso em si é o importante quando você tem ambos."

DANETTE KROLL

"Nunca duvidei de minha capacidade para ter sucesso, mas outros sim. Felizmente adquiri controle sobre meus pensamentos e, portanto, sobre minhas ações. Comecei querendo ganhar um dinheirinho e passei a me empenhar para fazer uma grande diferença. É esplêndido como as duas coisas andam de mãos dadas. Como uma amiga querida disse certa vez: 'Você não tem que ser perfeita para ser poderosa', e você não tem que ser perfeita para fazer diferença."

SUSAN SLY

"Ao final de um dia qualquer, não existe nada mais satisfatório do que o conhecimento de que, de alguma pequena forma, você deu uma levantada na vida de uma irmã/mãe/filha/sobrinha/amiga. Quando damos os braços com nossas irmãs, amplificamos nosso poder e não há nada que não possamos realizar. Se você ajudar mulheres suficientes a ter o que elas querem, no fim você vai ter o que quer. É preciso apenas um punhado de mulheres comprometidas para se criar resultados formidáveis."

GAYLE NORTHINGTON

"Minha paixão na vida ajudar mulheres de todas as idades a adquirirem o poder de fazer mais, se tornarem mais e terem mais. Aconselhar mulheres de todas as idades para terem condições de realmente fazer negócios é a minha missão. O marketing de rede é o máximo em campo de atuação em igualdade de condições."

ONYX COALE

"Queria que minhas meninas vissem que, se você trabalha com constância e persistência em qualquer coisa que deseja, você pode tê-la nesta vida. Não importa em que parte do mundo vocês estejam, mulheres especialmente ávidas por algo melhor para suas famílias."

SARAH FAIRLESS ROBBINS

"Se é para ser, só depende de mim! Posso fazer qualquer coisa por um curto período para produzir recompensas de longo prazo para minha família e nosso futuro. Você também pode. Seja implacável, tenha uma atitude de 'fazer o que for preciso!"

GLORIA MAYFIELD BANKS

"Sua atitude é tudo. Encontre alegria no que você está fazendo e dê duro para ser bem-sucedida nisso."

EVA CHENG

Nunca dê por certo que as pessoas vão entender seu modelo de negócio. Você precisa estar numa frequência de comunicação agressiva o tempo todo."

CAROLYNE RODRIGUES

"Sou apaixonada por saúde e pelo empoderamento de mulheres para que assumam o controle de seu futuro e de sua família. A profissão de marketing de rede não tem discriminação de gênero, permitindo que as mulheres sonhem, sejam quem sabem que podem ser e construam um legado para si mesmas e suas famílias. Por intermédio de ação diária constante e investimento em meu crescimento pessoal, passei a receber um milhão de dólares em minha companhia e agora mostro a outras como fazerem o mesmo."

JULES PRICE

"Um dos aspectos mais satisfatórios da profissão é que você pode fazer uma diferença verdadeiramente positiva, ajudando mulheres a mudar a mentalidade na forma de interpretar desafios, encarar revezes e até mesmo redefinir a crença em seus próprios talentos e aptidões."

KIMMY EVERETT

"Desafio você a fazer parte da solução. Pergunte a si mesma o que você pode fazer versus o que pode ganhar, quantas outras você pode ajudar, e você receberá riqueza em abundância."

STACY JAMES

"Sucesso na vida de uma mulher não é resultado de um tipo de educação. Com mais frequência é o resultado de uma alma que ficou inspirada, de um coração que estava pronto para acreditar, de uma mente a postos para capturar uma visão do que é possível, e de um corpo ávido para levantar voo."

EILEEN WILLIAMS

"Eu queria ter tudo. Queria filhos e uma carreira empolgante. Aprender como construir uma rede me libertou. Agora minha paixão é dar poder a outras mulheres para criarem uma vida para si mesmas e suas famílias. As mulheres podem e vão mudar o mundo!"

JUNO WANG

"Empreendedoras de sucesso devem ter orgulho e exibir nossas características singulares para outras mulheres. Devemos ser calorosas, atraentes e otimizar nossa

visão clara e nossas excelentes habilidades de planejamento. Nossos traços maternais nos dão força e perspectiva. Podemos perseverar e nos adaptar. Nos sobressaímos não só em liderar pessoas, mas também em ajudar as pessoas a crescerem."

DANA COLLINS

"As coisas que você afirma e às quais concede energia são as coisas que você está criando. O sucesso é criado com intenção, por meio de pensamentos, palavras e ações."

"Não existe essa coisa de palavras vãs; suas palavras são como selos em um envelope, enviando seus pensamentos para criar sua vida."

ANN FEINSTEIN

"É importante encontrar propósito na vida pela retribuição, mesmo que estejamos penduradas pelo pincel. Comece pequeno, mas comece. Pois, quando estamos dispostas a enriquecer a vida dos outros, somos enriquecidas e nos tornamos parte de uma jornada de transformação."

LOREN ROBIN

"SONHE GRANDE ... Quero dizer, REALMENTE GRANDE e de propósito! Nós mulheres movemos montanhas quando alinhadas a algo maior que nós mesmas. As pessoas mais incríveis aparecem, e coisas grandiosas começam a aparecer de todas as direções para nos apoiar no caminho. O que é ainda melhor é que nós nos tornamos essas pessoas incríveis que aparecem da mesma forma para outras. É aí que a mágica acontece."

KATHY COOVER

"O que eu amo nessa profissão é que permite a todas mulheres brilharem e crescerem a pleno potencial. As mulheres têm a capacidade de nutrir e ajudar outras a ter êxito, e no processo tornam-se mais bem-sucedidas. Tem realmente tudo a ver com liberdade e a capacidade de viver a vida servindo aos outros. Lembre-se: aquilo que você pensa vai se realizar, por isso acredite em si mesma e vá à luta."

TARA WILSON

"Trabalho desde os doze anos de idade, e amo trabalhar duro. Sinto-me abençoada por ter descoberto como aproveitar isso em algo significativo e pelo qual sou apaixonada. Fico ainda mais empolgada por ter condições de inspirar, motivar e ensinar outras mulheres a agir para valer conforme sua paixão e viver a vida que merecem!"

JANINE FINNEY E LORY MUIRHEAD, MÃE E FILHA

"Esse setor nos deu o presente para a vida – a capacidade de planejar nosso trabalho em torno de nossa vida, em vez de planejar nossa vida em torno do trabalho. E agora queremos compartilhar esse presente."

FAINA BALK

"A realização masculina é deflagrada pelo próprio homem, enquanto uma mulher é guiada por suas preocupações com os outros. É a natureza. Para ter sucesso nos negócios, uma mulher deve seguir sua natureza em vez de lutar contra ela. Meu lema de negócios feminino: o dinheiro virá para aquelas que fizerem tudo pelo bem-estar de seus entes queridos de forma apaixonada."

HILDE RISMYHR SAELE

"Se você quer dar uma sacudida no mundo e fazer história, o melhor jeito é dar às mulheres o poder de pensar e enriquecer."

PAIGE RIFFLE

"Estar no lugar certo na hora certa não basta. Estar no lugar certo na hora certa e partir para a ação é a chave."

MARION CULHANE

"Tenha muita clareza sobre suas metas e sonhe. Comprometa-se 100% com elas. Faça perguntas internas poderosas que dirijam e enfoquem sua mente e subconsciente no sentido de realizar seu sonho. Permaneça focada e todo dia tome medidas que a aproximem da realização de seu intento. Permita que a mágica se desenrole de maneiras que você jamais poderia imaginar. Aprecie e agradeça por cada passo e pessoa ao longo do caminho."

SARA MARBLE

"É minha esperança e sonho que as mulheres ao redor do mundo vejam a incrível oportunidade que o marketing de rede oferece. As portas para o futuro delas vão se abrir, e elas viverão a vida de seus sonhos como mulheres empreendedoras – bem-sucedidas, poderosas, inspiradoras e fazendo diferença na vida de todos ao seu redor."

JACKIE ULMER

"Um de meus princípios favoritos de Pense e enriqueça *é o da Mente Superior. As mulheres são poderosas como colaboradoras, e, quando nos juntamos para apoiar umas às outras e uma meta comum, cuidado! Sabemos escutar, fazer*

belas perguntas, oferecer ideias quando necessário (e desejado), e apoiar e levantar umas às outras. Este importante passo do sucesso é exibido de forma brilhante quando as mulheres se unem!"

10

O mistério da transmutação do sexo

A emoção do sexo gera um estado mental

Os homens atingem o pico sexual aos dezoito anos.
As mulheres aos trinta e cinco.
Você não fica com a sensação de que Deus
está pregando uma peça?
– RITA RUDNER

ESTE CAPÍTULO RECEBE MUITA ATENÇÃO. PARA ALGUMAS PESSOAS, O TÓPICO da transmutação do sexo é um pouco confuso. O que significa isso? Tem mulheres que acham o tema muito chauvinista e por isso questionam que motivo eu teria para incluí-lo em *Pense e enriqueça para mulheres*. Para estas eu pergunto:

- Você alguma vez escolheu um determinado traje porque a deixa sexualmente mais atraente?
- Você alguma vez olhou para alguém com o canto do olho?
- Você alguma vez provocou ou flertou com alguém?

- Quando troca um aperto de mãos com alguém, você toca o ombro ou a mão da pessoa com sua outra mão, criando mais intimidade?
- Você alguma vez disse não, mas com um sorriso?
- Você se olha ao passar por um espelho?

Se respondeu sim para alguma dessas perguntas, você entende o poder da atração sexual. Hill observou: "O desejo sexual é o mais poderoso dos desejos humanos". Transmutação do sexo significa simplesmente transferir energia sexual da expressão sexual para uma expressão de tipo diferente, como imaginação, coragem ou agudeza de pensamento ampliadas. Ele compartilha os seguintes exemplos simples de como o magnetismo pessoal é uma expressão de energia sexual.

1. Aperto de mão. O toque da mão indica instantaneamente a presença de magnetismo, ou a falta deste.
2. Tom da voz. Magnetismo, ou energia sexual, é o fator que pode tonalizar a voz, deixando-a musical ou encantadora.
3. Postura e movimentação do corpo. Pessoas com grande *sex-appeal* movem-se com vivacidade, graça e suavidade.
4. Vibrações do pensamento. Pessoas com grande *sex-appeal* misturam a emoção do sexo com seus pensamentos, ou podem fazer isso à vontade, e assim influenciar aqueles ao seu redor.
5. Adorno corporal. Pessoas com grande *sex-appeal*, em geral, são muito cuidadosas com sua aparência pessoal. Costumam escolher roupas de estilo adequado a sua personalidade, tipo físico, tom de pele etc.

Com certeza, todos esses são exemplos que se aplicam igualmente a homens e mulheres. Como você se sente quando troca um aperto de mãos com outra mulher e ela lhe estende dedos molengas em vez de dar um aperto de mão pleno e firme? Sua voz muda ao falar com um filho, o marido ou um sócio de negócios?

Você alguma vez foi a uma reunião de negócios ou festa em que chegou uma pessoa exalando uma sensação palpável de autoconfiança e energia positiva? O carisma ou personalidade magnética dela instintivamente atraía as pessoas. Algumas pessoas simplesmente parecem ter "aquele algo", ao passo que outras não. Entretanto, Hill acredita que você pode melhorar sua personalidade magnética revisando a lista dele de 21 elementos importantes para se obter uma Personalidade Magnética.

1. Boa apresentação: entender e aplicar a arte de entreter as massas.
2. Harmonia interior: estar no controle da própria mente.
3. Propósito definido: estar decidida a desenvolver relacionamentos harmoniosos com os outros.
4. Vestimenta apropriada: a primeira impressão é a que fica.
5. Postura e movimentação do corpo: postura alerta indica um cérebro alerta.
6. Voz: o tom, volume, altura e nuance emocional da voz são fatores importantes de uma personalidade agradável.
7. Sinceridade de propósito: estimula a confiança dos outros.
8. Escolha do linguajar: evitar gíria e blasfêmia.
9. Serenidade: a serenidade vem com a autoconfiança e o autocontrole.
10. Senso de humor sagaz: uma das qualidades mais essenciais.
11. Altruísmo: ninguém é atraído por uma pessoa egoísta.
12. Expressão facial: revela seu estado de ânimo e seus pensamentos.
13. Pensamentos positivos: as vibrações dos pensamentos são captadas por outras pessoas; mantenha pensamentos agradáveis.
14. Entusiasmo: essencial em todas as formas da atividade de vendas.
15. Um corpo sadio: saúde fraca não atrai as pessoas.
16. Imaginação: imaginação vivaz é essencial.
17. Tato: falta de tato, em geral, se expressa por conversa mole e fala atrevida.
18. Versatilidade: conhecimento geral de assuntos importantes de interesse atual e dos problemas mais profundos da vida.
19. A arte de ser uma boa ouvinte: ouvir com atenção, não interromper e não tomar a palavra dos outros.
20. A arte da fala enérgica: ter algo a dizer que seja digno de ser ouvido e dizê-lo com todo entusiasmo e propriedade.
21. Magnetismo pessoal: energia sexual controlada. O maior ativo de todo grande líder e todo grande vendedor.

Desenvolver e empregar uma personalidade magnética, com certeza, vai ajudá-la em seus esforços para ter sucesso na vida. A reverenda Karen Russo, que obteve seu M.B.A. na Universidade de Colúmbia e foi ordenada ministra no *Centers for Spiritual Living*, trabalhou com milhares de pessoas, ajudando-as a integrar princípios espirituais universais com estratégias financeiras práticas, e analisou a filosofia de Hill sobre energia sexual e o papel que esta desempenha na criação do sucesso. Ela compartilha:

O MISTÉRIO DA TRANSMUTAÇÃO DO SEXO

Napoleon Hill colocou o problema de que a ânsia de sexo é tão forte nos homens que eles arriscam a vida e a reputação para se entregar a desejos sexuais físicos, sob o risco de perder o caráter, a família, a profissão e mais. A asserção de Hill é de que, quando esta energia poderosa é redirecionada, o sucesso financeiro e profissional é intensificado. Napoleon Hill estudou milhares de homens brancos, casados e privilegiados no início dos anos 1900.

Embora os princípios do sucesso sejam universais, parte da dinâmica da expressão sexual pode ser expandida para incluir as questões que as mulheres enfrentam hoje. Uma abordagem modificada da energia sexual pode incluir homens e mulheres, gays e héteros, solteiros e comprometidos, celibatários e sexualmente ativos, e mais!

A ENERGIA SEXUAL ALIMENTA O SUCESSO

Hill identificou a ânsia descontrolada de sexo como uma "força irresistível" que põe em risco o poder de um homem. Ele sugeriu uma solução competente e, na época, provocativa para o problema. Hill salientou que o desejo de sexo, amor e romance é inato e natural, e que o desejo sexual está conectado a anseios espirituais. A intensidade, o poder e a primazia do sexo, do amor e do romance são energias. Quando valorizamos esses anseios naturais e inatos, prosperamos.

No mundo de hoje, aplicar, direcionar e sacralizar nossa natureza sexual, romântica e apaixonada é uma estratégia de sucesso que enrique a mente, o corpo e o espírito, além de nosso contracheque, carteira e portfólio. A energia sexual pode gerar combustível financeiro para as mulheres da mesma forma que para os homens. Madonna é conhecida por reinventar continuamente sua música e sua imagem como filantropa e ícone, e foi aclamada como exemplo para as mulheres de negócios nos meios de comunicação. Ela conseguiu criar uma marca global que resistiu ao teste do tempo. Também foi criticada pela sexualidade ostensiva, mas é uma mulher que, bem à frente de seu tempo, foi capaz de apreciar, valorizar e expressar sua energia sexual e obviamente sua paixão e manifestação femininas.

Quando indagada sobre sua energia sexual, Madonna respondeu:

"Todo mundo provavelmente pensa que sou uma ninfomaníaca furiosa, que tenho um apetite sexual insaciável, quando a verdade é que prefiro ler um livro".

PAIXÕES INSATISFEITAS DRENAM RECURSOS

Como mentora espiritual de milhares de mulheres pelo planeta, de todas as diferentes condições socioeconômicas, empresariais e profissionais ao longo das últimas décadas, descobri que uma mulher arrisca diminuir seu valor quando se sente insatisfeita no sexo, amor e romance. As consequências da baixa autoestima resultante são numerosas: distúrbios alimentares, abuso de álcool, orgia consumista, promiscuidade sexual e reclusão social. Mulheres com experiência ambivalente da sexualidade não se sentem bem a respeito de si mesmas. Estima-se que 90% de todas as mulheres querem mudar pelo menos um aspecto de sua aparência física, e apenas 2% se acham bonitas. (http://www.confidencecoalition.org/statistics-women)

Para muitas mulheres, o desafio no amor, no romance e na paixão sexual é a falta de satisfação ou expressão. Ansiar pelo que não tem drena a energia vital da mulher. Ela perde recursos mentais, emocionais e psíquicos enquanto indaga: "Por que ele não telefonou?", e: "Será que ele me ama?". Ela ignora as próprias necessidades e esgota tempo e energia que poderiam ser investidos em buscas mais lucrativas e satisfatórias.

Hill afirma que os homens precisam descobrir a força de vontade para não serem controlados por suas necessidades. Para as mulheres é muito diferente, quase o contrário. A mulher precisa aprender a cuidar de si e dar a seu eu interior e externo a atenção pela qual anseia. A energia do sexo, do amor e do romance é transmutada em uma vida saudável, energizada e rica em termos físicos, mentais e espirituais.

TEMPO, ENERGIA E ATENÇÃO NA BOA FORMA FINANCEIRA E FÍSICA

A prática espiritual é a primeira via para as mulheres sentirem-se dignas de valor e conectadas. Ironicamente, uma mulher que esteja desenvolvendo uma vida financeira e espiritualmente rica deve fazer mais do que se engajar em práticas espirituais. Ela também precisa aderir à ação financeira. Deve aplicar tempo, energia e atenção no desenvolvimento de hábitos organizados e eficientes em relação ao dinheiro.

Amor-próprio no caso do dinheiro começa com cultura financeira básica. Todas as mulheres precisam tomar parte na forma como o dinheiro entra e sai de sua família, trabalho e vida. Quer você seja ou não o principal provedor da família, deve entender como dinheiro, impostos e investimentos estão fluindo e afetando você e seu parceiro.

Ser capaz de prover, cuidar e respeitar o eu sustentando a si mesma é de vital importância. Somar a isso um corpo saudável e vibrante para garantir prazer, divertimento e satisfação a nossa vida intensifica a capacidade da mulher de obter, apreciar, receber, manter e gerir dinheiro.

ENERGIAS CRIATIVAS ATUANDO EM CONJUNTO

Napoleon Hill fala sobre a energia criativa e como os gênios criam aproveitando o sexo, o amor e a música como um canal para estimular e abrir a mente para receber inspiração da inteligência infinita. Esse é um belo exemplo de como todos os humanos criam e de como as energias masculina e feminina se juntam.

Quando se trata de entender as energias criativas atuando em conjunto, todas as pessoas têm dentro de si qualidades masculinas e femininas de criação de riqueza. As qualidades masculinas de riqueza são criadas pela ação, da qual boa parte é a base de *Pense e enriqueça* – propósito, foco e clareza. Os aspectos femininos criam riqueza pela consciência, a capacidade de sentir que temos a coisa que desejamos. As qualidades femininas são graça, receptividade, satisfação e, o mais importante, uma capacidade infinita de gratidão.

Madre Teresa é muito conhecida como uma humilde freira católica, professora e guia espiritual. Ela possuía os preciosos atributos femininos da graça, receptividade, piedade e modéstia. Era alguém que amava Jesus profundamente e que mantinha uma profunda prática espiritual. Tinha um coração compassivo para ajudar, curar e trabalhar com os pobres. Madre Teresa também foi uma extraordinária angariadora de fundos. Arrecadou bilhões para custear suas ações de caridade na Índia com uma inteligência e eficiência mundialmente famosas. Ela retirava energia do amor e da paixão, e das energias criativas do masculino e do feminino, reunindo-as em uma vida linda e inspiradora.

Para as mulheres é vital nutrir e cultivar a riqueza por meio da percepção feminina e também acessar a riqueza, como convém, por meio de ações práticas masculinas. Com percepção e ação, as mulheres sentem-se dignas de valor e bem. Se você é sozinha, comprometa-se a criar uma vida rica em prazer, valor e riqueza para si mesma. Se você tem um parceiro na família ou nos negócios, inclua a paixão e conectividade desses relacionamentos ao criar riqueza.

Quanto mais paixão e prazer em sua vida, mais lucrativa será a sua vida.

Karen Russo recorda que todas temos traços masculinos e femininos relativos à criação de riqueza financeira e espiritual. Propósito, foco e clareza, bem como graça, receptividade, satisfação e gratidão – as mulheres são bem dotadas de todos esses atributos e não só criarão riqueza para si mesmas, como, por intermédio da gratidão, vão gerar riqueza financeira e espiritual para suas famílias, associados e comunidades.

O CAPÍTULO NA PRÁTICA – EM MINHA VIDA

Comecei minha carreira no final dos anos 1970, quando pouquíssimas mulheres detinham cargos executivos ou de gestão. Tendo sido criada por pais que me ensinaram que eu poderia alcançar qualquer coisa em que me concentrasse, fiquei atônita ao deparar com uma atitude nada receptiva às mulheres no ambiente de trabalho. O termo "discriminação sexual" ainda não fora instituído, e eu e minhas colegas mulheres verificamos que, em geral, tínhamos que trabalhar de modo mais árduo e inteligente que nossas contrapartes masculinas a fim de permanecer em pé de igualdade com eles para as promoções. Era a realidade de nossas carreiras. Muitas de nós até vestiam ternos com calças e prendiam os cabelos para ocultar a feminilidade. Era verdadeiramente absurdo.

Assim, quando penso em transmutação do sexo, lembro daqueles tempos em que tentávamos com afinco "parecer" homens e sorrir. Houve um dia "da virada", e foi quando quatro de nós celebramos a aprovação no exame de contador público certificado (CPA) e decidimos que estava na hora de rompermos nossos casulos e sermos quem éramos. Arrumamos os cabelos e fomos comprar ternos de trabalho – com saias! Fizemos a nossa festa de "sair do armário", e foi um estouro.

Para qualquer mulher com menos de cinquenta anos essa história pode parecer boba, mas foi muito real. Foi um momento decisivo para nós e para as mulheres que vieram depois e que nós orientamos a serem autênticas, serem CPAs e *mulheres.*

Embora Hill tenha publicado *Pense e enriqueça* em 1937, num tempo de domínio masculino dos negócios, ele reconheceu o poder da emoção do sexo. Ele advertiu: "A emoção do sexo é uma virtude APENAS quando usada de modo inteligente e com discriminação. Ela pode ser mal utilizada, e com frequência é, de tal maneira que rebaixa, em vez de enriquecer, tanto o corpo quanto a mente".

Existem incontáveis exemplos nos negócios, nos meios de comunicação e nos filmes em que o sexo foi mal utilizado e criou resultados desastrosos. Para muita gente, o mero assunto do sexo e da energia sexual é intimidante e desconfortável para ser discutido.

Entretanto, Hill fez outra distinção que acredito ser muito importante para o futuro dos negócios. Ele salientou: "O amor é espiritual, enquanto o sexo é biológico. O amor é, sem dúvida, a maior experiência da vida. Ele leva o indivíduo à comunhão com a Inteligência Infinita. Quando misturado às emoções do romance e do sexo, pode conduzir muito mais ao alto na escada do esforço criativo. As emoções do amor, sexo e romance são os lados do triângulo eterno do gênio construtor das realizações. A natureza não cria gênios por nenhuma outra força".

Acredito que os homens veem o amor como espiritual e o sexo como biológico, e têm muito mais facilidade que as mulheres em separar os dois. Portanto, estou certa de que o termo "conquistas sexuais" foi cunhado por um homem. Os homens têm uma natureza competitiva intensa que lhes serviu muito bem na Era Industrial.

As mulheres, por outro lado, veem o amor e o sexo como inextricavelmente entretecidos e estão constantemente criando o componente do romance para completar o triângulo. Quando temos os três – amor, sexo e romance –, possuímos o triângulo eterno do gênio construtor de realizações identificado por Hill. Quando motivadas pelos três, o trabalho não é penoso, mas uma ocupação de amor.

À medida que o ambiente dos negócios avança da competição intensa para um ambiente de cooperação e colaboração, a aptidão e capacidade das mulheres para o amor vão ajudar a colocá-las à altura das circunstâncias e a florescerem.

Fico feliz por ver que hoje estamos experimentando outro momento crítico para as mulheres, quando mais de 50% dos formandos universitários são mulheres, quando dois de cada três novos negócios são abertos por mulheres, e mais da metade da força de trabalho atual são mulheres.

É a Era da Mulher, e nossa influência continuará a crescer. Não sou feminista, mas uma defensora de que as mulheres alcancem o sucesso que merecem. Um mundo de negócios liderado por mulheres estará em mãos muito aptas!

A MENTE SUPERIOR DA IRMANDADE

A sabedoria de mulheres importantes e bem-sucedidas sobre o MISTÉRIO DA TRANSMUTAÇÃO DO SEXO:

MAYA ANGELOU
NASCIDA MARGUERITE ANN JOHNSON, ESCRITORA E POETA NORTE-AMERICANA
"Aprendi que as pessoas vão esquecer o que você disse, as pessoas vão esquecer o que você fez, mas as pessoas jamais vão esquecer como você as fez sentir-se."

COCO CHANEL (1883-1971)
DESIGNER DE MODA FRANCESA E FUNDADORA DA MARCA CHANEL
"Vista-se mal, e as pessoas vão notar o traje. Vista-se bem, e as pessoas vão notar você."

AUDREY HEPBURN (1929-1993)
ATRIZ BRITÂNICA, ÍCONE DA MODA E HUMANITARISTA
"Existe mais do que medidas no sex-appeal. *Não preciso estar no quarto para provar minha feminilidade. Posso transmitir o mesmo* sex-appeal *colhendo maçãs de uma árvore ou parada na chuva."*

SOPHIA LOREN
A MAIS FAMOSA E HOMENAGEADA ATRIZ ITALIANA
"Acho que a qualidade de ser sexy vem de dentro. É algo que está em você ou não está, e realmente não tem muito a ver com seios ou coxas, ou fazer beicinhos sensuais."

ROSEANNE BARR
ATRIZ, COMEDIANTE, ESCRITORA, PRODUTORA E DIRETORA DE TV NORTE-AMERICANA
"A coisa que as mulheres ainda têm que aprender é que ninguém lhe dá poder. Você simplesmente o toma."

ELIZABETH GILBERT

AUTORA DE COMER, REZAR, AMAR

"Conheci uma senhora idosa, de quase cem anos, e ela me disse: 'Existem apenas duas perguntas pelas quais os seres humanos sempre lutaram ao longo de toda a história: 'Quanto você me ama?', e: 'Quem está no comando?'."

KRISTIN CASHORE

ESCRITORA NORTE-AMERICANA DE FANTASIA

"Como era absurdo que em todos os sete reinos as pessoas mais frágeis e mais vulneráveis – moças, mulheres – ficassem desarmadas e não aprendessem nada sobre lutar, enquanto os mais fortes fossem treinados ao máximo de suas habilidades."

PERGUNTE A SI MESMA

Use seu diário ao percorrer este trecho para identificar suas etapas de ação, ativar seus momentos de "sacação" e criar seu plano para obter sucesso!

Fazer mudanças ou transitar de uma posição de inconsciência e insegurança para o controle da energia sexual pode ser desconfortável para algumas pessoas. Se depois de ler este capítulo você ainda estiver hesitante sobre como começar, considere encontrar um exemplo ou criar um grupo de Mente Superior para este propósito específico. Quem você conhece em sua vida que teve êxito na TRANSMUTAÇÃO DO SEXO e no desenvolvimento do sucesso em sua própria vida?

Revise os 21 Passos de Hill para Aprimorar sua Personalidade Magnética:

1. Boa apresentação: entender e aplicar a arte de entreter as massas.
2. Harmonia interior: estar no controle da própria mente.
3. Propósito definido: estar decidida a desenvolver relacionamentos harmoniosos com os outros.
4. Vestimenta apropriada: a primeira impressão é a que fica.
5. Postura e movimentação do corpo: postura alerta indica um cérebro alerta.
6. Voz: o tom, volume, altura e nuance emocional da voz são fatores importantes de uma personalidade agradável.
7. Sinceridade de propósito: estimula a confiança dos outros.
8. Escolha do linguajar: evitar gíria e blasfêmia.
9. Serenidade: a serenidade vem com a autoconfiança e o autocontrole.
10. Senso de humor sagaz: uma das qualidades mais essenciais.

11. Altruísmo: ninguém é atraído por uma pessoa egoísta.
12. Expressão facial: revela seu estado de ânimo e seus pensamentos.
13. Pensamentos positivos: as vibrações dos pensamentos são captadas por outras pessoas; mantenha pensamentos agradáveis.
14. Entusiasmo: essencial em todas as formas da atividade de vendas.
15. Um corpo sadio: saúde fraca não atrai as pessoas.
16. Imaginação: imaginação vivaz é essencial.
17. Tato: falta de tato em geral se expressa por conversa mole e fala atrevida.
18. Versatilidade: conhecimento geral de assuntos importantes de interesse atual e dos problemas mais profundos da vida.
19. A arte de ser uma boa ouvinte: ouvir com atenção, não interromper e não tomar a palavra dos outros.
20. A arte da fala enérgica: ter algo a dizer que seja digno de ser ouvido e dizê-lo com todo entusiasmo e propriedade.
21. Magnetismo pessoal: energia sexual controlada. O maior ativo de todo grande líder e todo grande vendedor.

Selecione três dos 21 passos que você deseje melhorar ao longo dos próximos trinta dias e se comprometa a trabalhar neles.

Se não tiver certeza de como começar a fazer mudanças, pergunte a sua mentora. Certifique-se de dar a si mesma oportunidade de "praticar" ajustes pessoais. Embora haja um significativo aspecto mental e emocional na transmutação sexual, transmitimos nossa energia sexual por nossas ações.

Passe algum tempo quieta refletindo sobre a sua vida.

Quando você se sentiu mais confiante? Descreva a ocasião.

Quando você se sentiu menos confiante? Descreva a ocasião.

Agora volte a ambas as ocasiões e reflita sobre outros aspectos da vida naquela época.

Você estava empregada?

Você estava segura em termos financeiros?

Você estava fisicamente saudável?

Como estava sua vida amorosa?

Quais dos 21 elementos estavam em falta quando você se sentiu menos confiante?

Identifique quais áreas de sua vida atual compartilham semelhanças com a época em que você esteve menos confiante.

Que mudanças você pode fazer a partir de hoje a fim de melhorar essas áreas de sua vida?

Agora reflita sobre seu conhecimento e saúde financeiros.

Agende uma revisão financeira de sua família, negócio ou portfólio.

Crie um plano para melhorar sua saúde financeira e o aplique.

E agende uma experiência prazerosa e lúdica para si mesma nas próximas semanas.

11

A mente subconsciente

O elemento de conexão

Nem sempre podemos controlar nossos pensamentos,
mas podemos controlar nossas palavras,
e a repetição causa impressão no subconsciente,
e então nos tornamos senhoras da situação.
– JANE FONDA

VOCÊ ALGUMA VEZ REAGIU DE MODO EXCESSIVO A ALGUMA COISA, OU ALGUÉM – e então se perguntou: “De onde veio aquela reação? Por que eu disse, ou fiz, aquilo?”. Alguma vez você chegou em algum lugar e não se lembrou de dirigir até lá?

Alguma vez você acordou no meio da noite com uma grande ideia, ou lembrou de algo que não conseguia lembrar na noite anterior?

Todos esses são exemplos de quando seu subconsciente esteve no controle, enquanto sua mente consciente repousava. O subconsciente está sempre trabalhando, 24/7, dia e noite, mas trabalha melhor quando você não está alerta – por exemplo, quando está dormindo, dirigindo ou meditando. Você não consegue controlar sua mente subconsciente por completo, mas pode influenciá-la com os planos, desejos ou metas com que a alimenta. Se esses planos, desejos ou metas são emocionais, tornam-se ainda mais influentes.

Sua mente consciente pode funcionar como porteiro, controlando quais pensamentos "apresentar" ao subconsciente. É por isso que os capítulos sobre AUTOSSUGESTÃO e criação de sua declaração de missão pessoal são de importância tão crucial. Os treze princípios de Hill fornecem os métodos com os quais você pode alcançar, e por conseguinte influenciar, conscientemente, sua mente subconsciente.

Por exemplo, se você vive constantemente preocupada com dinheiro e seus pensamentos envolvem medo e pobreza, esses pensamentos negativos vão dominar sua mente subconsciente. Entretanto, se você volta seus pensamentos para a abundância e sucesso pela prática dos treze princípios, sua mente subconsciente enfocará a atenção no resultado positivo. Daí o ditado: "O que você pensa, você provoca", e a declaração essencial de Hill: "O que sua mente consegue conceber e acreditar, ela pode alcançar".

Hill também adverte que emoções positivas e negativas não podem ocupar a mente ao mesmo tempo. Uma ou outra vai assumir o controle e dominar. Depende de você garantir que as emoções positivas levem a melhor ao influenciar seu subconsciente.

Ao criar o hábito de rejeitar emoções e pensamentos negativos e enfocar apenas em emoções e pensamentos positivos, você verá transformações positivas em sua vida. Não vai demorar muito para você ver que os pensamentos negativos literalmente saltam fora da mente consciente e subconsciente carregadas positivamente. Quando as duas mentes estão alinhadas, você adquire controle sobre a mente subconsciente.

Vamos revisar as sete principais emoções positivas e negativas referidas por Napoleon Hill:

AS SETE PRINCIPAIS EMOÇÕES POSITIVAS

A emoção do DESEJO
A emoção da FÉ
A emoção do AMOR
A emoção do SEXO
A emoção do ENTUSIASMO
A emoção do ROMANCE
A emoção da ESPERANÇA

AS SETE PRINCIPAIS EMOÇÕES NEGATIVAS
A emoção do MEDO
A emoção do CIÚME
A emoção do ÓDIO
A emoção da VINGANÇA
A emoção da GANÂNCIA
A emoção da SUPERSTIÇÃO
A emoção da RAIVA

Enfocar apenas em emoções e pensamentos positivos, de modo que você veja transformação positiva em sua vida, é a base da Lei da Atração, um princípio fundamental que Napoleon Hill ensinou por anos antes que fosse popularizado por Rhonda Byrne em seu livro e filme *O Segredo*. Ela reuniu um grupo imponente de líderes do pensamento contemporâneo e gurus do desenvolvimento pessoal para compartilhar seus *insights* sobre a importância do pensamento positivo. Tanto o filme quanto o livro fizeram um sucesso louco ao redor do planeta.

O Segredo, nas palavras dela, é: "Pensamento = criação. Se esses pensamentos são agregados a emoções poderosas (boas ou más), isso acelera a criação ... Sua vida está em suas mãos. Não importa onde você esteja agora, não importa o que tenha acontecido em sua vida, você pode começar a escolher seus pensamentos conscientemente, e pode mudar sua vida. Não existe essa coisa de situação irremediável. Cada uma das circunstâncias da sua vida pode mudar!".

Lisa Nichols foi uma das estrelas de *O Segredo* e compartilhou seu *insight*: "Pense sobre seus sentimentos. Você tem bons sentimentos e tem maus sentimentos. E você sabe a diferença entre os dois porque um faz com que se sinta bem, e o outro faz com que se sinta mal. É a depressão, é a culpa, é o ressentimento, é a raiva. São esses sentimentos. Eles não fazem com que você se sinta empoderada. Esses são os maus sentimentos.

"O reverso da moeda é que você possui boas emoções, bons sentimentos. E sabe quando eles chegam porque fazem com que você se sinta bem. Excitação, alegria, gratidão, amor – imagine se pudéssemos sentir isso todos os dias. Quando celebra seus bons sentimentos, você atrai mais bons sentimentos e coisas que fazem com que se sinta bem. Seus pensamentos e seus sentimentos criam sua vida. Será sempre assim. É garantido".

Marci Shimoff, que também fez parte de *O Segredo*, simplifica a mensagem assim: "Vá atrás da sensação de alegria interior, de paz interior, primeiro da visão interna, e então todas as outras coisas externas aparecem".

Mas o que acontece quando você reconhece que precisa fazer uma mudança, só que não sabe como?

Donna Root é uma consultora de gestão cultural corporativa para executivos de primeiro escalão e dedicou os últimos quinze anos a entender os mecanismos que tornam pessoas, líderes e organizações mais eficientes e poderosos. Sua análise detalhada da mente subconsciente nos oferece um plano singular de seis passos que lhe permitirá assumir o controle da mente subconsciente, assumir o controle de seu futuro e criar o sucesso que você tanto merece.

> A mente subconsciente é como um computador com múltiplos componentes rodando ao mesmo tempo. Recebe informações dos cinco sentidos, bem como informações enviadas para o campo da consciência de múltiplos fluxos de consciência invisíveis, porém reais. A mente subconsciente armazena os dados, organizando e arquivando os dados que recebe.
>
> Sua mente subconsciente de fato vai criar por default em vez de por design, se você permitir que ela simplesmente rode sem orientação ou fornecimento de dados. Uma quantidade significativa do que criamos na vida provém de padrões, crenças, programas e hábitos não examinados que rodamos a partir da mente subconsciente.
>
> A mente subconsciente vai recorrer ao que está armazenado e foi experimentado em situações anteriores, ao que acreditamos que seja real em nossa vida para criar nossa realidade tridimensional. Se você tem um desejo que difere daquilo em que acredita, você sempre tornará realidade aquilo em que acredita, não o que deseja. Isso é o que chamo de paradoxo de forças contrárias, pois sua mente subconsciente vai recorrer ao que conhece, e aquele conhecimento provém da crença.

Criamos paradoxos de força contrária e então conciliamos as diferenças entre nossas crenças e nossos desejos nas histórias que contamos.

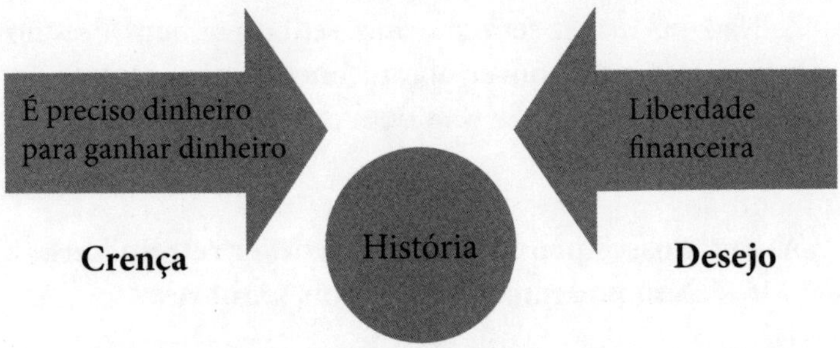

Paradoxo de forças contrárias

Sempre criamos o que pensamos saber, e extraímos isso da unidade de armazenamento de nossa mente subconsciente. Observe que mente e consciência não são a mesma coisa. Mente é o computador que recebe, armazena e recupera arquivos, enquanto consciência é o aspecto onisciente de cada indivíduo conectado ao universo e à Inteligência Universal.

Uma vez trazidos à mente consciente para exame, esses padrões e crenças *podem ser retreinados e descartados*. É imperativo estar ciente dos padrões de pensamento subconsciente que rodam em nossa mente. Existem dois tipos de pensamento que têm profundo impacto em nossa capacidade de manter a intenção em nossa vida. Existem pensamentos que voam por nossa mente como um lampejo. Simplesmente passam por nossa mente, mas não os "carregamos" de emoção. Simplesmente notamos quando passam.

Existem também aqueles que se tornam pensamentos criativos em nossa vida. Qualquer pensamento que carregamos de emoção se expande. Todo pensamento carregado expande-se, seja positivo ou negativo, bom ou mau, útil ou nocivo. A expansão está sempre acontecendo em nossa mente.

Todo pensamento carregado tem o potencial de criar. É por isso que muitas religiões dizem para guardarmos nossos pensamentos e não repetir em vão em nossas preces ou meditações. É por isso também que sempre precisamos examinar que emoções estamos anexando ao pensamento.

Não podemos servir a dois senhores, nem mesmo em nossa mente. Onde não houver abastecimento por intermédio de pensamento carregado, não haverá demanda ou reflexão em sua vida.

Assim, nossos pensamentos devem ser retreinados.
Não podemos servir a dois senhores.

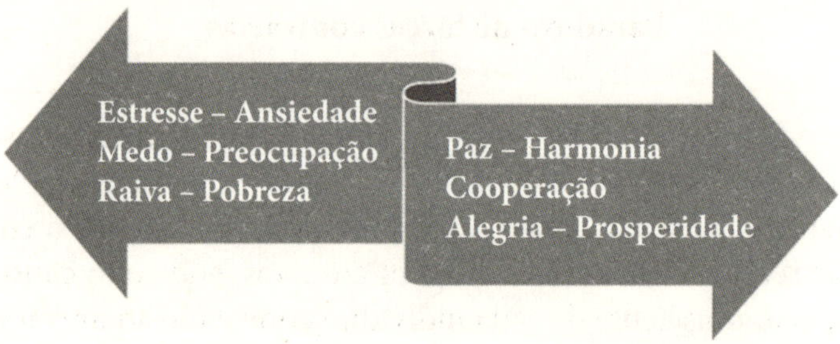

Porque, onde não existir demanda,
não haverá evidência de suprimento.

A mente subconsciente vai puxar de seu banco de dados o que quer que você ouse armazenar como verdade e então criará aquilo como sua realidade.

Existe um processo de seis passos para transformar e programar o pensamento subconsciente. O Passo 1 é apenas estar ciente e reconhecer os pensamentos que você carrega. O Passo 2 é redefinir a realidade desses pensamentos. Se não são pensamentos que estejam lhe fazendo bem, devem ser liberados. Esta é a liberação falada nas escrituras em João 1 4:18: "No amor não há medo; pelo contrário: o perfeito amor lança fora o medo, porque o medo supõe castigo. Aquele(a) que tem medo não está aperfeiçoado no amor". O termo "lançar fora" é um maravilhoso termo visual. Denota que temos a capacidade e a responsabilidade de "pegar e soltar" os pensamentos carregados que não fomentam nosso mais elevado crescimento e desenvolvimento, o que constitui o Passo 3 do processo de transformação. O Passo 4 é o entendimento e o uso da imaginação e o entendimento do que verdadeiramente desejamos criar, o Passo 5 é a substituição do velho pensamento por *pensamento e emoção carregados de intenção*, e o Passo 6 é a *prática do pensamento carregado de intenção.*

É na prática do pensamento carregado de intenção que a nova criação e as novas realidades magicamente tomam forma em nossa vida.

Os 6 Passos da Transformação

Passo 1:	Reconhecer
Passo 2:	Redefinir a realidade
Passo 3:	Liberar
Passo 4:	Recriar
Passo 5:	Substituir
Passo 6:	Praticar

Quando praticamos os 6 Passos da Transformação e criamos arquivos intencionais para nossa mente subconsciente puxar, começamos a ter integridade pessoal verdadeira. A verdadeira integridade pessoal é quando nossos pensamentos, crenças, emoções, desejos e comportamentos estão alinhados. Este alinhamento pode ser armazenado como *real* em nossa mente subconsciente para ser uma força criativa a partir da qual nossa realidade se desenrola.

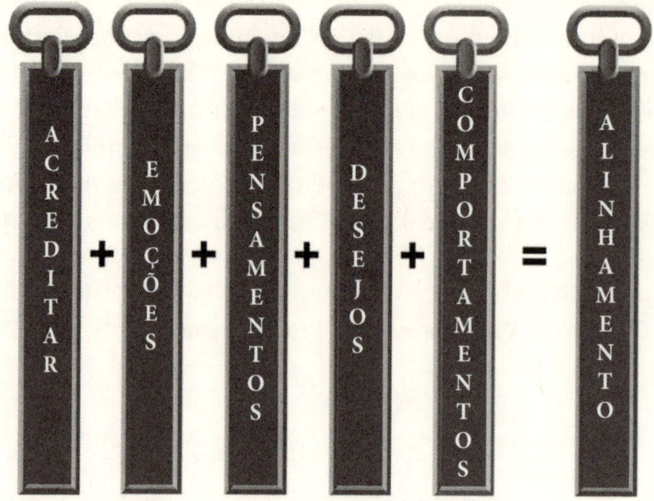

Com pensamento disciplinado temos a capacidade de decidir de qual programa nossa mente subconsciente vai extrair dados, qual ela vai animar e trazer para a nossa realidade individual.

Muitos indivíduos deixam de criar riqueza, saúde, abundância e prosperidade em sua vida porque não praticam o uso da imaginação como uma fonte de realidade, ou imaginam longe demais de sua realidade atual.

É aconselhável começar armazenando na mente subconsciente coisas que você possa aceitar como verdadeiras mesmo que pareçam passinhos de bebê para uma grande imaginação. É por meio desse processo que você criará evidência daquelas pequenas verdades aceitas e, à medida que afinar e aprimorar esse processo, sua mente lógica terá condições de desconsiderar plenamente qualquer limite lógico para criar qualquer coisa em seu mundo.

Vamos repetir as palavras de encerramento de Donna: "Criar qualquer coisa em seu mundo"! Eu a desafio a checar o que está acontecendo em sua mente neste instante. Você duvida de que possa criar qualquer coisa em seu mundo, permitindo com isso que o pensamento negativo tenha impacto em seu subconsciente? Ou você aplaude o pensamento e tem fé em que possa criar qualquer coisa em seu mundo, abrindo caminho para seu subconsciente apoiar a realização bem-sucedida de suas metas? Se você está indecisa sobre quais "passinhos de bebê" pode dar, tente afirmações diárias. Elas são um belo caminho para dar início ao hábito da conversa positiva consigo mesma e também para alimentar seu subconsciente com positividade.

Você consegue lembrar de pessoas cuja negatividade desenrolou-se de forma negativa? Ou de outras que parecem ter "grande sorte", sempre felizes e bem-sucedidas? A próxima história compartilha como você pode transformar sua vida focando na manutenção de crenças e pensamentos positivos.

D. C. Cordova é a CEO das Escolas de Administração Excellerated e da Money & You, organizações globais com mais de 95 mil graduados em todo o mundo. Ela compartilha como sua vida mudou instantaneamente – e como ela determinou o curso de sua carreira – quando descobriu o poder dos pensamentos e que na verdade podia controlá-los.

> Quando eu tinha uns vinte e poucos anos, alguém recomendou o livro *Pense e enriqueça*.
>
> Lembro de ter pensado: "Uau! Talvez haja esperança de que eu possa ter uma vida de realização, sucesso e contribuição". Eu estava "subindo a ladeira" no campo legal – de assessora jurídica assistente para representante e então oficial de justiça. Meu plano final era me tornar procuradora. Estava seguindo um caminho de carreira muito tradicional, mas no fundo eu sabia que aquilo não era para mim.
>
> Quis o destino que minha vida tomasse um rumo diferente quando aprendi a importância do tipo "certo" de educação. Como uma latina que realizou o Sonho Americano, sei que meu sucesso tem muito a ver com os valores ensinados por minha mãe, minha tia, minha avó e familiares incríveis. Contudo, antes de que eu pudesse concretizar o sucesso de verdade, tive que aprender como superar outras fortes crenças e pensamentos em meu subconsciente que limitavam minha capacidade de ver a possibilidade de sucesso verdadeiro em minha vida. Essas crenças e pensamentos foram aprendidos em escolas tradicionais; de fato, acredito ter sofrido literalmente uma lavagem cerebral nas escolas tradicionais. Além disso, vivenciei muitas perdas em minha vida – meu amor, abortos e amigos, o que teve impacto negativo em meus pensamentos e comportamentos.
>
> *Pense e enriqueça* me ensinou que nossa mente subconsciente afeta nossos pensamentos, comportamentos, sentimentos e nossas ações! Me deu poder. Se eu não conseguisse ter controle sobre minhas circunstâncias ou meu passado, pelo menos poderia ter o controle de minha consciência. Isso me deu um vislumbre de que eu poderia ter

uma vida que funcionasse para mim, com muito menos medo, ansiedade e estresse.

Foi lendo livros como *Pense e enriqueça*, enfocando meu desenvolvimento pessoal e participando de grupos de Mente Superior que me apoiaram que tive condições de começar a colocar minha atenção na limpeza de meu subconsciente de crenças prejudiciais.

Neste processo descobri como os hemisférios esquerdo e direito do cérebro impactam o aprendizado de formas diferentes. Aprendi que o uso de jogos experimentais pode desbloquear o que realmente está acontecendo no subconsciente – e revelar o quanto isso afeta as decisões (pequenas e grandes) que moldam nossa vida. Por intermédio dessas ferramentas experimentais, você pode encontrar, desnudar, reexaminar aquelas velhas lições e criar novas oportunidades positivas de aprendizado.

Como CEO das Escolas de Administração Excellerated e Money & You, tive condições de compartilhar esse conhecimento com gente do mundo inteiro.

Ao desbloquear o poder de seu subconsciente, você pode retreiná-lo com pensamentos e ações positivos para ajudá-la a realizar suas metas.

O CAPÍTULO NA PRÁTICA – EM MINHA VIDA

Eu bem que tive uma relação de amor-ódio com minha mente subconsciente na maior parte da vida. Criada por um pai militar e me sobressaindo na escola, desenvolvi a firme crença de que eu poderia controlar os resultados de minha vida de forma consciente se fosse esperta o bastante. Qualquer problema poderia ser resolvido com lógica e trabalho árduo. Lágrimas eram definitivamente um sinal de fraqueza, de modo que treinei meu subconsciente a acreditar que emoções eram ruins.

Este treinamento pode ter me ajudado a ter êxito profissional no mundo dos homens, mas também me predispôs a muitos anos de investida contra mim mesma, tentando controlar de modo consciente quaisquer sinais de fraqueza ou emoção. Meu verniz externo de força e controle cobriu anos de emoção contida e de raiva de mim mesma por ter sentimentos que eu havia ensinado a mim mesma que se tratavam de demonstração de fraqueza.

Hoje sei que isso tinha pouco a ver com meu pai, mas tudo a ver com querer agradar meu pai. Eu queria ser perfeita para que ele tivesse orgulho de mim.

E estar tão longe de ser perfeita me levou a um estado perpétuo de vergonha e culpa. Minha autoestima estava constantemente sob ataque – meu mesmo. Eu tinha autoestima elevada quando se tratava da minha capacidade de desempenho na escola ou profissionalmente, mas baixa autoestima em termos pessoais. A culpa e vergonha foram intensificadas por uma vida inteira de treinamento religioso que me ensinou mensagens confusas sobre Deus. Um ministro me ensinava a temer a Deus, enquanto outro me ensinava a ter fé em Deus.

Assim, quando li *Pense e enriqueça* aos dezenove anos, a parte mais poderosa do capítulo sobre a Mente Subconsciente foi a discussão de Hill a respeito da oração, pois trata da Fé *versus* Medo.

> Você deve ter notado que a maioria das pessoas recorre à oração SOMENTE depois que todo o resto FRACASSOU! Ou então rezam conforme um ritual de palavras sem sentido. E, como é fato que a maioria das pessoas que rezam fazem isso SOMENTE DEPOIS QUE TODO O RESTO FRACASSOU, vão rezar com a mente cheia de MEDO e DÚVIDA, *sendo essas as emoções com que a mente subconsciente atua*, e transmitem isso à Inteligência Infinita. Do mesmo modo, são essas as emoções que a Inteligência Infinita recebe e com as quais ATUA.
>
> A mente subconsciente é o intermediário que traduz a oração em termos que a Inteligência Infinita possa reconhecer, apresenta a mensagem e traz de volta a resposta na forma de um plano definido ou ideia para se obter o objeto da oração. Fé é o único agente conhecido a conceder uma natureza espiritual a nossos pensamentos, FÉ e MEDO não se acertam. *Onde um está, o outro não pode existir.*

O livro me ajudou a confirmar que Deus é um Deus amoroso e reforçou minha fé.

Minha fé tem me amparado através dos muitos altos e baixos da vida e, embora eu possa não ter obtido resposta para todos os brados de "por quê?" nos períodos de baixa, confio que Deus tenha um plano maior para minha vida.

Entretanto, ainda tenho uma batalha em andamento entre minha mente consciente e subconsciente. Me flagro deixando uma muralha separar minha vida profissional da vida pessoal. Em vez de praticar o "pegar e soltar" sugerido por Donna, me vejo "pegando, soltando e então agarrando de novo" meus medos e preocupações.

Isso, em geral, acontece mesmo quando tenho pouco controle sobre o que está acontecendo. Chamo esse processo de triturador pessoal, me consumindo emocionalmente por dentro. Seja a preocupação com adolescentes que ficam até muito tarde na rua ou com uma amiga fazendo escolhas erradas na vida, eu acolho e fico doente de preocupação.

Quando descobri a definição de preocupação que diz "preocupar-se é rezar pelo que você NÃO quer", uma luz acendeu-se em mim. É mágico. Quando me pego com o triturador em ação, lembro da definição, e é como jogar água gelada no rosto. Então me forço a reenquadrar meus pensamentos no que eu QUERO que aconteça.

Entretanto, acredito que a experiência pessoal com essa questão me propiciou muito da paixão que tenho por ajudar pessoas, em especial os jovens, hoje.

Tanta gente, inclusive muita gente jovem, empenha-se na busca da perfeição e experimenta formas semelhantes de autossabotagem, permitindo que esta se manifeste de forma negativa e interfira em suas metas de longo prazo. O problema com o perfeccionismo e em ser a vencedora em tudo que você faz é que isso cria uma meta imaginária e inatingível. Sempre tem alguém mais veloz, melhor e mais perfeita.

Assim, a crença de que você precisa ser a melhor precisa ser substituída por *fazer* o seu melhor.

Meu trabalho está focado em ensinar pessoas, jovens e velhas, que cada uma delas está no assento do motorista de sua própria vida. Que cada escolha que fazem irá conduzi-las ou não ao sucesso! Contanto que façam o seu melhor para fazer boas escolhas, elas estão no caminho certo.

A MENTE SUPERIOR DA IRMANDADE

A sabedoria de mulheres importantes e bem-sucedidas sobre a MENTE SUBCONSCIENTE:

FLORENCE SCOVEL SHINN (1871-1940)

ARTISTA E ILUSTRADORA DE LIVROS NORTE-AMERICA QUE SE TORNOU PROFESSORA ESPIRITUAL E AUTORA DE YOUR WORD IS YOUR WAND

"Você será um fracasso a menos que impressione sua mente subconsciente com a convicção de que é um sucesso. Isso é feito mediante uma afirmação que dê um 'estalo'."

FAY WELDON
ESCRITORA, ENSAÍSTA E DRAMATURGA INGLESA CUJA OBRA FOI ASSOCIADA AO FEMINISMO
"Só uma coisa fica registrada na mente subconsciente: a aplicação repetitiva – a prática. O que você pratica é o que você manifesta."

FLORENCE WELCH
CANTORA, MÚSICA E COMPOSITORA INGLESA
"Sempre consegui inventar melodias com bastante facilidade – na real, é uma espécie de instinto. Você tem que canalizar seu subconsciente."

HILARY MANTEL
ESCRITORA INGLESA, DUAS VEZES GANHADORA DO PRÊMIO BOOKER
"A imaginação só vem quando você privilegia o subconsciente, quando você faz a demora e a procrastinação trabalharem para você."

HELEN MIRREN
ATRIZ INGLESA GANHADORA DO OSCAR
"Os pintores detestam ter que explicar de que se trata a obra deles. Eles sempre dizem: 'É o que você quiser que seja' – porque, penso eu, a intenção deles é esta: conectar-se com o subconsciente de cada pessoa, e não tentar ditar."

ELLEN GOODMAN
COLUNISTA DISTRIBUÍDA POR AGÊNCIA DE NOTÍCIAS, GANHADORA DO PRÊMIO PULITZER
"Tradições são diretrizes profundamente encravadas em nossa mente subconsciente. As mais poderosas são aquelas que nem conseguimos descrever, das quais nem sequer estamos cientes."

MELISSA AUF DER MAUR
CANTORA-COMPOSITORA, ATRIZ E FOTÓGRAFA CANADENSE
"Tão logo cresci o bastante para tornar meus sonhos realidade, passei a crer firmemente que o subconsciente e o mundo exterior ao nosso corpo e sangue são essencialmente a verdade."

MARY GALE HINRICHSEN, PH.D.
CONSELHEIRA CRISTÃ
"Uma vez que nossa mente subconsciente se aposse de uma ideia, automaticamente facilitará para que esta se torne realidade. Assim, devemos pensar direito sobre o que é certo. Nós bastamos, somos dignas e podemos alcançar o que nosso coração deseje. Desde que pensemos de modo consciente sobre nossas metas, fiquemos emocionalmente entusiasmadas e demos passos naquela direção."

"A Bíblia ensina a respeito desse princípio. Ela afirma que devemos pensar naquilo pelo que somos gratas, no que é verdadeiro, honesto, justo e digno de louvor. Filipenses 4:8. Cada vez que pensamos que não somos boas o bastante, ou que não somos dignas, somos desonestas conosco. Não devemos impor limites a nós mesmas por causa do sexo, da idade ou da educação."

CANDACE PERT, PH.D. (1946-2013)
NEUROCIENTISTA E FARMACOLOGISTA NORTE-AMERICANA
"Seu cérebro não está no comando."

NAN AKASHA
CEO DA AKASHA INTERNATIONAL
"Sucesso, transformação verdadeira e impacto verdadeiro nunca parecem fáceis, seguros ou confortáveis – esse é o ponto. O NOVO não é familiar, e, se você deixar seu subconsciente convencê-la de que você cometeu um erro ou que não pode fazer ... nada de novo vai acontecer."

A mente subconsciente é uma força poderosa ainda que intangível, conforme este capítulo mostrou. Em uma tentativa de explicar ainda melhor como você pode assumir o controle de seus pensamentos, Hill dedicou o próximo capítulo ao cérebro – o décimo-segundo passo para a riqueza, ao qual ele se referiu como "uma estação transmissora e receptora de pensamentos". O capítulo avança da mente subconsciente intangível para o cérebro físico, de modo que possamos entender melhor o processo do pensamento.

PERGUNTE A SI MESMA

Use seu diário ao percorrer este trecho para identificar suas etapas de ação, ativar seus momentos de "sacação" e criar seu plano para obter sucesso!

Este capítulo pede que você faça muito exame de consciência. Anote em seu diário pessoal as Sete Principais Emoções Positivas e as Sete Principais Emoções Negativas. A seguir, escreva a primeira experiência de sua vida de que lhe vem à mente a respeito de cada emoção. Não rumine sobre o exercício; ele deve apenas sondar seu subconsciente.

As sete principais emoções positivas
A emoção do DESEJO
A emoção da FÉ
A emoção do AMOR
A emoção do SEXO
A emoção do ENTUSIASMO
A emoção do ROMANCE
A emoção da ESPERANÇA

As sete principais emoções negativas
A emoção do MEDO
A emoção do CIÚME
A emoção do ÓDIO
A emoção da VINGANÇA
A emoção da GANÂNCIA
A emoção da SUPERSTIÇÃO
A emoção da RAIVA

Agora anote a filosofia de seus pais a respeito de:

Religião
Sexo
Dinheiro
Política

Para cada um, pense: qual "crença" que você tem hoje pode ter vindo da infância?

Existe alguma crença que não esteja sendo boa para você hoje? Anote.

Agora pratique o processo de seis passos de Donna, retornando ao texto sobre cada um para substituir aquela crença que não está servindo por uma nova crença que criará pensamentos positivos.

Reconhecer
Redefinir a realidade
Liberar
Recriar
Substituir
Praticar

Muita gente não tem consciência de que está se autossabotando, de modo que pode ser bom rever este exercício com uma amiga íntima, para que vocês possam ajudar uma à outra com o primeiro passo e "reconhecer" qual crença precisa ser liberada e substituída.

Algumas coisas que você pode querer considerar

- Pegue-se quando estiver prestes a se julgar.
- Mude pensamentos sobre sua autoestima para pensamentos sobre seus melhores esforços.
- Faça questão de ver o fracasso ou os erros como oportunidades de aprendizado e não permita que essas coisas a definam.
- Aprenda a ser boa consigo mesma permitindo-se ter sentimentos, tanto bons quanto maus, sem se julgar.
- Tenha compaixão pelos outros quando expressam suas emoções.
- Substitua "ser a melhor" por "fazer o melhor".

12

O cérebro

Uma estação transmissora e receptora de pensamentos

*Quando todo o seu cérebro está ativo,
isso significa que você está absorvendo tudo
por meio de toda percepção sensorial·
Todo seu banco de memória e seus instintos
estão em ação, de modo que você faz escolhas
muito mais rápidas e mais inteligentes.*
– MARTHA BECK

AGORA QUE ATIVAMOS A IMPORTÂNCIA DE NOSSO SUBCONSCIENTE, vamos dar uma olhada em seu protetor físico, o CÉREBRO. Tanta coisa de nossa discussão é a respeito do que acontece dentro do cérebro que é importante olhar para o receptáculo em si.

Hill passa bastante tempo falando sobre a função de "estação emissora" do cérebro, que é nossa mente subconsciente. E então fala sobre a Imaginação Criativa e a autossugestão como outras duas maneiras de ativar sua mente e a importância de começar pelo DESEJO.

Talvez a mensagem de Hill ensine que este "outro eu" é mais poderoso que o eu físico que enxergamos ao olhar no espelho. Embora pouco se saiba sobre o mecanismo do pensamento, sabe-se ainda menos sobre o cérebro físico "e sua vasta rede de intrincado maquinário por meio da qual o poder do pensamento é traduzido em seu equivalente material". Cem anos depois de Hill começar a pesquisar os princípios do sucesso e como o cérebro funciona, a ciência nos oferece uma compreensão maior do cérebro – mas aprendemos que ele é ainda mais complexo do que poderíamos imaginar.

A ANATOMIA DO CÉREBRO

Em 1938, Hill estimou que houvesse entre 10 e 14 bilhões de células nervosas no córtex cerebral humano, e que essas estavam organizadas em padrões definidos. Nas últimas décadas, os cientistas acreditaram e relataram que o cérebro humano contém no total cerca de cem bilhões de neurônios. Entretanto, a neurocientista brasileira Suzana Herculano-Houzel descobriu recentemente que o número total de neurônios do cérebro humano fica próximo de 86 bilhões, com o córtex cerebral possuindo 16,3 bilhões (contra os 10 a 14 bilhões de Hill), o cerebelo abrigando 69 bilhões, e a diferença no restante do cérebro. Vamos olhar o cérebro físico mais de perto:

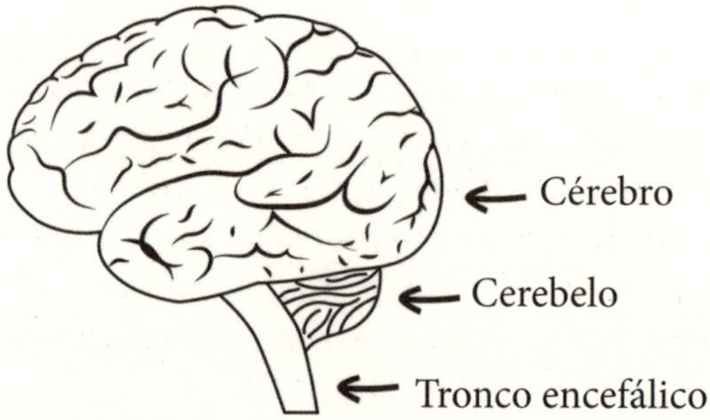

A maior parte do encéfalo é o cérebro, e o córtex cerebral é sua camada externa, chamada de substância cinzenta. O cérebro também contém substância branca, que serve para conectar a substância cinzenta. O cérebro corresponde a 85% do peso do encéfalo. Sua função é lembrar, resolver problemas e sentir. Também controla o movimento dos músculos voluntários. Possui dois hemisférios. O hemisfério direito ajuda a pensar sobre coisas abstratas como música, cores e formas, enquanto o esquerdo é mais analítico, ajudando na matemática, lógica e fala. O hemisfério direito do cérebro controla o lado esquerdo do corpo, e o hemisfério esquerdo controla o lado direito.

Cerebelo significa "pequeno cérebro" em latim; o cerebelo situa-se na parte de trás do encéfalo, embaixo do cérebro. É bem menor que o cérebro, com apenas um oitavo do tamanho, mas contém mais neurônios que o resto do encéfalo. É uma parte muito importante do encéfalo porque controla o equilíbrio, o movimento e a coordenação. Também se acredita que o cerebelo esteja envolvido em funções cognitivas como atenção e linguagem, e que possa regular as reações de medo e prazer.

O **sistema límbico** conecta as funções cerebrais inferiores e superiores. Regula a emoção e a memória, inclusive motivação, estado de ânimo e sensações de dor e prazer.

O **tronco encefálico** conecta o cérebro à medula espinal. Situa-se debaixo do sistema límbico e é responsável por funções vitais básicas como respiração, pulsação cardíaca e pressão sanguínea.

O **cérebro reptiliano** inclui o cerebelo e o tronco encefálico. Regula funções vitais como respiração, frequência cardíaca e a reação de "lutar ou fugir".

Essas estruturas cerebrais físicas trabalham juntas para ajudar na execução do papel da cognição, ou compreensão. As células cerebrais comunicam-se umas com as outras por um processo eletroquímico. Cada vez que você pensa, aprende ou se comunica, um neurônio (célula cerebral) de seu cérebro envia um impulso nervoso que se conecta a outro neurônio por meio de uma coisa chamada sinapse.

E então, existe uma diferença entre nosso cérebro e nossa mente? As opiniões sobre este tópico variam, mas a maioria concorda que a mente é invisível, todavia processa os dados e informações que chegam, acessando a memória de longo prazo, criando memória de curto prazo e usando a atenção consciente.

Em termos mais simples, o cérebro é a parte física do corpo que coordena os movimentos, pensamentos e sensações, ao passo que a mente refere-se à compreensão intangível dessas coisas, ou o processo de pensamento.

CÉREBRO MASCULINO *VERSUS* CÉREBRO FEMININO

Estudos recentes verificaram a existência de nítidas diferenças físicas entre o cérebro masculino e feminino, o que pode ter impacto direto sobre e esclarecer por que pensamos de forma diferente. Pode ajudar a explicar até por que homens e mulheres tendem a abordar os negócios e a vida de forma diferente.

Pedi à médica Pam Peeke para compartilhar seus pensamentos sobre as pesquisas modernas referentes ao cérebro e à forma como homens e mulheres diferem. Pam é doutora em medicina, membro do Colégio Americano de Médicos e obteve diploma de mestrado em saúde pública. Também é a autora de *Body for Life for Women* e *The Hunger Fix*, tendo estudado as mulheres e seu cérebro extensamente. Ela compartilhou:

> As mulheres são projetadas para colaborar, criar empatia, criar relacionamentos duradouros e transmitir as declarações de missão que formam a base do sucesso sustentável. Eis aqui um fato interessante: o cérebro feminino é tipicamente 8% a 10% menor que o dos homens, mas de igual inteligência. Os pesquisadores descobriram que o motivo é que o cérebro feminino opera de modo mais eficiente com menos massa.
>
> Estudos recentes de neuroimagem do cérebro demonstraram que, comparado ao cérebro do homem, o da mulher é mais ativo em setenta de oitenta áreas testadas. Isso significa que o cérebro feminino, em geral, está ativado cerca de um degrau acima do masculino. Isso pode levar as mulheres à propensão para um engajamento mais profundo nas atividades da vida.
>
> Não existe mistério sobre por que as mulheres são cuidadoras tão formidáveis. A ativação supercarregada do sistema límbico ou emocional ajuda a mulher a desenvolver vínculos e relacionamentos intensos.
>
> As mulheres possuem um sistema límbico profundo maior que os homens, mantendo-as em contato com seus sentimentos, bem como os sentimentos das pessoas ao redor. Mulheres também são mais rápidas em identificar emoções, pois codificam diferenças faciais e entonações vocais. Mas as mulheres também são melhores em controlar as emoções. As partes do cérebro usadas para controlar a raiva e a agressão são maiores nas mulheres que nos homens. Em outras palavras, as mulheres são mais propensas a apertar o botão de pausa do que saltar da calma para a fúria.
>
> Comparado ao cérebro masculino, o feminino tem quase dez vezes mais substância branca, o elemento que ajuda a facilitar as conexões por todo o cérebro. Quando os homens ouvem a leitura de um romance, um hemisfério cerebral é ativado, ao passo que nas mulheres os dois hemisférios são ligados. O predomínio do hemisfério esquerdo nos homens resulta na solução de problemas a partir de uma perspectiva orientada para a tarefa, enquanto o uso combinado de ambos os hemisférios pelas mulheres leva a um foco acentuado nos sentimentos durante a comunicação e a resolução do problema. O

> córtex pré-frontal, que abriga a função executiva do cérebro, é maior em volume e mais organizado nas mulheres.
>
> As mulheres também processam a linguagem em ambos os hemisférios, ao contrário dos homens, que dependem de seu hemisfério dominante. Isso explica por que as habilidades de linguagem das mulheres superam de longe às dos homens ao longo de toda a vida. Essa habilidade pode ser usada para estabelecer relacionamentos, colaborar, bem como planejar e montar estratégias. A ótima função executiva também promove a criatividade e vigilância, bem como a capacidade de refrear a impulsividade, impaciência e irritabilidade. Obviamente, esta continua a ser uma habilidade significativa de sobrevivência, pois as mulheres cuidam e fazem amizades, criando os vínculos profundos necessários para passar pelo estresse da vida.
>
> Enquanto os homens tendem a ser orientados para a tarefa, menos comunicativos e operar em isolamento, as mulheres enfocam a criação de soluções que funcionem para um grupo, reforçando a comunicação e demonstrando empatia.

A análise de Pam é reveladora, e entender isso é de crucial importância quando discutimos o mundo dos negócios em um momento decisivo para as mulheres e a influência destas na economia e na maneira como os negócios serão conduzidos no futuro. A análise é validada pelo trabalho da norte-americana Helen E. Fisher, Ph.D., antropóloga biológica, pesquisadora do comportamento humano e professora na Universidade Rutgers, que traçou o contraste entre o "pensamento em rede" das mulheres e o "pensamento em etapas" dos homens.

Conforme ela descreve:

> As mulheres tendem a generalizar, sintetizar, adotar uma perspectiva mais ampla, mais holística, mais contextual em qualquer assunto. Cunhei um termo para esse modo de raciocínio amplo, contextual, feminino: *pensamento em rede.*
>
> Os homens são mais propensos a enfocar a atenção em uma coisa de cada vez. Tendem a compartimentar o material relevante, descartar o que consideram dados alheios ao assunto e analisar a informação em uma trilha mais linear, causal. Chamo este padrão masculino de cogitação de *pensamento em etapas.*
>
> Tanto o pensamento em rede quanto o pensamento em etapas ainda são valiosos, mas na comunidade contemporânea de negócios, as palavras da moda incluem "profundidade de visão", "amplitude de

> visão" e "pensamento sistêmico". Neste mercado de trabalho altamente complexo, uma visão contextual é um recurso notável. As mulheres são programadas para empregar esta perspectiva.
>
> O pensamento em rede das mulheres proporciona outras qualidades naturais de liderança. De acordo com cientistas sociais e analistas de negócios, as mulheres são melhores para tolerar a ambiguidade – um traço que muito provavelmente deriva da capacidade de manter várias coisas na mente ao mesmo tempo. Se eu tivesse que resumir o ambiente moderno de negócios em uma palavra, eu o chamaria de "ambíguo". A mulheres são bem dotadas para este clima de negócios indefinido.
>
> O pensamento em rede das mulheres também lhes permite exercitar mais a intuição – e a intuição desempenha um papel produtivo, ainda que muitas vezes não reconhecido. Também relacionado ao pensamento em rede está o planejamento de longo prazo – a capacidade de avaliar cenários múltiplos e complexos e traçar um curso de longo prazo na tomada de decisão gerencial. A arquitetura do cérebro das mulheres para o pensamento em rede dotou-as de outro talento natural: flexibilidade mental. A flexibilidade mental é um traço de liderança essencial em nossa dinâmica economia global.

Ao ler as análises de Pam e Helen, fiquei com grande esperança quanto ao futuro das mulheres e às oportunidades para que as mulheres assumam mais e maiores papéis de liderança. Por quê? Porque o mundo dos negócios está evoluindo para onde haverá grande demanda dos pontos fortes das mulheres, e por consequência as mulheres irão responder e liderar.

A globalização vai continuar exigindo maior habilidade de comunicação, assim como o mundo das redes sociais e das mídias sociais. O setor de cuidados da saúde e os assuntos relacionados à pobreza global e ao meio ambiente estão adquirindo ímpeto, e as mulheres são perfeitamente adequadas para se sobressair nessas e em outras áreas que exigirão liderança e solução criativa de problemas.

O PODER DOS NOSSOS PENSAMENTOS

O tópico da empatia é extremamente importante, em especial para as mulheres. Embora possa ser um tremendo recurso, conforme compartilhado por Pam, também pode se tornar prejudicial para as mulheres. Empatia é definida como a capacidade de entender e compartilhar as experiências e emoções de outro, "sentir" os sentimentos do outro. Assim, embora seja importante ter empatia, é igualmente importante ser capaz de controlar os próprios pensamentos, para que não se fique sobrecarregada ou obcecada pelos sentimentos das outras pessoas.

Vamos rever nossos "pensamentos" e nossa percepção desses pensamentos. A Fundação Nacional da Ciência dispõe de estatísticas que estimam que temos entre doze mil e sessenta mil pensamentos por dia, dependendo de fatores como nossa criatividade, habilidade na solução de problemas e carreira. Outra pesquisa revela que até 95% a 98% desses pensamentos são exatamente os mesmos pensamentos que tivemos na véspera e, ainda mais significativo: 80% de nossos pensamentos são tipicamente negativos. Esses 98%, assim como os pensamentos negativos, são automáticos e ocorrem no subconsciente. Isso comprova a necessidade de entendermos o poder de nosso subconsciente conforme discutido no capítulo anterior.

Isso confere impacto muito maior ao ditado "o que você pensa, você provoca"!

O IMPACTO DO PENSAMENTO NEGATIVO

O fato de 80% do nosso pensamento ser negativo é alarmante, para dizer o mínimo! Junte-se a isso nossa capacidade de empatia, e os pensamentos negativos das outras pessoas podem se tornar contagiosos e podem somar-se a nossos próprios pensamentos negativos!

Jutta Joormann, Ph.D., professora associada da Universidade de Miami, estudou esse campo extensivamente e fala sobre gente que tem pensamentos negativos dos quais não consegue se recuperar. Nas palavras dela: "Basicamente, ficam empacadas em um cenário mental onde revivem continuamente o que aconteceu com elas. Embora possam pensar: 'Oh, isso não ajuda, eu deveria parar de pensar nisso, deveria seguir em frente com minha vida' – não conseguem parar".

Esse ciclo infindável de pensamentos negativos causa estresse mental e físico e tem impacto em nosso bem-estar e saúde físicos. De fato, o Centro de Controle e Prevenção de Doenças (CDC) estabeleceu uma ligação significativa entre o estresse e suas consequências físicas. O estresse pode nos deixar gordas, provocar doença e outras enfermidades, e pode até levar à morte. O CDC ligou o estresse a seis das principais causas de morte: doença cardíaca, câncer, enfermidades pulmonares, acidentes, cirrose hepática e suicídio.

A conexão mente/corpo é definida como *psiconeuroimunologia* em termos médicos. Jennifer Hawthorne, coautora de *Chicken Soup for the Woman's Soul* e *Chicken Soup for the Mother's Soul*, traça essa singela comparação: "Se você está fisicamente cansada, é difícil pensar com clareza. Por outro lado, se esteve usando a mente em trabalho mental o dia inteiro, é provável que também sinta os efeitos fisicamente. Pensamentos negativos são especialmente esgotantes. Pensamentos contendo as palavras 'nunca', 'devo' e 'não posso', queixas, lamúria ou pensamentos que diminuem nosso próprio senso de valor ou dos outros exaurem o corpo por produzir correspondentes químicos que debilitam a fisiologia. Não é de espantar que estejamos exaustas no fim do dia!".

IMPACTO DO DESEQUILÍBRIO HORMONAL

Uma discussão da conexão mente/corpo das mulheres não pode ser completa sem reservar tempo para discutir o papel desempenhado pelos hormônios em nossa vida e saúde física. Todas nós reconhecemos que as mudanças hormonais ocorrem ao longo de toda nossa vida e são uma parte natural do envelhecimento. Entretanto, as mulheres experimentam mudanças hormonais muito mais dramáticas durante a menopausa, ao contrário dos homens, cujas mudanças hormonais ocorrem de modo mais gradativo. Esse é um tópico importante a ser entendido, em especial por mulheres no auge da carreira profissional, subitamente confrontadas pelo impacto do desequilíbrio hormonal. Tais desequilíbrios, sejam eles causados por menopausa, mudanças hormonais ou outras alterações fisiológicas, podem causar "névoa cerebral" e perda de memória, bem como depressão extrema, oscilações de humor, ansiedade e agitação.

Infelizmente, poucas mulheres entendem verdadeiramente o impacto dramático dos desequilíbrios hormonais em sua qualidade de vida. Michelle King Robson experimentou o impacto devastador. Sua condição médica foi mal diagnosticada muitas vezes durante a busca de respostas sobre sua saúde. Ainda jovem ela fez uma histerectomia devastadora e por anos sofreu com má saúde e angústia mental antes de descobrir a importância dos hormônios adequadamente equilibrados. Nas palavras dela: "Fiquei doente, fiquei bem e então fiquei louca".

Michelle transformou a raiva em ação. Ela abriu uma empresa, EmpowHER, para garantir que nenhuma outra mulher sofresse o que ela sofreu. O site oferece às mulheres recursos de saúde, comunidade e apoio para melhorarem a saúde e bem-estar.

Para se sentir bem emocional e fisicamente, é importante que nossa química cerebral esteja em equilíbrio. Vamos analisar como nosso cérebro é impactado pelos seguintes hormônios e neurotransmissores responsáveis pela estabilização do humor:

Serotonina contribui para as sensações de bem-estar e felicidade;
Dopamina é a maior responsável pela prontidão;
Norepinefrina é o hormônio e neurotransmissor mais responsável pela concentração.

Você precisa que esses elementos químicos cerebrais permaneçam em equilíbrio e trabalhem em conjunto. Se isso acontece, você se sente muito mais calma e sob controle.

Eis aqui um exemplo de como a mudança do ciclo hormonal pode romper o equilíbrio e levar a resultados desastrosos:

> Flutuações do **estrógeno** podem ter impacto nos níveis de *serotonina.* Sem **serotonina** suficiente no cérebro, você pode experimentar depressão, ansiedade e irritabilidade. Níveis baixos de serotonina, por sua vez, têm impacto sobre os ovários e a produção de **estrógeno** destes. Quando os níveis de **estrógeno** ficam desregulados, ou muito altos ou muito baixos, seu humor pode oscilar loucamente. Você pode variar de fúria extrema para extrema depressão.

Soa como uma cilada? Com certeza, é. Essa complicação da química do cérebro pode criar um ciclo contínuo de depressão difícil de superar a menos que você primeiro entenda o que o causou. Michelle compartilhou:

> Vejo muitas mulheres que começam a beber álcool para ajudar a enfrentar a situação e se sentirem melhores, o que na verdade aprofunda a depressão. Deixa-as menos produtivas no trabalho. É uma ladeira muito escorregadia. Além do mais, a insônia pode deixar o cérebro enevoado, pois não se consegue dormir o suficiente, e sabemos que muitos desses casos estão relacionados aos hormônios.

Por isso é importante dispor de recursos como o website EmpowHER de Michelle. Sua missão é fomentar a inovação e a mudança na experiência da paciente, no atendimento de saúde, e o desenvolvimento e aprovação de medicamentos, tratamentos e procedimentos que melhorem e mudem a vida de mulheres ao redor do mundo. Ela quer que toda mulher se torne uma defensora da própria saúde e tenha uma ótima saúde.

Quando você não se sente bem, é difícil fazer bem.

Você poderá observar resultados impressionantes se buscar suporte médico adequado e se assegurar de que seus hormônios estão verdadeiramente equilibrados.

Mas não esqueça do impacto de sua saúde física em sua saúde mental. Se você de fato está com problemas de saúde física, muito provavelmente isso está aumentando o número de pensamentos negativos remoídos tanto por sua mente consciente quanto subconsciente.

Enquanto trabalha na melhoria de sua saúde física, é igualmente importante trabalhar na sua saúde mental. Você tem a capacidade de optar por inundar sua mente de pensamentos positivos e se livrar de pensamentos negativos. Eis aqui algumas sugestões que podem ajudá-la no processo.

MELHORE SEUS PENSAMENTOS, MELHORE SUA SAÚDE

Um estudo recentemente publicado na *Psychological Science* compartilha uma técnica fácil para se livrar de pensamentos negativos:

Apenas escreva seus pensamentos negativos e depois jogue fora.

O estudo, financiado pela Fundação Nacional de Ciência dos Estados Unidos e pelo Ministério de Ciência e Inovação da Espanha, pediu às pessoas para que escrevessem um pensamento sobre si mesmas (por exemplo, a imagem que têm de seu corpo) e a seguir examinassem o impacto duradouro dos pensamentos escritos. Os resultados foram muito elucidativos. Os participantes que realmente jogaram fora ou deletaram os pensamentos escritos sobre si mesmos tiveram condições de superá-los e não ser mais influenciados pela resposta escrita.

Por outro lado, os participantes que guardaram os pensamentos escritos e não os jogaram fora continuaram a ser influenciados pelos pensamentos negativos escritos.

A conclusão dos cientistas foi que o ato físico de se livrar do pensamento na forma escrita parece liberar a mente para deslocar-se para outras coisas.

Poderia ser tão simples assim?

Algumas de nós talvez também precisem dar uma olhada melhor em outros caminhos a fim de diminuir os pensamentos negativos e aumentar os pensamentos positivos. O primeiro passo é identificar e aprender a "pegar" os pensamentos negativos. Alguns dos seguintes hábitos podem expor uma tendência a pensar de forma negativa.

Excesso de drama – Também chamado de pensamento catastrófico. Você não consegue achar uma vaga no estacionamento, então conclui que o resto do dia está arruinado.

Perfeccionismo – Você termina um projeto no trabalho e ele é bem recebido, mas você percebe que esqueceu de compartilhar uma parte dele. Em vez de ficar feliz porque o que apresentou foi bem recebido, você se atormenta pela parte que esqueceu de compartilhar. Você amplifica o negativo em vez do positivo.

Personalização – Quando acontece algo ruim, você automaticamente encontra um jeito de se culpar.

Julgamento – Você tende a ver as coisas como certas ou erradas, branco ou preto. Você é rápida em rotular dessa forma, em vez de ficar aberta a outras possibilidades.

Agora que você pode identificar seus pensamentos negativos mais prontamente, vamos enfocar maneiras de convertê-los em pensamentos positivos. Como qualquer hábito, vai exigir tempo e prática, mas renderá uma vida de resultados positivos. Examine os seguintes sete passos para aumentar a energia positiva em sua vida.

Pergunte a si mesma: "Sobre o que eu costumo pensar de forma negativa?". Se for verdadeiramente honesta consigo, você pode se deparar com vários aspectos de sua vida. Pode estar relacionado ao trabalho, à família, ou a como você se vê. Escolha um aspecto para focar primeiro.

1. Exercite-se pelo menos três vezes por semana, ou aumente o nível atual do exercício.
2. Faça uma dieta saudável para proporcionar boa nutrição ao corpo e à mente.
3. Reserve um tempo diariamente para refletir sobre quais pensamentos negativos você teve naquele dia. Pense como pode transformar um pensamento negativo em positivo. Por exemplo, em vez de dizer: "É muito difícil", diga a si mesma: "Vamos dar uma tentada!".
4. Acrescente humor à sua vida. Os estudos comprovaram que o humor ajuda a reduzir o estresse e traz otimismo para a vida.
5. Crie um ambiente positivo. Coloque luz, arte alegre e frases positivas nos ambientes de trabalho e da casa.
6. Passe tempo com gente positiva. Reduza o tempo que você tem que passar com gente negativa.

7. Engaje-se em diálogo interno positivo.

Ao começar a praticar esses métodos, você verá resultados tangíveis. Vai se ver sorrindo mais, mais confiante e otimista a respeito do futuro. Além disso, estará mais sintonizada com os outros à sua volta, mais empática, e assim criará um ambiente melhor para sua mente subconsciente ficar em sintonia com a Inteligência Infinita.

COMBINANDO PENSAMENTO POSITIVO E EMPATIA

Você alguma vez já soube quem estava ligando antes de atender o telefone? Você alguma vez se viu pensando em alguém e ao levantar os olhos deu de cara com aquela pessoa? Ou, se não estavam no mesmo local, o telefone tocou e era ela?

Isso é telepatia, e todas nós a experimentamos. É a capacidade de se comunicar sem palavras ou linguagem corporal. Em geral, essa comunicação ocorre entre pessoas próximas, mas também pode acontecer entre pessoas separadas por uma grande distância.

No *Pense e enriqueça* original, Napoleon Hill ressalta a importância da telepatia e seu papel na aplicação bem-sucedida do princípio da MENTE SUPERIOR. Ele referiu-se à relação íntima de trabalho que tinha com dois colegas e como estimulavam suas mentes para encontrar a solução de problemas trazidos até eles.

Ele descreveu o processo: "O procedimento é muito simples. Sentamos à mesa de reuniões, expomos claramente a natureza do problema que temos sob consideração, a seguir começamos a discuti-lo. Cada um contribui com quaisquer pensamentos que possam ocorrer. A coisa estranha desse método de estimulação mental é que coloca cada participante em comunicação com fontes desconhecidas de conhecimento definitivamente externas à sua própria experiência".

Ao penetrar nessas fontes desconhecidas de conhecimento, você consegue expandir seu pensamento e receber a sabedoria da Inteligência Infinita. Hill acreditava que isso facilitaria o sexto sentido, que é descrito no próximo capítulo, a ajudar a criar realidade material a partir do Propósito Definido.

O CAPÍTULO NA PRÁTICA – EM MINHA VIDA

Ao escrever este capítulo, aprendi muita coisa sobre o cérebro e as diferenças entre homens e mulheres que gostaria de saber anos atrás.

As aptidões naturais das mulheres para a empatia e a colaboração nos deixam em ótima situação para termos sucesso no futuro, à medida que os negócios deslocam-se do mundo competitivo do cada um por si para um ambiente de negócios mais colaborativo e cooperativo.

Existem, porém, dois assuntos adicionais que preciso abordar a partir da minha experiência ao longo dos anos. Quando falamos sobre negatividade, ela pode aparecer em você de forma direta ou se esgueirar de modo furtivo.

Por exemplo, vamos examinar os temas da fofoca, sarcasmo e empregados infelizes. Fofoca e sarcasmo podem começar como uma conversa fiada inocente entre amigos ou colegas de trabalho, mas se transformar em veneno mortalmente nocivo. De modo semelhante, um empregado infeliz pode usar sua infelicidade para criar um ambiente de trabalho tóxico para todo mundo.

Todas nós fofocamos ou fomos sarcásticas, e muito provavelmente todas fomos machucadas por fofoca ou sarcasmo dirigido a nós.

Ao longo dos anos, aprendi algumas táticas simples para ajudar a minimizar a fofoca e o sarcasmo e ficar longe de empregados ou colegas de trabalhos infelizes, tais como:

1. Manter-me ocupada fazendo algo construtivo.
2. Simplesmente evitar a pessoa propensa à fofoca, sarcasmo ou que seja infeliz.
3. Quando exposta à negatividade, ter por hábito me afastar. Mesmo que apenas escute, ainda assim estou participando da disseminação da negatividade.
4. Ter cuidado com o que compartilho com os outros sobre a minha vida; a coisa pode voltar para me assombrar.
5. Se estou desconfortável, encontro alguém treinado para me ajudar e então compartilhar meus sentimentos, em vez de mantê-los reprimidos.
6. Combater a negatividade com algo positivo.

Ao praticar esses seis passos, você consegue minimizar sua exposição à negatividade associada a fofoca, sarcasmo e colegas de trabalho ou empregados infelizes.

Minha amiga Donna Root ajudou a criar um processo para quando me vejo esquentando a cabeça com algo perturbador em minha vida. Chamei isso de meu "triturador" pessoal em um capítulo anterior.

Ela disse que, quando me sentisse consumida por um pensamento negativo, eu deveria fazer o seguinte:

1. Imaginar-me dirigindo um carro.
2. Parar por tempo suficiente para identificar o pensamento específico.
3. Visualizar o pensamento como separado e distinto de "mim".
4. Colocar o pensamento no assento de passageiros do meu carro.
5. Perguntar para o pensamento: "O que eu devo aprender com você?".
6. Se houver uma lição a ser aprendida, aprendê-la.
7. Se não, dizer ao pensamento que ele não tem potência.
8. Ir tratar da minha vida – no controle dos pensamentos.

E, quando todo o resto falha, coloco um som da Motown e começo a dançar!

A MENTE SUPERIOR DA IRMANDADE

A sabedoria de mulheres importantes e bem-sucedidas sobre o CÉREBRO:

ERMA BOMBECK (1927-1996)
HUMORISTA, COLUNISTA E ESCRITORA NORTE-AMERICANA
"Tenho uma teoria a respeito da mente humana. Um cérebro é muito parecido com um computador. Vai apenas juntar muitos fatos, e então ficar sobrecarregado e explodir."

MAYA ANGELOU
ESCRITORA E POETA NORTE-AMERICANA
"A ideia é escrever de modo que as pessoas ouçam, e aquilo deslize pelo cérebro e vá direto para o coração."

ANNIE BESANT (1847-1933)
SOCIALISTA BRITÂNICA E ATIVISTA DOS DIREITOS DAS MULHERES
"Assim como o calor do carvão difere do carvão em si, a memória, percepção, julgamento, emoção e vontade diferem do cérebro, que é o instrumento do pensamento."

"Aprendemos muito durante o sono, e o conhecimento assim obtido infiltra-se lentamente no cérebro físico, e ocasionalmente o impressiona como um sonho vívido e elucidativo."

FARRAH FAWCETT (1947-2009)
ATRIZ E ARTISTA NORTE-AMERICANA
"Deus deu às mulheres intuição e feminilidade. Usada de forma adequada, a combinação embaralha facilmente o cérebro de qualquer homem que já conheci."

BARBARA DE ANGELIS
CONSELHEIRA DE RELACIONAMENTOS, PALESTRANTE E ESCRITORA NORTE-AMERICANA
"O cérebro de um homem passa muito mais trabalho para ir do pensamento para o sentimento do que o cérebro da mulher."

SUSAN BLACKMORE
ESCRITORA FREE-LANCE, PALESTRANTE E RADIALISTA INGLESA
"Em proporção à massa de nosso corpo, nosso cérebro é três vezes maior que o de nossos parentes mais próximos. Esse órgão enorme é perigoso e doloroso de se dar à luz, dispendioso para ser formado e, num humano em repouso, usa cerca de 20% da energia do corpo, embora represente apenas 2% do peso do corpo. Deve haver algum motivo para toda essa despesa evolutiva."

SUSANNAH CAHALAN
REPÓRTER NORTE-AMERICANA E AUTORA DE BRAIN ON FIRE
"A mente é como um circuito de luzes de árvore de Natal. Quando o cérebro trabalha bem, todas luzes cintilam radiantes, e ele é tão adaptável que muitas vezes, mesmo que um bulbo queime, o resto continua aceso. Porém, dependendo de onde é o estrago, às vezes aquele único bulbo queimado pode fazer todo o fio apagar.

MARILYN FERGUSON (1938-2008)
ESCRITORA, EDITORA E CONFERENCISTA NORTE-AMERICANA
"Os cálculos do cérebro não requerem nosso esforço consciente, apenas nossa atenção e nossa abertura para deixar a informação passar. Embora o cérebro absorva universos de informação, pouco chega à consciência normal."

MARIANNE WILLIAMSON
PROFESSORA ESPIRITUAL, ESCRITORA E PALESTRANTE

"Você pode acreditar que é responsável pelo que faz, mas não pelo que pensa. A verdade é que você é responsável pelo que pensa, porque apenas neste nível você pode exercer escolha. O que você faz vem do que você pensa."

KATIE KACVINSKY
ESCRITORA NORTE-AMERICANA DE FICÇÃO JUVENIL E ADULTA

"Pensamentos são circulares, não levam você a lugar algum. Eles não têm pés – não podem vencer terreno algum. Podem prendê-la numa armadilha se você afinal não se levantar e se mexer."

DREW BARRYMORE
ATRIZ E DIRETORA DE CINEMA NORTE-AMERICANA

"Pessoalmente, lutei por anos com minha aparência física. Eu costumava dizer a mim mesma: 'Você não pode usar nada sem mangas ou sem alças'. De repente, foi tipo: 'E se eu simplesmente não mandasse essas mensagens negativas para meu cérebro e dissesse: use e divirta-se'. Hoje estou mais confortável que nunca com as roupas."

MARILU HENNER
ATRIZ, PRODUTORA E ESCRITORA NORTE-AMERICANA

"Pesquisas mostraram que mesmo pequenas quantidades de alimento processado alteram o equilíbrio químico em nosso cérebro e causam oscilações de humor negativas junto com quedas perceptíveis de energia."

"Alimentos saudáveis integrais também melhoram nossa função cerebral."

No próximo capítulo Hill nos traz seu último princípio, ou o ápice da filosofia de *Pense e enriqueça*, o Sexto Sentido, a Porta para o Templo da Sabedoria. O Sexto Sentido é inspirado por e ativa a Imaginação Criativa quando todos os outros princípios estão reunidos.

PERGUNTE A SI MESMA

Use seu diário ao percorrer este trecho para identificar suas etapas de ação, ativar seus momentos de "sacação" e criar seu plano para obter sucesso!

Depois de ler sobre o subconsciente e o cérebro e como eles operam em conjunto, tome um tempo para meditar sobre o que leu e como isso se aplica à sua vida.

Pense em alguns de seus traços positivos e registre-os em seu diário.

Agora pense em algumas coisas que você gostaria de mudar em si e registre-as.

Responda às seguintes perguntas:

- Você tende a fazer drama demais?
- Você é perfeccionista?
- Você leva tudo para o lado pessoal?
- Você é julgadora?
- Você tende a fofocar?
- Você é sarcástica?

Escolha um traço negativo que você gostaria de superar e converter em um traço positivo. Registre em seu diário e comprometa-se a trabalhar nesse traço primeiro. Pratique o hábito de se dar conta quando começar a pensar nele.

Agora, reveja os sete métodos da página 225 para melhorar a energia positiva em sua vida. Selecione pelo menos um deles e se comprometa a empregá-lo ao longo do próximo mês.

Ao final do mês, registre sua experiência no diário pessoal. Então, escolha outro para enfocar.

Lembre-se de pensar em algo positivo a cada noite antes de dormir.

Bons sonhos!

13

O sexto sentido

A porta para o templo da sabedoria

Confie nos seus palpites ... Palpites em geral baseiam-se em fatos arquivados logo abaixo do nível consciente.
– DRª JOYCE BROTHERS

VOCÊ ALGUMA VEZ SENTIU ANTIPATIA IMEDIATA POR ALGUMA PESSOA assim que a conheceu, porque simplesmente "soube" que não dava para confiar nela?

Você alguma vez teve um calafrio e sentiu os cabelos da nuca se arrepiarem, e percebeu que sua intuição estava emitindo uma chamada de emergência?

Você alguma vez tomou uma decisão contrária aos conselhos de seus parceiros de negócios, ou familiares e amigos, porque simplesmente "sabia" que era o certo?

Você alguma vez acordou com uma "grande nova ideia"?

Esses palpites, sensações viscerais, lampejos de "conhecimento", tapinhas no ombro ou inspirações muito provavelmente são o seu SEXTO SENTIDO em ação. O SEXTO SENTIDO é sua mente subconsciente, referida como Imaginação Criativa nos capítulos anteriores. Hill chamou-o de porta para o templo da sabedoria, pois descreveu como isso conecta você à Inteligência Superior e se torna o "aparelho receptor pelo qual ideias, planos e pensamentos reluzem na mente".

Você só ativa seu SEXTO SENTIDO plenamente após dominar os primeiros doze passos do sucesso. Conforme explica Hill, o SEXTO SENTIDO é a combinação dos reinos mental e espiritual, e lhe permite contatar o que ele chama de Mente Universal. Ao desenvolver seu SEXTO SENTIDO você vai perceber que ele atua como seu "anjo da guarda", abrindo a porta para o Templo da Sabedoria na hora certa.

O SEXTO SENTIDO ajuda a transformar seus DESEJOS ARDENTES em planos organizados e converte estes planos em realidade concreta, ou material. Uma vez que entenda o processo e o coloque em prática, você transformará seu conhecimento em ENTENDIMENTO. O entendimento é auxiliado quando você reconhece e penetra seu SEXTO SENTIDO. Ele vai alçar você a um nível superior de entendimento e consciência mental.

A palavra "intuição" deriva da palavra em latim intuir, que significa "conhecimento vindo de dentro".

O *Merriam-Webster's Collegiate Dictionary* define "intuição" como "uma aptidão ou poder naturais que torna possível conhecer alguma coisa sem qualquer prova ou indício; uma sensação que guia uma pessoa a agir de determinada maneira sem que entenda plenamente por quê".

Donna Root ressalta que todos têm um SEXTO SENTIDO, mas nem todo mundo dá ouvidos a ele: "Embora todos nós nasçamos com um SEXTO SENTIDO, a maior parte da população anteriormente deu pouco valor ao dom ilógico de entender o incognoscível. Acredito que, ao longo da história, as mulheres tiveram a grande sabedoria de não ter que explicar logicamente o que 'sabem em seu íntimo' que é real e verdadeiro, ainda que ilógico. 'Intuição feminina' é a capacidade de ir em frente utilizando um conhecimento intuitivo sem ter que ter uma explicação lógica. A capacidade de continuar a intensificar esse sentido é de fato uma questão de disciplina.

"A capacidade de criar a partir desse SEXTO SENTIDO e de estar totalmente sintonizada nele é uma forma consciente de viver no mundo, e, como mulher, acredito que seja mais fácil para nós expandir e magnificar os dons do SEXTO SENTIDO. Estamos vivendo em uma época maravilhosa, em que a ciência descartou certos mitos antes embutidos em nossa cultura e nosso pensamento. Hoje em dia sabemos que vivemos em um universo totalmente conectado e que podemos ir mais alto em consciência do que nosso atual estado de consciência permite."

Esse estado de consciência mais elevado é onde recebemos orientação, recebemos o nível superior de entendimento e nos conectamos com a Inteligência Infinita.

Você pode perguntar: isso é uma conexão ocasional? Ou está disponível a qualquer momento?

Shakti Gawain nos ensinou a ouvir a intuição e confiar nela como uma luz guia há mais de vinte anos com o livro Living in the Light. Em uma entrevista com B. J. Gallagher, do *Huffington Post*, ela reiterou a importância disso: "É tão prático conectar-se a essa fonte de orientação em um esquema cotidiano, a toda hora. Sua intuição vai dizer onde você precisa ir; vai conectá-la com pessoas que você deve conhecer; vai guiá-la na direção do que é importante para você – um trabalho que traga alegria, um trabalho que pareça certo para você. Ouvir seu sistema de orientação interior vai levar a uma vida mais rica, realizada, feliz. Esta tem sido a minha experiência, e milhões de pessoas podem atestar o mesmo em sua vida".

Além de ser nossa luz guia, nossa intuição também atua como protetora e rede de segurança, emitindo sinais de alerta se algo está fora de sintonia. Mais uma vez, precisamos estar cientes e preparadas para ouvir esses sinais de alerta.

A médica Judith Orloff, psiquiatra credenciada e professora assistente de clínica em psiquiatria na UCLA, bem como autora de *best-sellers*, valida o importante papel que a intuição desempenha em nos manter a salvo. Ela define a intuição como uma "potente forma de sabedoria interior, não mediada pelo intelecto. Acessível a todos, é uma vozinha tranquila dentro de nós – uma narradora inflexível da verdade, comprometida com nosso bem-estar. Você pode experimentar sua intuição como uma sensação visceral, um pressentimento, uma sensação física, um lampejo súbito, ou um sonho. Sempre amiga, a intuição mantém um olho atento em nosso corpo, informando se alguma coisa está fora de sincronia".

INTUIÇÃO OU EMOÇÃO?

É importante reconhecer que a emoção pode parecer intuição e, portanto, pode ser fácil confundir as duas. Saber intuitivamente que você não deve dizer ou tomar uma atitude não é a mesma coisa que ficar apavorada por fazê-lo. Entretanto, pode parecer que seja o medo que esteja dizendo para você evitar.

A diferença-chave entre emoção e intuição ou SEXTO SENTIDO é que esta última baseia-se no conhecimento – pode ser um conhecimento inexplicável, mas ainda assim conhecimento. Emoções como ressentimento, raiva e mesmo felicidade podem toldar uma situação com inverdade e, por isso, bloquear a comunicação entre você e a intuição.

O medo em especial é muito eficiente em bloquear a intuição. Como essa emoção opera a partir da falsa suposição de que o mundo é um lugar perigoso e assustador, só pode oferecer orientação falsa. De fato, a orientação que você recebe do medo resultará em um gasto maior de energia para "ter controle" do que em descobrir formas de apoiar seu propósito definido e desejo ardente.

Quando pensamos que nossa "intuição" está no modo "perigo", emitindo sinais de alerta, é muito importante assegurar-se de que é mesmo nossa intuição e que não estamos sendo confundidas pela emoção do medo. O medo causa sensação de impotência para mudar nossas circunstâncias relativas a alguma situação iminente, ao passo que a intuição dá o poder de mudar as circunstâncias para melhor e empurra na direção certa. A doutora Orloff estabelece as seguintes distinções entre experimentar intuição e medo irracional:

- Uma intuição confiável transmite informações de maneira neutra, sem emoção.
- Uma intuição confiável lhe parece certa em seu íntimo.
- Uma intuição confiável tem um tom compassivo, afirmativo.
- Uma intuição confiável fornece impressões resolutas, claras, que primeiro são "vistas", depois sentidas.
- Uma intuição confiável transmite uma sensação desapegada, semelhante a estar no cinema vendo um filme.
- Um medo irracional é altamente carregado de emoção.
- Um medo irracional tem conteúdo cruel, aviltante ou delusório (ou contra si mesma ou contra os outros, talvez ambos).
- Um medo irracional transmite uma confirmação ou sensação certeira não visceral.
- Um medo irracional reflete feridas psicológicas do passado que não foram curadas. Um medo irracional reduz o centramento e a perspectiva válida.

Você consegue pensar em uma ocasião em que pensou estar reagindo à sua intuição, apenas para mais tarde perceber que estava reagindo ao medo? No futuro, a fim de ajudar a determinar se você está sendo guiada pela intuição ou controlada pela emoção, dedique tempo a fazer as seguintes perguntas a si mesma.

1. Estou tendo uma reação física? Caso esteja, seu subconsciente pode estar manifestando-se de forma física. A intuição parece "certa" em seu íntimo, o medo cria sensações negativas em seu íntimo.
2. Posso dizer com absoluta convicção que eu "apenas sei" que algo é verdade, correto ou necessário? Esse é o seu SEXTO SENTIDO dando um tapinha no seu ombro. Intuição é o instinto combinado com seu conhecimento e capacidade cognitiva.
3. A sua certeza sobre um ponto de vista dura apenas momentaneamente e a seguir seu diálogo interno tenta convencê-la de que você está errada? Se existe uma emoção intensa ligada a essa experiência, você pode estar recebendo orientação falsa dessa emoção.
4. Você está experimentando emoção ligada a uma experiência prévia? Caso esteja, talvez precise aquietar sua mente lógica e permanecer com a emoção por tempo bastante para permitir que sua intuição abra caminho.
5. Você permite que sua emoção, ou desejo de estar "no controle", influencie sua tomada de decisão e então rotula isso como intuição? Você está bloqueando sua intuição. Se largar a necessidade de estar "no controle", você pode começar a sentir a intuição fluir livremente.
6. Seus pensamentos estão tratando do presente ou do futuro? A intuição trata tipicamente do que está acontecendo no presente, agora mesmo, enquanto o medo lida com possíveis resultados negativos no futuro.

VOCÊ ESTÁ NO CONTROLE?

Estar "no controle" é um caso sério para muitas mulheres. Quando está em estado de medo, você na verdade está cedendo o controle para algo que pode acontecer ou não no futuro. (Estamos falando aqui de medo imaginário – não de um medo muito real, como escapar de um prédio em chamas.) Entretanto, mesmo quando é a intuição que fala com elas, muitas mulheres tendem a rejeitá-la, e não se beneficiam dela.

É bem provável que este capítulo tenha feito você recordar de várias ocasiões em que sua intuição, ou SEXTO SENTIDO, protegeram-na ou proporcionaram aquele momento de "sacação". Mas pergunte a si mesma se você tem sido uma receptora inocente das mensagens que a intuição envia, ou se as tem empregado e usado como uma ferramenta para sondar a Inteligência Infinita a fim de obter o nível superior de entendimento.

Como você ativa e desenvolve sua intuição, ou SEXTO SENTIDO?

Primeiro, pergunte a si mesma se aceita a existência de seu SEXTO SENTIDO. A abertura para receber orientação é absolutamente essencial, visto que Hill referiu-se à intuição como o anjo da guarda no portão do Templo da Sabedoria.

Crie o melhor ambiente para permitir que seu corpo e mente fiquem quietos, elimine a tagarelice, de modo que tenha mais condições de receber orientação.

Seus pensamentos são positivos ou negativos? Pensamentos positivos abrem a mente, enquanto pensamentos negativos, quase que com certeza, irão fechar sua mente.

Aprenda a fazer perguntas e fique receptiva para receber a resposta da Inteligência Infinita.

Peça orientação antes de dormir à noite e preste atenção nos sonhos.

Enquanto escrevia este livro, eu estava tentando encontrar exemplos para compartilhar com vocês, quando deparei com uma postagem em blog chamada "A hora do dia MAIS importante para empreendedoras", de Ali Brown, postada exatamente cinco dias antes de eu começar a procurar. Foi a intuição em funcionamento. Pedi ajuda e "topei por acaso" com o site. Um trecho do que ela escreveu:

> Deixe-me compartilhar um segredo com você: eu NUNCA tenho verdadeira clareza, grandes ideias ou respostas brilhantes sentada à mesa ou trabalhando no computador. Elas SEMPRE são geradas quando me dou espaço e silêncio.
>
> A fim de receber o que chamo de "Downloads Divinos" – as respostas ou momentos de "sacação" –, eu preciso limpar um pouco de RAM no meu cérebro. Assim como no computador, se você tem vinte aplicativos abertos e rodando, eles vão usar toda a sua energia. Você não vai conseguir o que precisa. É necessário um **reboot**! Assim, limpar a cabeça e se abrir para as respostas é a chave.
>
> Quando está nesse estado meditativo, você abre seu coração e sua mente e se conecta de verdade com sua natureza espiritual. Chame como quiser, mas para mim é conectar-se ao Espírito. É entregar sua mente à conexão com algo mais profundo.
>
> **Tempo em silêncio permite ouvir respostas**. Você apenas escreve uma pergunta, escuta e vê o que aparece. De início você pode pensar que está simplesmente inventando. Mas mais tarde percebe que o que veio até você foi um FLUXO de ideias.
>
> O ponto é adquirir o HÁBITO de se conectar com o Espírito.

> Uma vez que domine a arte de ficar quieta, você consegue começar a ouvir os sussurros do Divino – as vozes que estavam tentando chegar a você o tempo todo.

Não só criar o ambiente é importante (o tempo em silêncio que Ali menciona); igualmente importante é a necessidade de "pedir" a orientação.

E Beverly Sallee considera ter aprendido a pedir orientação de seu SEXTO SENTIDO, um elemento integrante de seu sucesso na construção de uma rede internacional de proprietárias de negócios. Ela compartilha:

> As mulheres costumam dizer: "Simplesmente tive uma sensação".
> Os homens às vezes riem e pedem uma base factual para isso.
> Napoleon Hill chamou de "imaginação criativa" ou "palpites".
> Como parte importante do desenvolvimento de meu sexto sentido, aprendi a praticar a "escuta em oração". Na Bíblia, Tiago 1:5 diz: "Se algum de vocês carece de sabedoria, peça a Deus, que a todos homens dá livremente e não repreende por pedir".
> Ao montar meu negócio na Índia, muitas vezes passei longos dias em aconselhamento com novas proprietárias da rede. Elas comentavam: "Como você sabia para perguntar isso?", ou: "Quem lhe contou isso sobre nós?". Eu respondia: "Pedi sabedoria a Deus". Como resultado de minha escuta em oração, meu negócio na Índia cresceu com muita rapidez.
> Como resultado desse sucesso nos negócios, consegui proporcionar escola e cuidado médico para muitos órfãos na Índia.
> Vale a pena pedir orientação.

Intuição é o mecanismo pelo qual o conhecimento implícito fica disponível durante um caso de tomada de decisão. Confie em seu conhecimento, peça orientação e permita à sua intuição guiá-la na direção certa!

O CAPÍTULO NA PRÁTICA – EM MINHA VIDA

Minha intuição, ou meu sexto sentido, sempre foi forte, mas nem sempre dei ouvidos. De fato, na maior parte de minha vida, ignorei-a. Lembro de várias ocasiões na escola quando a primeira resposta que me vinha à mente em uma prova era a correta, mas eu racionalizava sobre por que outra resposta deveria estar certa e então escolhia a resposta errada. Desnecessário dizer que eu deveria ter aprendido depressa – mas não aprendi.

Conforme compartilhei em capítulos anteriores, minha criação foi centrada em trabalhar arduamente e se sair bem na escola. Minha família era intelectual, racional, e qualquer sinal de emoção era considerado um sinal de fraqueza. Assim, aprendi que a maioria das coisas são certas ou erradas, pretas ou brancas, e que ser lógico e racional gerava recompensa. Como resultado, fui muito bem na escola. Contudo, naquele tipo de ambiente você tende a se tornar cética sobre qualquer coisa que não seja preta ou branca. Se você não pode provar alguma coisa, então ela não existe.

Como resultado, me tornei muito séria e focada quanto ao futuro. Esqueci de "estar presente".

As criancinhas de início são muito intuitivas. Criam todos os tipos de ambientes e amigos imaginários, talvez como resultado tanto da imaginação quanto da intuição. Criancinhas a brincar parecem flutuar pelo ar, curtindo apenas "estar". Ao ficarmos mais velhas, entretanto, somos ensinadas a ouvir ordens. Aqueles com maior autoridade (professor, pai, adulto bem intencionado) sabem mais que nós. Como resultado, começamos a olhar em volta para ver o que os outros estão fazendo, buscando orientação dos outros, duvidando de nossa própria capacidade de tomar decisões. Começamos a duvidar de nossa sabedoria interior e, portanto, de nossa intuição.

Napoleon Hill fala sobre o "medo da crítica" como um dos seis medos fantasmagóricos que serão discutidos no próximo capítulo. Vejo este como um dos maiores problemas da sociedade hoje em dia. As pessoas se julgam pelos olhos dos outros, pelo que as outras pessoas pensam delas, em vez de construir sua autoconfiança e autoestima. Eu sou particularmente sensível ao medo da crítica porque sempre lutei comigo mesma. Sempre quis agradar os outros, certificando-me de ter feito o meu melhor absoluto, e de ter feito a coisa "certa", mesmo quando não era a coisa "certa" para mim, ou mesmo quando, para começar, eu não queria fazê-la.

Você se identifica com isso?

Tenho compartilhado vários momentos decisivos de minha vida nos quais ouvi minha intuição com sucesso e jamais me arrependi. Meu lema de vida – "Por que não?" – veio a mim por intermédio de meu sexto sentido quando pedi orientação. Hoje, estou mais ciente que nunca de que um poder superior está em operação, e me esforço para criar o ambiente para ficar mais receptiva o tempo inteiro.

Às vezes, ainda me pego não "estando presente". Tento pôr a culpa na agitação da minha vida e nas muitas responsabilidades que tenho. Minha vida é repleta de tantas oportunidades maravilhosas, e tento fazer tudo! Ao estar focada em "realizar, concluir e fazer as coisas acontecerem", descobri que havia perdido contato com o valor de apenas "estar". De fato, "estar-ocupada e estar-fazendo" eram minha desculpa para não estar presente. Hoje estou trabalhando para aprender a dizer chega, aprendendo a reduzir a "tagarelice" em minha vida e enfocando minha lista de coisas para parar de fazer, de modo que tenha mais tempo para apenas "estar".

Fui abençoada com anjos da guarda fabulosos a vida inteira. Minha intuição guiou-me para experiências fabulosas e várias vezes me salvou de revezes potenciais. Ao me permitir a aprender a "estar" com mais frequência, estou sentindo uma paz que jamais imaginei possível.

A MENTE SUPERIOR DA IRMANDADE

A sabedoria de mulheres importantes e bem-sucedidas sobre o SEXTO SENTIDO:

FLORENCE SCOVEL SHINN (1871-1940)

ARTISTA E ILUSTRADORA DE LIVROS NORTE-AMERICANA QUE SE TORNOU PROFESSORA ESPIRITUAL

"Intuição é uma faculdade espiritual e não explica, mas simplesmente aponta o caminho."

"Estou sempre sob inspiração direta. Sei o que fazer e presto obediência instantânea as minhas dicas intuitivas."

MARILYN MONROE (1926-1962)

NASCIDA NORMA JEAN MORTENSON; ATRIZ, MODELO E CANTORA NORTE-AMERICANA

"Uma mulher sabe por intuição, ou instinto, o que é melhor para ela."

GISELE BÜNDCHEN

MODELO BRASILEIRA, EMBAIXADORA DA BOA VONTADE DA ONU

"Quanto mais confia em sua intuição, mais empoderada, mais forte e mais feliz você fica."

JEAN SHINODA BOLEN

PSIQUIATRA E ESCRITORA SOBRE ESPIRITUALIDADE

"Insights provenientes de mitos, sonhos e intuições, de vislumbres de uma realidade invisível e da sabedoria humana perene nos fornecem pistas e palpites sobre o sentido da vida e para o que estamos aqui. Oração, observância, disciplina, pensamento e ação são os meios pelos quais crescemos e encontramos sentido."

MINNA ANTRIM (1861-1950)

ESCRITORA NORTE-AMERICANA, FAMOSA PELA FRASE: "A EXPERIÊNCIA É UMA PROFESSORA MARAVILHOSA, MAS ELA MANDA CONTAS TERRÍVEIS"

"Intuição é uma qualidade verdadeiramente feminina, mas as mulheres não devem confundir conclusões precipitadas com esse dom."

BETTY WILLIAMS

IRLANDESA, COGANHADORA DO PRÊMIO NOBEL DA PAZ DE 1976

"Compaixão é mais importante que o intelecto para suscitar o amor de que o trabalho da paz necessita, e a intuição muitas vezes pode ser um farol bem mais poderoso que a fria argumentação."

MADAME DE GIRARDIN (1804-1855)

ESCRITORA FRANCESA COM O PSEUDÔNIMO DE VICOMTE DELAUNAY

"O instinto é o nariz da mente."

ANNE WILSON SCHAEF

ESCRITORA E FEMINISTA, PH.D. EM PSICOLOGIA CLÍNICA

"Confiar em nossa intuição muitas vezes nos salva do desastre."

PERGUNTE A SI MESMA

Use seu diário ao percorrer este trecho para identificar suas etapas de ação, ativar seus momentos de "sacação" e criar seu plano para obter sucesso!

Registre em seu diário três ou quatro ocasiões de sua vida em que sua intuição, ou SEXTO SENTIDO, lhe proporcionou um momento de "sacação" ou a protegeu. Pense em alguma vez que sentiu arrepios, um nó na boca do estômago ou um frio na barriga – muito provavelmente foi sua intuição falando com você.

Você consegue lembrar de ocasiões em que ignorou sua intuição, ou SEXTO SENTIDO? Qual foi o resultado?

Reveja os passos para ativar e desenvolver sua intuição, ou SEXTO SENTIDO, fornecidos anteriormente neste capítulo e seja honesta consigo mesma. Você emprega essas técnicas?

- Primeiro, pergunte a si mesma se aceita a existência de seu SEXTO SENTIDO. A abertura para receber orientação é absolutamente essencial, sendo que Hill referiu-se à intuição como o anjo da guarda no portão do Templo da Sabedoria.
- Crie o melhor ambiente para permitir que seu corpo e mente fiquem quietos, elimine a tagarelice, de modo que tenha mais condições de receber orientação.
- Seus pensamentos são positivos ou negativos? Pensamentos positivos abrem a mente, enquanto pensamentos negativos, quase que com certeza, irão fechar sua mente.
- Aprenda a fazer perguntas e fique receptiva para receber a resposta da Inteligência Infinita.
- Além disso, peça orientação antes de dormir à noite e preste atenção nos sonhos.

Faça as seguintes perguntas para si mesma:

Você presta atenção quando seu corpo está cansado?
Você presta atenção à linguagem corporal das outras pessoas quando se encontra com elas?
Você se pega cruzando os braços quando está em uma situação desconfortável?
Você evita pessoas negativas?
Você se considera séria?
Você se considera espontânea?
Você pede orientação a um poder superior?
Você presta atenção aos sonhos?

No próximo mês, mantenha um diário e registre as vezes em que percebe sua intuição, ou SEXTO SEXTINDO, em funcionamento. Você ficará mais consciente dela e, como resultado, mais aberta a ela.

Mantenha seu diário ao lado da cama. Antes de ir dormir, faça uma pergunta a um poder superior, ou Inteligência Infinita. Por exemplo: "Como me desafiar para chegar ao próximo nível?". Então preste atenção aos sonhos, anote-os assim que acordar, mesmo que na hora não façam sentido.

Seu anjo da guarda está trabalhando.

14

Como ser mais esperta que os seis fantasmas do medo

Faça um inventário de si mesma enquanto lê este capítulo e descubra quantos "fantasmas" estão no seu caminho

Adquirimos força, coragem e confiança a cada experiência em que realmente paramos para olhar o medo de frente ··· devemos fazer o que pensamos não conseguir.
– ELEANOR ROOSEVELT

NAPOLEON HILL PASSOU MAIS DE VINTE ANOS DE SUA VIDA estudando mais de quinhentos dos homens mais bem-sucedidos de sua época, bem como milhares de pessoas que se consideravam umas fracassadas, e a partir disso desenvolveu a filosofia do sucesso que compartilha em *Pense e enriqueça*. Quando estava prestes a publicar, ele percebeu que, embora muita gente "saiba" o que precisa fazer a fim de ter sucesso, simplesmente NÃO FAZ!

Você consegue lembrar de alguma conhecida a quem isso se aplica? Alguém que se trava por medo ou outras crenças autolimitantes? Você consegue lembrar de alguma ocasião em que o seu medo a paralisou e impediu de ir em frente?

Por isso, Hill acrescentou o último capítulo do livro, "Como ser mais esperto que os seis fantasmas do medo", para ajudar as pessoas a superarem suas crenças autolimitantes. Ele chamou de fantasmas porque existem apenas na sua mente. Esses fantasmas criam INDECISÃO, DÚVIDA e MEDO. Hill sabia que a influência do medo é tão impactante que, depois de concluir *Pense e enriqueça*, escreveu *Mais esperto que o Diabo* como uma continuação para abordar especificamente a influência do medo e da negatividade e como superá-la.

Vamos examinar os Seis Fantasmas do Medo, os sintomas que Hill expôs para ajudar a reconhecer cada um deles, e alguns conselhos sábios que recolhi de mulheres de sucesso sobre como acabar com eles.

OS SEIS MEDOS BÁSICOS
Medo da POBREZA
Medo de CRÍTICAS no fundo da maioria das preocupações
Medo de PROBLEMAS DE SAÚDE
Medo de PERDER O AMOR DE ALGUÉM
Medo da VELHICE
Medo da MORTE

MEDO DA POBREZA

Ou você é senhora do seu dinheiro, ou é escrava dele.

O Medo da Pobreza é, sem dúvida, o mais destrutivo dos seis medos básicos. É o mais difícil de dominar.

Não há dúvida de que as mulheres têm uma enorme dose de medo a respeito de dinheiro. De acordo com o estudo Mulheres, Dinheiro & Poder 2013, da seguradora Allianz Life, quase metade de todas as mulheres norte-americanas têm medo de virar uma "mendiga". Isso inclui 27% de mulheres que ganham mais de US$ 200 mil por ano, e, mesmo com uma renda desse nível, ainda temem virar "mendigas".

Por que tantas mulheres delegam sua segurança financeira para um marido ou parceiro?

Por que tantas mulheres gastam mais do que ganham e ficam atoladas em dívidas?

SINTOMAS DO MEDO DA POBREZA

INDIFERENÇA – Falta de ambição.

INDECISÃO – Ficar "em cima do muro", ou deixar os outros pensarem por você.

DÚVIDA – Geralmente manifestada por meio de desculpas para seus fracassos.

PREOCUPAÇÃO – Geralmente manifestada pela descoberta de falhas nos outros.

CUIDADO EXCESSIVO – O hábito de olhar para o lado negativo de toda circunstância.

PROCRASTINAÇÃO – O hábito de deixar para amanhã o que deveria ter sido feito hoje.

O MEDO DA POBREZA pode ser superado educando a si mesma. Você pode dar o primeiro passo para a saúde financeira simplesmente ficando ciente de onde se encontra em termos financeiros. Aqui estão alguns passos que você pode dar para dominar o medo da pobreza:

1. Estabeleça metas financeiras ... peça o auxílio de um consultor de finanças.
2. Adquira educação financeira. Com mais educação você terá menos medo.
3. Não conte com outra pessoa para sua segurança financeira, como um marido ou parceiro.
4. Gaste menos do que você ganha – simples assim!
5. Componha um fundo de emergência.
6. Comece a investir – comece com pouco e aumente.
7. Preste atenção e se envolva com a gestão cotidiana do dinheiro, fale sobre isso com seu esposo.
8. Fique de olho em sua pontuação de crédito e trabalhe para deixá-la o mais alta possível.
9. Não gaste dinheiro para se sentir bem.
10. Aprenda com seus erros com dinheiro.

Em termos globais, as mulheres têm direito a herdar 70% dos US$ 41 trilhões em transferência de riqueza entre gerações ao longo dos próximos quarenta anos. É nosso dever nos tornarmos senhoras do nosso dinheiro em vez de escravas dele. Pense em formar um grupo de estudos com algumas amigas para estudarem e aprenderem juntas. Você vai sentir o seu empoderamento crescer à medida que adquire conhecimento sobre dinheiro e investimento – e se diverte fazendo isso.

A MENTE SUPERIOR DA IRMANDADE

A sabedoria de mulheres importantes e bem-sucedidas sobre o MEDO DA POBREZA:

JEAN CHATZKY
JORNALISTA FINANCEIRA NORTE-AMERICANA
"Você pode ter um novo começo hoje. Mas você tem que superar a sensação de que é tarde demais."

J. K. ROWLING
ESCRITORA BEST-SELLER DA SÉRIE HARRY POTTER
"A pobreza acarreta medo e estresse, e às vezes depressão. Depara com mil pequenas humilhações e privações. Sair da pobreza por esforço próprio, isso é algo do que se orgulhar; todavia, a pobreza em si é romantizada por tolos."

JEANE KIRKPATRICK (1926-2006)
EMBAIXADORA NORTE-AMERICANA E ARDENTE ANTICOMUNISTA
"Uma doutrina de luta de classes pareceu proporcionar uma solução para o problema da pobreza para pessoas que não sabem nada sobre como a riqueza é criada."

DIANA, PRINCESA DE GALES (1961-1997)
"Dizem que é melhor ser pobre e feliz do que rico e infeliz, mas que tal um meio-termo entre moderadamente rico e apenas mal-humorado?"

MAE WEST (1892-1980)
ATRIZ NORTE-AMERICANA E SÍMBOLO SEXUAL
"O amor vence todas as coisas, exceto pobreza e dor de dente."

RITA DAVENPORT
PALESTRANTE INTERNACIONAL E AUTORA DE *FUNNY SIDE UP*
"Para se tornar um sucesso, seu desejo tem que ser maior que seu medo."
"Dinheiro não é tudo, mas está lá no topo da lista, com o oxigênio."

MEDO DE CRÍTICAS

O medo de críticas é um dos maiores medos a travar as mulheres. Temos a tendência de nos ver pelos olhos dos outros em vez de nos sentirmos confiantes em nossa própria pele. Quando você tira um tempo para olhar friamente o grosso das críticas, a vasta maioria é insignificante e trivial. Todavia pode ter resultados devastadores. Pode roubar sua autoconfiança, levar embora sua iniciativa, destruir seu poder de imaginação e, ao fazer isso, criar um ambiente de negatividade autoimposta que pode semear a destruição em sua vida.

Hill nos lembra que os pais com frequência causam danos irreparáveis nos filhos por criticá-los, assim como nossos parentes mais próximos muitas vezes podem nos causar os maiores estragos.

SINTOMAS DO MEDO DE CRÍTICAS

INQUIETAÇÃO – Geralmente manifestada por nervosismo, timidez, movimento desajeitado das mãos e membros, desvio do olhar.

FALTA DE SERENIDADE – Falta de controle da voz, postura ruim, memória ruim.

PERSONALIDADE – Falta de firmeza de decisão, de encanto pessoal e de capacidade de expressar opiniões de modo decidido. Imitar os outros. Gabar-se.

COMPLEXO DE INFERIORIDADE – O hábito de expressar autoaprovação como forma de encobrir um sentimento de inferioridade. Usar "palavras difíceis" para impressionar os outros.

EXTRAVAGÂNCIA – O hábito de tentar "acompanhar os vizinhos", gastando além do que ganha.

FALTA DE INICIATIVA – Fracasso em abraçar oportunidades, medo de expressar opiniões, ser evasiva ou capciosa tanto em palavras quanto ações.

FALTA DE AMBIÇÃO – Preguiça mental e física, falta de autoafirmação, lentidão para chegar a decisões, facilmente influenciada pelos outros, relutância em aceitar a culpa por erros.

Todas nós ouvimos o ditado infantil: "Paus e pedras podem quebrar meus ossos, mas palavras jamais irão me machucar". Se pudéssemos internalizar esse ditado ao longo da vida, poderíamos evitar muita dor de cabeça.

Para a maioria das pessoas, a realidade é o que percebemos. É bem possível que sempre haja alguém que você perceba como mais bonita, mais magra, mais rica, mais saudável e simplesmente mais feliz. Em vez de se comparar com os outros, olhe-se no espelho e seja grata por VOCÊ. Diga a si mesma: "Você é fabulosa". Então pense em cinco coisas pelas quais você é grata.

A MENTE SUPERIOR DA IRMANDADE

A sabedoria de mulheres importantes e bem-sucedidas sobre o MEDO DE CRÍTICAS:

BILLIE JEAN KING
CAMPEÃ DE TÊNIS NORTE-AMERICANA
"Acho que a consciência de si provavelmente é a coisa mais importante para ser uma campeã."

ELEANOR ROOSEVELT (1884-1962)
PRIMEIRA-DAMA DOS ESTADOS UNIDOS (1933-1945)
"Faça o que seu coração sente que é certo – pois você será criticada de qualquer jeito. Você será condenada se fizer e condenada se não fizer."
"Ninguém pode fazer você se sentir inferior sem o seu consentimento."

DIANA ROSS
CANTORA, ARTISTA DA MÚSICA E ATRIZ NORTE-AMERICANA
"Críticas, mesmo quando você tenta ignorar, podem machucar. Eu chorei por causa de muitos artigos escritos sobre mim, mas sigo em frente e não me prendo naquilo."

MARY KAY ASH (1918-2001)
EMPRESÁRIA NORTE-AMERICANA, FUNDADORA DA MARY KAY COSMETICS
"Enfie cada pedacinho de crítica entre duas camadas de oração."

MEDO DE PROBLEMAS DE SAÚDE

Somos constantemente bombardeadas com assuntos de saúde e os mais novos medicamentos. Você provavelmente tem amigos queridos e/ou membros da família lidando com graves problemas de saúde. Você está cuidando do bem mais precioso que possui – sua mente e corpo?

Muitas mulheres tendem a colocar tudo e todos antes delas mesmas. Sei que sacrifiquei minha saúde muitas vezes porque priorizei coisas que tinha aprontar em vez de fazer o exercício e repouso adequados. Soa familiar?

Acabamos vendo os resultados físicos negativos de ignorar nossa saúde e começamos a nos preocupar com nossos problemas de saúde. Nossa mente também é um receptor muito poderoso. Os últimos anos de incerteza econômica, toda a conversa sobre temas de saúde nos meios de comunicação, e a necessidade de nos prevenirmos para nossos últimos anos de vida, na certa com má saúde – fomos e continuamos a ser bombardeadas com mensagens negativas que podem deflagrar nossos medos e ter impacto negativo em muitos aspectos físicos. Toda forma de pensamento negativo pode causar problemas de saúde.

SINTOMAS DO MEDO DE PROBLEMAS DE SAÚDE

AUTOSSUGESTÃO – Procurar e esperar encontrar sintomas de todos os tipos de doença. Experimentar remédios caseiros.

HIPOCONDRIA – O hábito de falar sobre enfermidades, concentrando a mente na doença e esperando que ela apareça. Pensamento negativo.

FALTA DE EXERCÍCIO – Interfere no exercício físico adequado e resulta em excesso de peso.

SUSCETIBILIDADE – Derruba a resistência natural do corpo e cria condições favoráveis para qualquer forma de doença.

MIMAR A SI MESMA – Buscar simpatia usando doenças imaginárias como isca.

INTEMPERANÇA – Usar álcool ou drogas para "tratar" dores em vez de eliminar suas causas.

A batalha contra o medo de problemas de saúde é vencida cuidando de nós mesmas! Uma mulher ativa, saudável e em sintonia com seu corpo se sentirá confiante em saber que é proativa na criação de uma vida de bem-estar sustentado. Manter uma atitude mental positiva também é muito importante para se manter uma boa saúde.

A MENTE SUPERIOR DA IRMANDADE

A sabedoria de mulheres importantes e bem-sucedidas sobre o MEDO DE PROBLEMAS DE SAÚDE:

NAOMI JUDD
CANTORA E COMPOSITORA NORTE-AMERICANA DE MÚSICA COUNTRY
"Seu corpo ouve tudo que sua mente diz."

ELIZA GAYNOR MINDEN
DESIGNER DA SAPATILHA DE PONTA GAYNOR MINDEN
"Respeite seu corpo. Coma bem. Dance para sempre."

DOROTHY PARKER (1893-1967)
POETA, CONTISTA E CRÍTICA NORTE-AMERICANA
"Dinheiro não pode comprar saúde, mas eu me contentaria com uma cadeira de rodas cravejada de diamantes."

KARYN CALABRESE
EMPRESÁRIA E CONHECIDA ESPECIALISTA EM SAÚDE HOLÍSTICA
"Se não cuidar disso, a máquina mais magnífica que jamais receberá, onde você vai morar?"

MEDO DE PERDER O AMOR

Este medo pode ser o mais doloroso de todos. Hill advertiu: "Análise cuidadosa mostrou que as mulheres são mais suscetíveis a esse medo que os homens".

Acho que esse medo anda de mãos dadas com o medo de críticas. Quando perdemos alguém que amamos por escolha dele, não nossa, com frequência nos julgamos muito severamente. Nos atormentamos culpando-nos com pensamentos negativos tipo: "O que foi que eu fiz de errado? Se eu tivesse feito mais para ele. Se eu fosse mais magra, mais bonita".

O medo de perder o amor muito provavelmente também está ligado à confiança. Uma mulher que imediatamente se culpa por uma relação pessoal fracassada provavelmente sofre de baixa autoestima ou autoconfiança de alguma forma ou outra. As seguintes estatísticas compartilhadas pela Coalizão de Confiança da Irmandade Kappa Delta mostram claramente essa falta de confiança nas mulheres:

- 90% de todas as mulheres querem mudar pelo menos um aspecto de sua aparência física;
- Apenas 2% das mulheres se acham bonitas.

SINTOMAS DO MEDO DE PERDER O AMOR

CIÚME – Suspeitar dos amigos e entes queridos sem qualquer evidência razoável.

ENCONTRAR DEFEITOS – Encontrar defeitos nos amigos, parentes, sócios de negócios e entes queridos.

JOGO – Jogar, furtar, trapacear e correr outros riscos perigosos para fornecer dinheiro a entes queridos, na crença de que o amor pode ser comprado.

Lidar com a perda do amor não é fácil. Contudo, uma mulher empoderada para ser forte, que tenha convicção em seus valores e seja financeiramente independente, sofrerá menos a perda do amor do que uma que espera que os outros criem sua felicidade e autovalorização.

A MENTE SUPERIOR DA IRMANDADE

A sabedoria de mulheres importantes e bem-sucedidas sobre o MEDO DA PERDA DO AMOR:

MARIANNE WILLIAMSON
ESCRITORA NORTE-AMERICANA
"Amor é aquilo com que nascemos. Medo é o que aprendemos aqui."

SONIA JOHNSON
FEMINISTA E ESCRITORA NORTE-AMERICANA
"O que mais devemos temer é o fracasso do coração."

HELEN KELLER (1880-1968)
ESCRITORA, ATIVISTA POLÍTICA E CONFERENCISTA NORTE-AMERICANA
"Aquilo de que gostamos um dia não podemos perder jamais. Tudo que amamos profundamente torna-se parte de nós."

MEDO DA VELHICE

Embrulhado no Medo da Pobreza e dos Problemas de Saúde, naturalmente, está o medo de envelhecer e o medo de "ficar" velha. O medo em si manifesta-se como medo de perder a liberdade e também a independência, tanto física quanto economicamente. Mais uma vez é intensificado pelo medo de críticas. Nos comparamos com versões mais jovens de nós mesmas e ansiamos pela juventude perdida.

SINTOMAS DO MEDO DA VELHICE

DESACELERAR – Acreditar que está derrapando por causa da idade.

DESCULPAR-SE POR "ESTAR VELHA" – Em vez de sentir-se grata por adquirir sabedoria.

MATAR A INICIATIVA, IMAGINAÇÃO E AUTOCONFIANÇA – Por acreditar falsamente que está velha demais para exercitar essas qualidades.

VESTIMENTA – Tentar parecer mais jovem.

Podemos evitar o medo da velhice permanecendo ativas e contribuindo para o mundo à nossa volta. Quando apreciamos o que temos e o que realizamos, e então compartilhamos nossos talentos com os outros, podemos celebrar a vida a cada dia em vez de ficar presas a como as coisas "costumavam ser".

A MENTE SUPERIOR DA IRMANDADE

A sabedoria de mulheres importantes e bem-sucedidas sobre o MEDO DA VELHICE:

BETTY WHITE

ATRIZ NORTE-AMERICANA, ESCRITORA E PERSONALIDADE DA TV

"[A velhice] não é surpresa, sabíamos que viria – tire o máximo de proveito disso. Assim, você pode não ser muito ágil, e a imagem no espelho pode ser um pouco decepcionante; contudo, se você ainda está ativa e sem dor, a gratidão deve ser o grande lance."

EMILY DICKINSON (1830-1886)

POETA NORTE-AMERICANA

"Não ficamos mais velhas com os anos, mas mais novas a cada dia."

ANNE SEXTON (1928-1974)

POETA NORTE-AMERICANA

"Em um sonho você nunca tem oitenta anos."

BETTE DAVIS (1908-1989)
ATRIZ NORTE-AMERICANA GANHADORA DO OSCAR
"Velhice não é coisa para os frouxos."

BRIGITTE BARDOT
ATRIZ, CANTORA E MODELO FRANCESA
"É triste envelhecer, mas bacana amadurecer."

MEDO DA MORTE

Ao envelhecermos, o medo dos problemas de saúde é ofuscado pelo medo da morte. Este medo é dificultado ou suavizado pelas crenças religiosas. Mas permanece o fato de que de tempos em tempos todas nós indagamos: "De onde vim e para onde vou?".

A morte vai chegar, não importa o que pensemos a respeito, nem importa o quanto tentemos evitar. Em vez de temer a morte, devemos focar no presente e aproveitar cada dia ao máximo.

Hill nos recorda: "Vida é energia, se é alguma coisa. Se nem energia, nem matéria podem ser destruídas, claro que a vida não pode ser destruída. A vida, como outras formas de energia, pode passar por vários processos de transição, mas não pode ser destruída. A morte é uma mera transição".

SINTOMAS DO MEDO DA MORTE
PENSAMENTO – Sobre morrer em vez de aproveitar o máximo da VIDA.
CAUSAS – Problemas de saúde, pobreza, falta de ocupação adequada, decepção amorosa, insanidade e fanatismo religioso.

O melhor conselho para ultrapassar o medo da morte é aproveitar ao máximo todo e cada dia. Se você tem um DESEJO ARDENTE DE REALIZAÇÃO e o ampara com o serviço prestativo aos outros, seu foco estará em viver uma vida significativa e não sobrará espaço para o medo da morte.

A MENTE SUPERIOR DA IRMANDADE

A sabedoria de mulheres importantes e bem-sucedidas sobre o MEDO DA MORTE:

MAYA YING LIN
DESIGNER E ARTISTA NORTE-AMERICANA
"Se não conseguirmos encarar a morte, jamais iremos superá-la.
Você tem que olhá-la direto no olho.
Então você consegue dar as costas e sair de volta para a luz."

HELEN KELLER (1880-1968)
ESCRITORA, ATIVISTA POLÍTICA E CONFERENCISTA NORTE-AMERICANA
"A morte nada mais é do que passar de um espaço para outro. Mas existe uma diferença para mim, sabe. Porque naquele outro espaço eu terei condições de enxergar."

KATHARINE HEPBURN (1907-2003)
ATRIZ NORTE-AMERICANA DE CINEMA, TEATRO E TELEVISÃO
"A morte será um grande alívio. Mais nada de entrevistas."

J. K. ROWLING
AUTORA BRITÂNICA DA SÉRIE DE FANTASIA
"Para a mente bem organizada, a morte é apenas a próxima grande aventura."

PREOCUPAÇÃO E MEDO – OS INIMIGOS DA FELICIDADE

"Preocupação é um estado mental baseado no medo. Trabalha lentamente, mas de modo persistente. É insidiosa e sutil. Passo a passo se 'entrincheira' até paralisar a faculdade do raciocínio, destruir a autoconfiança e iniciativa. Preocupação é uma forma de medo sustentado causado pela indecisão; portanto, é um estado mental que pode ser controlado." Esse é um poderoso conselho atemporal de Napoleon Hill.

Anteriormente compartilhei a definição de preocupação que mudou minha vida:

Preocupar-se é rezar para aquilo que você NÃO quer.

Sempre que me vejo na espiral descendente causada pela preocupação, paro e repito essa definição para mim mesma continuamente, até me acalmar.

E mais sabedoria de Hill: "Você é a senhora de seu destino terreno, tão certamente quanto tem o poder de controlar seus pensamentos. Você pode influenciar, direcionar e por fim controlar seu ambiente, fazendo sua vida ser o que quer que ela seja – ou, você pode negligenciar o exercício do privilégio que é seu, de fazer sua vida sob encomenda, lançando-se assim no vasto mar das 'circunstâncias', onde será jogada de um lado para o outro, como um navio nas ondas do oceano".

Quando conclui que nada de positivo vem da preocupação, e que o preço dela de fato é mais alto do que você está disposta a pagar, você encontra paz mental e uma calma que lhe trará felicidade.

A MENTE SUPERIOR DA IRMANDADE

A sabedoria de mulheres importantes e bem-sucedidas sobre PREOCUPAÇÃO e MEDO:

CAMERON DIAZ
ATRIZ NORTE-AMERICANA
"O que nós mulheres precisamos fazer, em vez de nos preocuparmos a respeito do que não temos, é simplesmente amar o que temos."

EMMA GRAY
EDITORA DO HUFFPOST – WOMEN
"Com o passar dos anos, aprendi pequenos truques e mecanismos de enfrentamento para lidar com minha ansiedade: colocar os dois pés no chão, inspirar e expirar pelo nariz, dar uma caminhada, ficar ciente dos padrões de pensamento destrutivo e trabalhar ativamente para mudá-los. Vim a conhecer minha ansiedade como uma 'inimiga cordial' íntima e, quanto mais falo sobre ela, mais percebo que outras mulheres se identificam. Quando chegamos ao ponto de 23% das mulheres norte-americanas estarem todas lutando com os mesmos demônios, é hora de começar a falar deles e confrontá-los – coletivamente."

ALICE WALKER
ESCRITORA NORTE-AMERICANA, AUTORA DE A COR PÚRPURA, VENCEDORA DO PRÊMIO PULITZER E DO NATIONAL BOOK AWARD
"Aprendi a não me preocupar com o amor, mas honrar sua chegada com todo meu coração."

MARIA SHARAPOVA
TENISTA RUSSA DO RANKING MUNDIAL
"Não me preocupo com o que minha adversária esteja fazendo."

MARTHA BECK
SOCIÓLOGA NORTE-AMERICANA, TERAPEUTA, CONSELHEIRA DE VIDA E ESCRITORA BEST-SELLER
"Em vez de se afligir com fazer tudo, por que não simplesmente aceitar que estar viva significa ter coisas para fazer? Então mergulhe com engajamento total no que quer que esteja fazendo, e abandone a preocupação."

A OFICINA DO DIABO – O SÉTIMO MAL BÁSICO

Ao fechar essa discussão sobre os Seis Medos Básicos, Hill acrescentou um Sétimo Mal Básico, a Suscetibilidade a Influências Negativas. Ele adverte: "É MAIS PROFUNDAMENTE ARRAIGADO E COM FREQUÊNCIA MAIS FATAL QUE TODOS OS SEIS MEDOS".

Enquanto a capacidade de superar os seis medos básicos repousa em sua mente e na capacidade de controlar seus pensamentos, o sétimo mal básico pode ser melhor controlado por suas ações, bem como pela força de vontade em não permitir que a negatividade de outras pessoas permeie seu espírito e lhe puxe para baixo.

Por um momento, visualize-se no funeral de uma criança de seis anos de idade morta tragicamente em um acidente de carro. Você sente suas próprias emoções? Sente o peso ao seu redor causado por apenas pensar em um acontecimento triste como esse?

Agora, em contraste, visualize-se em uma festa com todos os seus amigos celebrando uma enorme VITÓRIA que você alcançou nos negócios. Você está dançado músicas da Motown e rindo com pessoas a quem quer bem. Você sente suas emoções agora? Sente a leveza ao seu redor causada apenas por pensar em um acontecimento feliz como esse?

Embora esses exemplos sejam relativamente óbvios, lidamos com esse tipo de montanha-russa emocional todos os dias. Você já recebeu uma ligação de uma amiga querida em crise e sentiu suas emoções serem imediatamente arrastadas para o grau de tristeza dela? É da natureza humana. Entretanto, se você conseguir treinar para se proteger de influências negativas, poderá levar sua amiga para um nível mais alto de felicidade.

Você pode se tornar um facho de luz e criar seu próprio ambiente de positividade.

A MENTE SUPERIOR DA IRMANDADE

A sabedoria de mulheres importantes e bem-sucedidas sobre as INFLUÊNCIAS NEGATIVAS:

HEIDI KLUM
MODELO, EMPRESÁRIA E DESIGNER DE MODA ALEMÃ-AMERICANA
"Acho importante deixar seu ambiente, bem como você mesma, em um estado positivo – o que significa cercar-se de gente positiva, não do tipo negativo e invejoso de tudo que você faz."

SOPHIA BUSH
ATRIZ NORTE-AMERICANA
"Me afastei de amizades ao notar que são pessoas que riem na frente de outras e falam destas no momento em que vão embora. Não tenho mais espaço na minha vida para esse tipo de energia negativa."

PEACE PILGRIM (1908-1981)
PROFESSORA ESPIRITUAL NÃO CONFESSIONAL E ATIVISTA DA PAZ NORTE-AMERICANA
"Se você percebesse o quanto seus pensamentos são poderosos, nunca teria um pensamento negativo."

JACQUELINE KENNEDY (1929-1994)
ESPOSA DO 35º PRESIDENTE DOS ESTADOS UNIDOS, JOHN F. KENNEDY
"Todas nós devemos fazer alguma coisa para corrigir os erros que vemos e não apenas reclamar deles."

HODA KOTB

ÂNCORA DE TELEJORNAL E COAPRESENTADORA DO TODAY

"Quando cheguei na NBC, pensei que seria como nadar com tubarões, cada um por si, tomar cuidado e toda essa coisa. Tenho que dizer que aprendi que você pode ser gentil, trabalhar duro e subir. Você não tem que jogar sujo ou fazer coisas que pensa que acontecem nas grandes corporações."

MARSHA PETRIE SUE

ESCRITORA E CONFERENCISTA

"Todo dia é um novo começo. Trate-o dessa maneira. Fique longe do que poderia ter sido e olhe para o que pode ser."

MARY MANIN MORRISSEY

PROFESSORA ESPIRITUAL NORTE-AMERICANA

"Embora você possa querer levar a vida adiante, pode ser que tenha um pé no freio. A fim de ficarmos livres, devemos aprender a soltar. Solte a mágoa. Solte o medo. Recuse-se a entreter a velha dor. A energia usada para se agarrar ao passado priva você de uma vida nova. O que você poderia soltar hoje?"

PERGUNTE A SI MESMA

Use seu diário ao percorrer este trecho para identificar suas etapas de ação, ativar seus momentos de "sacação" e criar seu plano para obter sucesso!

Dedique um tempo para pensar sobre seus pais e como eles lidavam com os Seis Medos. Registre seus pensamentos no diário pessoal. Apenas por rever como seus pais lidavam com cada medo, você pode descobrir a fonte de alguns de seus próprios medos.

Medo da POBREZA
Medo de CRÍTICAS no fundo da maioria das preocupações
Medo de PROBLEMAS DE SAÚDE
Medo de PERDER O AMOR DE ALGUÉM
Medo da VELHICE
Medo da MORTE

Agora examine o que escreveu sobre seus pais e como eles lidavam com o medo. Volte seu foco para seu esposo ou parceiro e anote como ele lida com cada um dos Seis Medos.

Agora, com o conhecimento de como seus pais e seu marido ou parceiro lidam com o medo, pense em como os medos deles tiveram impacto sobre você em cada uma das seis áreas.

Por fim dedique um tempo para registrar os seus pensamentos sobre cada medo, como e quando você experimentou cada um, e uma coisa que você se comprometerá a fazer para minimizar cada um deles no futuro.

A seguir, dedique um tempo para recordar ocasiões em que você ficou paralisada pelo medo. Anote tais episódios e o impacto físico e emocional deles.

Agora, você consegue lembrar de ocasiões em que o medo a motivou a fazer alguma coisa?

O medo pode tanto nos paralisar como motivar. Vamos nos empenhar para no futuro reagir ao medo com motivação para ter êxito.

A Oficina do Diabo – O Sétimo Mal Básico

Anote uma ocasião em que você foi influenciada por um ambiente negativo. (Lembre o exemplo do funeral da criança.)

Agora anote uma ocasião em que se sentiu influenciada por um ambiente positivo. (Lembre o exemplo da festa para celebrar uma VITÓRIA.)

Comprometa-se a ficar mais ciente da forma como o ambiente a influencia e use sua atitude mental positiva para também ajudar a deixar seu ambiente positivo.

15

Uma grande vida

A coisa mais difícil de se encontrar na vida
é equilíbrio – especialmente, quanto mais sucesso
você tem, mais olha para o outro lado do portão.
Do que eu preciso para permanecer aterrada, em contato,
apaixonada, conectada, emocionalmente equilibrada?
Olhar para dentro de mim.
– CELINE DION

ESTE LIVRO SEGUIU DE PROPÓSITO O ESQUEMA DE CAPÍTULOS do *Pense e enriqueça* original e abordou cada um dos "13 passos comprovados para a riqueza" de Hill pelos olhos de uma mulher e para as mulheres. Embora eu acredite que os passos para a riqueza e o sucesso sejam os mesmos para homens e mulheres, acredito que fundamentalmente, como mulheres, abordamos esses princípios com crenças diferentes, atitudes diferentes e pontos fortes e fraquezas diferentes.

Ao terminar de escrever *Pense e enriqueça para mulheres*, me senti compelida a acrescentar um capítulo de encerramento que aborda especificamente uma preocupação corrente para quase toda mulher que deseja criar uma vida de sucesso e significativa.

Você já lutou com prioridades conflitantes em sua vida?

Você já esteve no trabalho e se sentiu culpada por não estar com seu marido e filhos?

Você já esteve com os filhos e se sentiu culpada por não ter aprontado seu trabalho?

No final do dia você se sente culpada pelo que não fez em casa ou no trabalho, em vez de se sentir maravilhosa pelo que realizou?

Este capítulo aborda a propaganda que cerca as mulheres, convencendo-as de que precisam atingir e manter o "equilíbrio" em sua vida e enchendo-as de culpa e preocupação quando sentem que não estão "em equilíbrio" com a vida profissional e familiar. O resultado é que muitas mulheres encontram-se em estado constante de culpa e preocupação.

Fico maluca só de ouvir alguém reclamar por não ter equilíbrio em sua vida. Você se pergunta por que eu tenho essa reação?

A própria definição da palavra pelo *Merriam-Webster's Collegiate Dictionary* identifica o problema como "a capacidade de permanecer em uma posição sem perder o controle ou cair".

Quando é que as mulheres "permanecem em uma posição"?

Vamos demonstrar fazendo um pequeno exercício. Fique em pé, com os pés afastados na largura dos ombros. Deixe os braços caídos ao lado do corpo, mantendo-os imóveis. Agora feche os olhos e fique imóvel, em equilíbrio.

Pergunto a você: qual a relação dessa posição em que você está agora com sua vida diária? Você está em equilíbrio, e não está se mexendo!

Como mulheres, nunca ficamos paradas. Estamos em constante movimento. Além de estarmos sempre nos movimentando, estamos continuamente fazendo escolhas sobre como gastar nosso tempo, com quem gastar, e o tempo todo estamos pensando sobre outras coisas à espera na lista de afazeres. Alguns chamam isso de multifuncionalidade, outros chamam de "desequilíbrio".

Então somos bombardeadas com mensagens nos dizendo que temos que ser equilibradas, ou que qualquer pessoa com equilíbrio pode "ter tudo".

E qual é a nossa reação? Culpa instantânea ou sensação de fracasso são a resposta se sentimos qualquer coisa que não equilíbrio perfeito (e eu também tenho a tendência de atirar coisas longe).

Mas vamos dar uma olhada na temida emoção de "culpa".

Um estudo realizado pela Universidade do País Basco, na Espanha, confirmou que mulheres são mais suscetíveis à culpa que os homens. Provavelmente, isso não é surpresa para você, e de fato fiquei me perguntando por que gastaram dinheiro em um estudo que se revelou tão óbvio.

Em uma discussão desse estudo, a acadêmica e jornalista australiana Germaine Greer foi além ao compartilhar sua opinião de que:

> "culpa é uma coisa ruim; envenena a vida, enfraquece a resolução ... As mulheres vivem uma vida de pedidos de desculpas constantes. Nascem e crescem para assumir a culpa pelo comportamento dos outros. Se são tratadas sem respeito, dizem a si mesmas que falharam em obter respeito. Se os maridos não as desejam, é porque não são atraentes. Sujeira e desordem no lar é culpa delas, embora não tenham feito nada daquilo."

Em outras palavras, temos a tendência de assumir a culpa mesmo quando não deveríamos. Para mim essa afirmação toca bem no ponto. Então me perguntei se outras mulheres sentiam o mesmo.

Uma pesquisa da *Stylist Magazine* do Reino Unido em 2010 mostrou que 96% das mulheres sentem-se culpadas pelo menos uma vez por dia. (Das 1.324 mulheres e dos 55 homens entrevistados pela revista, 92% também afirmaram que os homens sentem menos culpa que as mulheres, o que igualmente corrobora o estudo espanhol.)

Visto que culpa é uma emoção negativa, pense só em quanta negatividade ela traz para nossa vida. Imagine só quanto tempo teríamos de volta se pudéssemos PARAR de sentir culpa.

Então isso nos leva de volta à fonte de muita dessa culpa – a busca infindável pelo equilíbrio trabalho/vida.

Existem milhões de mulheres lá fora se esforçando para manter a vida pessoal e profissional separadas, não querendo que os maridos, parceiros ou filhos sintam os efeitos da carga de trabalho delas. A verdade é que isso é impossível. Você é UMA pessoa vivendo UMA grande vida. Por que exigir de si a necessidade de construir duas vidas separadas? Em vez de se sentir culpada pela falta de equilíbrio, comprometa-se a começar a se sentir maravilhosa por suas realizações no trabalho e então compartilhe com sua família.

Comprometa-se a estar "presente", quer esteja em casa com sua família ou no escritório. Em vez de olhar para as escolhas que faz como "sacrifícios", olhe para elas como "investimentos" em você, no seu trabalho ou negócio e em sua família. Pare de pensar no dia de trabalho das oito às cinco e comece a pensar nas 24 horas diárias que você tem para dormir, trabalhar e estar com sua família.

Ao longo de minha carreira fiz escolhas de que me orgulhei e escolhas das quais não fiquei muito orgulhosa. Lutei com uma culpa tremenda até perceber que era uma esposa e mãe melhor quando estava satisfeita com o trabalho. Criei minha lista de coisas para parar de fazer e a implementei. Encontrei ajuda para lavar a roupa, preparar a comida e limpar para que eu pudesse ter mais tempo com meus filhos quando estivesse em casa. Certifiquei-me de estar presente nas atividades escolares e trabalhava antes de meus filhos acordarem de manhã e depois que iam para a cama à noite, se eu estivesse com um prazo de entrega no fim. Era um número de malabarismo, mas que fiz com alegria para garantir que eu estivesse "presente" para minha família.

Reconhecendo que hoje pertenço definitivamente à geração mais velha, quis incluir um texto para mulheres que estão equilibrando uma família jovem com carreiras em crescimento, escrito por alguém lidando com as mesmas questões neste momento. Angela Totman trabalha comigo, e tive o prazer de vê-la casar-se e ter dois filhos maravilhosos, tudo enquanto ajudava na condução de nossos esforços na Pay Your Family First. Ela compartilha seus pensamentos sobre como tem sucesso como esposa, mãe e empresária.

> Quando jovem, visionei uma trilha para minha carreira e sabia exatamente como chegaria ao sucesso. Mas, ao sair para o mundo real, não demorei muito a abandonar aquela trilha em favor de uma mais excitante, que também estava mais de acordo com meus valores e era mais satisfatória em termos pessoais e profissionais. Eu era recém-casada e, embora estivesse retraçando meu destino profissional, me imaginei tendo filhos relativamente jovem. Tanto quanto consigo me lembrar, sempre tive certeza de que vim a este mundo para ser mãe. Nunca me preocupei sobre como administrar as exigências de uma carreira em ascensão com as responsabilidades de ser mãe. No que me dizia respeito, eu não poderia chegar ao grande sucesso sem ter ambas as coisas como parte de minha vida.
>
> De um dia para o outro, me vi cuidadora, tutora, conselheira, defensora, confidente e, como a maioria das mães, possivelmente não conseguiria condensar a experiência da maternidade em uma série de palavras em uma página. Entretanto, encontrei muitos paralelos interessantes entre ser mãe e buscar uma vida de sucesso profissional e influência. Liderança pelo exemplo, comunicação e gestão de relacionamento são habilidades essenciais para o sucesso como mãe e como empresária. Organização, habilidade para a solução de problemas e capacidade de extrair os pontos fortes dos outros são igualmente importantes. Conseguir cruzar a incerteza e se articular a fim de encontrar os recursos e parceiros certos também fazem parte dos dois serviços. A paixão e amor inabaláveis que tenho como mãe são

complementados pelo comprometimento e dedicação que tenho por meu trabalho. Essa sobreposição dificulta que eu compartimentalize os aspectos profissionais e pessoais da vida.

Como sócia da Pay Your Family First, nossa busca de oportunidades diárias e requisitos em torno de cultura financeira me deram a capacidade de construir uma carreira promovendo uma causa que terá impacto positivo na vida de meus filhos. A paixão que sinto por uma parte de minha vida jorra por sobre a outra. Por mais compensador que seja, isso também complica a questão de tentar atingir o equilíbrio entre as duas. De fato, eu não era mãe há muito tempo e ainda estava bem no início da carreira quando fui em busca de orientação sobre como fazer. Quando perguntei a Sharon Lechter como agir para conseguir equilíbrio, o *insight* que recebi não poderia ter sido mais valioso.

O que Sharon me esclareceu durante um almoço foi a percepção de que eu precisava para soltar o fardo de atingir o equilíbrio trabalho/vida. Sua orientação foi de que, em vez de focar em quanto tempo era gasto em atividades profissionais versus vida pessoal, eu deveria considerar que atingir o equilíbrio era a meta errada. Tudo que podemos fazer é realizar as melhores escolhas que pudermos, guiadas por nossos valores, prioridades e ambições. Essas escolhas nem sempre são fáceis. Mas estar presente no momento depois de tomar tais decisões é o ponto essencial. Após pensar sobre a longa jornada de culpa em que eu estivera (e que em alguns dias ainda me vejo refazendo) em conexão com a tentativa de encontrar equilíbrio, foi um ponto de vista revigorante e aliviador.

A cultura da Pay Your Family First é um testamento dessa filosofia. Quando estou com meus filhos ajudando no tema, lendo para eles ou mesmo brincando, meu foco está naquilo. Meu computador fica dormindo, e o telefone fica no silencioso. Sou voluntária na sala de aula de meus dois filhos todos os meses, presido eventos e programas da escola e ajudo a angariar fundos. Trabalho em turno integral, e até mais, mas ainda faço as escolhas necessárias para ser uma parte ativa da vida de meus filhos – durante a escola e em casa.

Essas escolhas podem resultar em compensações tarde da noite, de manhã cedo ou nos fins de semana, quando recupero o trabalho atrasado. Meu marido, filhos e outros membros da família sabem que eu preciso de flexibilidade para fazer dos negócios uma prioridade nessas horas vagas a fim de estar plenamente presente como mãe durante as atividades escolares e esportivas de meus filhos. Nem todo mundo entende ou tem afinidade com a disposição de fazer essas compensações. Mesmo hoje nem sempre consigo fazê-las sem hesitar. Mas respondo qualquer dúvida com a convicção de que o que faço como profissional pode moldar o futuro não só da vida de meus filhos, como o de muitos outros também.

Não vou dar as costas ao caminho que sempre soube que nasci para trilhar. Tenho amor demais dentro de mim para manter guardado! Removendo o requisito do equilíbrio, tenho condições de me empenhar para causar impacto em todas as partes de minha vida!

A história de Angela não é única. Vejo muitos casais jovens de hoje nos quais os maridos compartilham muito mais dos deveres de pai e tarefas domésticas do que os da minha geração. Porém, ainda que vejamos uma mudança, permanece o fato de que todo casal precisa fazer as escolhas certas para si. Não vamos esquecer de todos os pais solteiros lutando para prover seus filhos em termos financeiros e ao mesmo tempo estar presentes também como pais amorosos. Simplesmente não existem respostas fáceis.

O tópico do equilíbrio pode causar muita discussão acalorada, primeiramente entre mulheres. Um grupo acredita que as mulheres precisam aguentar, ficar mais duronas e exigir que os homens tornem-se parceiros em 50% dos cuidados dos filhos e das tarefas domésticas. Outras acreditam que os homens de negócio, a economia e a sociedade estão organizados contra nós e que não existe esperança de um dia se atingir o equilíbrio. Outras ainda encontram maneiras de se sentir realizadas tanto na vida profissional quanto pessoal e não conseguem entender todo o alvoroço. E existe o grupo que escolhe abandonar o trabalho totalmente, tomando o caminho da maternidade "a pleno".

Eu gostaria de bradar meu apelo a todas as mulheres: PAREM COM A DISCUSSÃO!

Todas nós estamos fazendo escolhas todo e a cada dia. As escolhas que eu faço podem não ser certas para você, mas isso não as torna erradas.

Nossas escolhas nos movem ou para frente, ou para trás, ou para os lados.

Nossas escolhas nos deixam felizes ou tristes.

Nossas escolhas nos deixam satisfeitas ou não.

Assim, se nossas escolhas de ontem nos levaram para trás ou para os lados, podemos escolher sentir culpa ou podemos escolher fazer escolhas diferentes hoje e amanhã.

Se nossas escolhas de ontem nos deixaram tristes, podemos escolher sentir culpa ou escolher fazer escolhas diferentes pela felicidade hoje e amanhã.

Se nossas escolhas de ontem nos deixaram insatisfeitas, podemos escolher sentir culpa ou escolher fazer escolhas diferentes para preencher nossa vida hoje e amanhã.

Jamais escolha a culpa! Ela exaure sua energia e cria um campo de negatividade ao seu redor. Você não pode manter o pensamento negativo de culpa e qualquer coisa positiva em sua mente ao mesmo tempo. Entretanto, pode escolher soltar a culpa e se livrar de sua negatividade!

Todo e cada dia, você tem a oportunidade de mudar seu destino.

Você pode escolher ter UMA GRANDE VIDA!

A MENTE SUPERIOR DA IRMANDADE

A sabedoria de mulheres importantes e bem-sucedidas sobre UMA GRANDE VIDA:

Esta Mente Superior da Irmandade compartilha as opiniões de quinze mulheres de todos os estilos de vida, algumas das quais acreditam que chegaram ao equilíbrio, mas a maioria compartilhando seu esforço em curso. As histórias confirmam que as escolhas que fazemos para chegar ao equilíbrio em nossa vida podem e provavelmente devem ser diferentes para cada uma de nós. As histórias também provam que o único equilíbrio verdadeiro que se alcança um dia está em nossa mente e em como nos julgamos pelas escolhas que fazemos.

JEAN CHATZKY
JORNALISTA DE FINANÇAS NORTE-AMERICANA
"Não se trata de ter tudo. Se trata de ter o que você mais valoriza."
"Otimismo leva ao sucesso. Escreva três coisas boas que aconteceram hoje."

ERICA JONG
ESCRITORA E FEMINISTA NORTE-AMERICANA
"Mostre-me uma mulher que não sente culpa e eu lhe mostro um homem."

SUZE ORMAN
ESCRITORA, CONSULTORA FINANCEIRA E PALESTRANTE MOTIVACIONAL NORTE-AMERICANA

"Uma mulher sábia reconhece quando sua vida está desequilibrada e arma-se de coragem para agir para corrigi-la, ela conhece o significado da generosidade verdadeira; felicidade é a recompensa por uma vida vivida em harmonia, com coragem e graça.

BETTE MIDLER

CANTORA-COMPOSITORA, ATRIZ E COMEDIANTE NORTE-AMERICANA

"Sempre tento equilibrar o leve e o pesado – uns rasgos de espírito humano junto com franjas e paetês."

PRINCESA MASAKO

PRINCESA COROADA DO JAPÃO

"Às vezes, experimento provação ao tentar encontrar o ponto de equilíbrio adequado entre coisas tradicionais e a minha personalidade."

HEIDI KLUM

MODELO, EMPRESÁRIA E DESIGNER DE MODA ALEMÃ-AMERICANA

"Mas todo o dinheiro do mundo tampouco pode fazê-la feliz, de modo que é preciso haver um equilíbrio."

AMY CHUA

PROFESSORA DE DIREITO EM YALE E ESCRITORA

"A felicidade nem sempre é por meio do sucesso. Da mesma forma, a busca constante de sucesso é infelicidade na certa. Mas temos que encontrar um equilíbrio. Meu pensamento é de que a maternidade é muito pessoal. Todas nós sentimos uma enorme insegurança em relação à maternidade. O que vão pensar de nós daqui a vinte anos?"

RAINHA RANIA

RAINHA DA JORDÂNIA E ESPOSA DO REI ABDULLAH II

"Somos programadas para achar que o tempo é o inimigo, que nos afasta ou nos diminui. Descobri que para mim é exatamente o contrário. A vida está em perfeito equilíbrio. Apenas a nossa percepção não está."

KELLY PRESTON

ATRIZ E MODELO NORTE-AMERICANA

"Todas nós estamos tentando equilibrar nossas carreiras e filhos, e tentando nos doar, bem como dar nosso tempo para eles. Você trabalha e tem um marido, projetos e amigos. É um número de equilibrismo."

SUSAN SONTAG (1933-2004)
ÍCONE DA LITERATURA E ATIVISTA POLÍTICA NORTE-AMERICANA
"A verdade é equilíbrio. Entretanto, o oposto da verdade, que é desequilíbrio, pode não ser uma mentira."

SHERYL SANDBERG
CEO DO FACEBOOK
"Assim, não existe essa coisa de equilíbrio vida/trabalho. Existe o trabalho, existe a vida, e não existe equilíbrio."

VERA WANG
DESIGNER DE MODA E EX-PATINADORA ARTÍSTICA NORTE-AMERICANA
"É difícil equilibrar tudo. É sempre desafiador."

MONIQUE LHUILLIER
ESTILISTA DE MODA MAIS CONHECIDA PELOS VESTIDOS DE NOIVA
"Sou perfeccionista, mas sei como viver a vida. Quando estou trabalhando é 100%. Quando estou com meus amigos, deixo tudo de lado e curto a vida. Quando chego em casa para estar com meus filhos, é só alegria, e tudo vale a pena. Eu foco 100% na coisa em cada ocasião. Aprendi a fazer malabarismo com minha vida e sinto que hoje tenho o equilíbrio perfeito."

LOUISE L. HAY
ESCRITORA E EDITORA MOTIVACIONAL NORTE-AMERICANA
"Nenhuma pessoa, nenhum lugar e coisa nenhuma tem qualquer poder sobre nós, pois 'nós' somos as únicas pensadoras em nossa mente. Quando criarmos paz, harmonia e equilíbrio em nossa mente, encontraremos isso em nossa vida."

Inseri a Mente Superior da Irmandade no meio deste capítulo porque ela mostra claramente que cada pessoa possui filtros próprios quando se trata da definição de equilíbrio. Alguma coisa do que essas mulheres fabulosas compartilharam pode falar ao seu coração de um jeito especial, que possa ajudar a esclarecer como você define equilíbrio.

Quer você concorde com a minha definição ou tenha a sua, existem medidas que todas nós podemos tomar para reduzir o estresse em nossa vida e, fazendo isso, liberar tempo que pode ser usado em outras iniciativas mais produtivas.

Vamos examinar algumas medidas que você pode tomar:

GESTÃO DO TEMPO
Agende o período de inatividade.
Rastreie como gasta seu tempo.
Agende para cada dia uma coisa que você aguarda com expectativa.

FOCO
Concentre-se em uma coisa de cada vez.
Esteja "presente" no que quer que esteja fazendo no momento.
Trace as suas prioridades.
Crie uma lista de coisas para parar de fazer e a implemente.
Aprenda a dizer não.

AMBIENTE
Evite gente negativa.
Evite eventos deprimentes.
Evite escutar mídia negativa.
Acrescente bom humor e riso à sua vida e programe isso regularmente.

SAÚDE
Avalie seus hábitos pessoais.
Alimente-se de forma saudável.
Faça bastante exercício.

COLABORAÇÃO
Terceirize o que puder.
Peça ajuda; encontre um mentor ou conselheiro.
Forme equipes para realizar tarefas.
Monte uma Mente Superior.

Embora essas medidas sejam fáceis de listar, são bem mais difíceis de implementar. Comprometa-se a focar em duas áreas a cada mês. Ao enfocar em mudar seus hábitos dessa maneira, você formará novos hábitos mais saudáveis e conseguirá mantê-los.

Não se surpreenda se começar a focar em si mesma e aquela velha emoção de culpa levantar sua cabeça repulsiva. Pare e foque, celebre por ter reconhecido, deixe de lado e vá em frente.

Ao longo do livro houve referências às muitas diferenças entre mulheres e homens. Algumas dessas diferenças podem ser vistas como pontos fortes ou fraquezas com que as mulheres precisam lidar. Com certeza, enquanto busca transformar sua vida, você talvez veja algumas dessas fraquezas criarem obstáculos. Você pode não concordar com tudo, mas de momento assuma que o seguinte está correto:

FRAQUEZAS
Mulheres tendem a não ser tão agressivas.
Mulheres tendem a ser menos confiantes.
Mulheres tendem a se sentir mais responsáveis pessoalmente.
Mulheres tendem a se deixar em último lugar.

PONTOS FORTES
Mulheres são grandes colaboradoras.
Mulheres têm maior empatia que os homens.
Mulheres tendem a ter uma visão de longo prazo melhor que a dos homens.
Mulheres tendem a ser defensoras das outras.

E se as mulheres escolhessem usar seus pontos fortes para superar as aparentes fraquezas? Em vez de tentarmos ficar mais agressivas e focadas no avanço pessoal, por que não escolher uma estratégia diferente que funcione com nossos pontos fortes? Se as mulheres são muito melhores lutadoras em favor dos outros do que para si mesmas, então que se unam e, em vez de brigar umas COM as outras, que briguem umas PELAS outras.

As fraquezas desapareceriam e os pontos fortes seriam amplificados pela Mente Superior coletiva das mulheres:

As mulheres usariam a empatia para se tornar defensoras agressivas de OUTRAS mulheres.

As mulheres usariam suas aptidões de colaboradoras para reforçar a confiança umas das outras.

As mulheres, como um grupo, assumiriam responsabilidade por uma visão de longo prazo e a concretizariam juntas.

Se as mulheres parassem de brigar e apontar o dedo umas paras outras, e em vez disso enfocassem em celebrar e exaltar umas às outras, coisas miraculosas poderiam e começariam a acontecer.

Ao enfocarmos em nossos sucessos e ajudarmos umas às outras, nossa generosidade para com as outras derramará benefícios por todo o planeta.

Como disse a filantropa Melinda Gates: "Se somos bem-sucedidas, é porque alguém, em algum lugar, em algum momento, lhe deu a vida ou uma ideia que a colocou na direção certa. Lembre-se de que você também tem uma dívida com a vida até ajudar alguma pessoa menos afortunada do mesmo modo como você foi ajudada".

Ao focar em ajudar os outros, nossa generosidade de espírito espalhará energia positiva onde quer que se vá, e colheremos benefícios a longo prazo. Vamos lembrar do velho ditado: "Uma maré alta ergue todos os barcos". Sua boa vontade criará um legado do bem e uma vida inteira de sucesso e significado. Você terá se tornado uma mentora, uma motivadora para outras, um sistema de apoio bem como uma líder para outras mulheres, e um exemplo radiante de alguém que criou com sucesso Uma Grande Vida.

Que você possa ser abençoada com sucesso em todos os aspectos de UMA GRANDE VIDA!

Obrigada.

Sharon Lechter

Epílogo

Certa lenda conta que estavam duas crianças patinando em cima de um lago congelado. Era uma tarde nublada e fria e as crianças brincavam sem preocupação. De repente, o gelo se quebrou e uma das crianças caiu na água. A outra criança, vendo que seu amiguinho se afogava debaixo do gelo, pegou uma pedra e começou a golpear com todas as suas forças, conseguindo quebrá-lo e salvar seu amigo.

Quando os bombeiros chegaram e viram o que havia acontecido, perguntaram ao menino:

– Como você conseguiu fazer isso? É impossível que você tenha quebrado o gelo com essa pedra e suas mãos tão pequenas!

Nesse instante, apareceu um ancião e disse:

– Eu sei como ele conseguiu.

Todos perguntaram:

– Como?

O ancião respondeu:

– Não havia ninguém ao seu redor para dizer-lhe que ele não seria capaz.

Voltemos aos tempos passados, e refiro-me não a um passado tão distante, e façamos um exercício mental: será que conseguiríamos imaginar e descrever, naquela época, a revolução e o progresso pessoal e profissional que as mulheres alcançaram nos dias de hoje? Será que conseguiríamos ter a dimensão do quão importantes e significativos se transformaram os papéis assumidos pelas mulheres na sociedade atual? Será que poderíamos imaginar que hoje, em uma das economias mais importantes do mundo, 60% de toda a riqueza está em posse de mulheres?

Tenho certeza de que imaginarmos isso seria praticamente impossível. Numa sociedade voltada basicamente aos interesses masculinos, até bem poucos anos atrás, podemos dizer com muita convicção que as mulheres estão revolucionando suas vidas, seja no mundo corporativo com um papel de extrema importância e relevância para grandes companhias, entidades de classe, associações e governos, seja em suas vidas pessoais, fazendo as escolhas corretas para buscar uma grande vida, preenchida com amor, satisfação e felicidade.

Muitas teorias podem ser aplicadas para tentar explicar o porquê de as mulheres terem conseguido chegar ao patamar onde se encontram hoje, mas existe, dentre muitas outras, uma explicação muito verdadeira: voltando à nossa metáfora do início, podemos dizer que as mulheres vêm, ao longo dos tempos, substituindo suas culpas pelo poder de fazer escolhas diferentes, ouvindo seus instintos, acreditando em seus potenciais e fechando suas portas para todos aqueles que de algum modo possam tentar dizer a elas que não são capazes. A nossa capacidade é infinita, está dentro de nós e precisa apenas que a deixemos fluir e trabalhar para alcançarmos o sucesso e a realização pessoal.

Inspirado na obra clássica de Napoleon Hill, *Pense e enriqueça*, Sharon Lechter nos mostra que podemos alcançar nossos objetivos de vida de uma maneira simples e plena. Explorando as 13 lições e ensinamentos de Hill para alcançarmos o sucesso e juntando as experiências de mulheres bem-sucedidas ao redor do mundo, conseguimos enxergar que todos os nossos desejos são passíveis de realização completa, desde que estejamos devidamente preparadas e com o desejo profundo que isso aconteça.

Podemos dizer hoje que um dos maiores desejos e também motivo principal de culpa da grande maioria das mulheres modernas é alcançar o equilíbrio entre uma vida profissional plena e a realização de felicidade pessoal com sua família. Precisamos ouvir as vozes de nosso coração e ter serenidade para saber que somente uma mulher realizada profissionalmente conseguirá transmitir à sua família a felicidade plena e fruto desse sentimento de realização. Precisamos nos comprometer, sentir-nos maravilhadas com nossas conquistas, acabando de vez com o sentimento de culpa que muitas vezes toma conta de nossas mentes.

Algumas mulheres tinham tendência a achar que ocupavam lugares menos importantes do que os homens na sociedade e nas empresas, e muitas vezes acabavam por conformar-se com posições inferiores, sendo consequentemente menos valorizadas. Felizmente, o nosso mercado corporativo hoje está muito diferente, é um mercado de colaboração, parcerias e alianças, e as mulheres têm exercido um papel fundamental nos mais variados campos, sejam eles em grandes Corporações Públicas ou Privadas. Para começarmos a mudar nosso pensamento, precisamos alçar voos mais altos e longos, e depende somente de nós mesmas. Precisamos buscar nosso desejo ardente, aquilo que queremos com tamanha vontade que não consigamos pensar em mais nada até atingir.

Vivemos hoje num mundo extremamente conturbado, onde a modernidade, a tecnologia e a rapidez da evolução, muitas vezes, podem acabar por criar problemas dos mais variados tipos e tamanhos em nossas vidas. Falamos aqui nos mais variados problemas, grandes e pequenos, de cunho pessoal e profissional, que acabam dependendo exclusivamente de nossa capacidade para administrá-los e encontrarmos uma solução adequada. Sharon destaca, com muita ênfase, que devemos e precisamos estar sempre cercadas do que chamamos de Mente Superior. Precisamos participar de grupos, entidades, associações e outras instituições que vão nos acompanhar e ajudar mutuamente na solução de nossos problemas, na criação e inspiração para novos negócios e acima de tudo nos ajudarão a aprender e ensinar com as experiências vivenciadas por todas. Além disso, para sermos verdadeiramente bem-sucedidas, precisamos encontrar uma boa equipe de trabalho, que possa trocar conhecimento e ajudar-nos a realizar nosso propósito definido, pois, como Napoleon Hill mesmo destaca: "Duas mentes jamais se reúnem sem, com isso, criar uma terceira força invisível, intangível, que possa ser comparada a uma terceira mente".

Mas como acreditar que conseguiremos alcançar aquilo que desejamos? O que fazer para alcançarmos níveis de sucesso mais gloriosos em todas as áreas de nossa vida? A verdade é que não existe uma fórmula mágica que se aplique a todas as mulheres que desejam sua realização e seu sucesso. Precisamos nutrir nossas mentes com bons sentimentos e estar preparadas para os desafios e as surpresas que a vida vai nos proporcionar. Lembremos sempre que, de acordo com as leis do Universo, ele só pode entregar o que você pede de verdade, somos o ímã e por isso não podemos fracassar em nossas decisões a respeito do que realmente desejamos.

Analisando as lições e os ensinamentos de Hill, precisamos também estar atentas e saber que apenas boas intenções e desejos não nos levarão ao sucesso e à realização pessoal e profissional. Mulheres bem-sucedidas são nutridas com Fé, que é o ponto de partida de toda acumulação de riqueza, mas tem com certeza um planejamento muito maior para alcançar todos os seus objetivos. Podemos enfatizar aqui alguns princípios básicos, tais como:

– Conhecimento especializado: jamais conseguiremos atrair dinheiro, sucesso e PODER sem organizar e direcionar nosso conhecimento de forma inteligente. Não basta desejar, precisamos levantar da cadeira, deixar a acomodação de lado e buscar um plano de ação prático, com uma meta (propósito) definida a atingir, usando tudo aquilo que aprendemos em nossos estudos e experiências. Atualizar-se constantemente também é essencial na aplicação de nossos conhecimentos.

– Imaginação: "Dizem que um homem (mulher) pode criar qualquer coisa que ele (ela) possa imaginar" (citação de Napoleon Hill).

Precisamos muitas vezes reinventar as situações para podermos solucionar os problemas, e a maneira mais fácil de fazermos isso é usando nossa imaginação e criatividade. Podemos ativar nosso poder de criatividade substituindo afirmações como "Não posso fazer isso" por "Como eu posso fazer isso?", abrindo assim nossa mente e ativando nossa imaginação. Mulheres que fazem as perguntas e criam geralmente estão no controle das situações e costumam ser as líderes.

– Planejamento organizado: para conseguirmos transformar nosso desejo ardente em uma realidade de sucesso, precisamos ter um propósito definido, fé, imaginação e tratar de fazer um planejamento organizado que indique como iremos alcançar nossos objetivos. Para isso é muito importante que tenhamos uma VISÃO clara de nossa meta, a definição de nossa ESTRATÉGIA, a companhia das pessoas certas e o poder de saber liderá-las rumo ao sucesso. Um planejamento organizado é essencial para a concretização e o resultado positivo de qualquer negócio, seja ele preparar um almoço em casa ou negociar uma grande venda de produtos ou serviços em sua organização.

– Decisão: a tomada de decisão é um dos princípios mais importantes que as mulheres podem usar para se tornar grandes líderes. Uma grande líder toma decisões rápidas e precisas, com raras exceções muda de opinião e, se o faz, isso ocorre de forma muito lenta e bem pensada. Como grande líder, ela possui também a importante característica de escutar e considerar, quando julgar corretas, as opiniões e ideias das pessoas que fazem parte de sua equipe, para então seguir em suas acertadas decisões. Uma decisão requer coragem e confiança em si mesma, e por isso as mulheres de grande responsabilidade precisam estar focadas, ter um propósito definido e saber o que realmente querem. Esse tipo de decisão geralmente não é uma tarefa fácil, por isso precisamos ter em mente que todas as mulheres que tomam decisões claras, rápidas e definidas dificilmente vão abandoná-las e certamente alcançarão o sucesso desejado.

– Persistência: quantas vezes você já pensou em desistir quando estava em busca de alguma realização pessoal e profissional? Tenho certeza de que a grande maioria das mulheres já vivenciou alguma situação em que tudo parecia dar errado, e aquelas que persistiram acabaram por chegar à conclusão de que conseguimos atingir nosso objetivo justamente no momento final, quando pensamos que tudo já havia acabado. Sabemos que as conquistas, geralmente, não vêm de maneira fácil, é preciso seguir em frente, sem olhar para trás, sem pensar nos desafios que ainda vamos enfrentar e sem ouvir aqueles que ao longo do caminho tentam nos fazer desistir. A persistência é a chave que possuímos para rebater os obstáculos que a vida coloca em nosso caminho, e uma mulher de sucesso é aquela que nunca permite ser travada por esses obstáculos.

"Você não é obrigada a vencer, você é obrigada a seguir tentando fazer o melhor que pode todos os dias." (citação de MARIAN WRIGHT EDELMAN)

Podemos e devemos começar a controlar nossa vida pessoal e profissional. O mundo hoje favorece e valoriza as mulheres, e aproveitar esse momento está em nossas mãos. Ganhamos o poder para fazer nossas próprias escolhas, e, quando as fazemos de forma pensada, programada e organizada, o sucesso será apenas uma consequência. Todos os dias Deus coloca à nossa frente muitas opções, muitos caminhos e muitas chances de sermos felizes e realizadas. Mantendo nossa mente com planos definidos, metas grandiosas e pensamentos positivos, certamente temos as condições necessárias para seguir no caminho certo. Temos muitos desafios, mas livrar-nos totalmente de culpas e medos certamente é o maior deles. Por outro lado, temos também a força e a condição total de gerenciar nossos pensamentos e tornar-nos guias de nossa existência, vivendo plenamente como MULHERES RICAS, não somente no âmbito financeiro, mas repletas de satisfação pessoal e profissional, REALIZADAS e FELIZES!!!

"Ninguém está no controle de sua felicidade a não ser você, portanto você tem o poder de mudar qualquer coisa que queira mudar em si ou em sua vida." (citação de BARBARA DE ANGELIS)

Fabiana G. Conte
Diretora Financeira da
Brix Cargas Aéreas e CFO
do grupo Bringer do Brasil

Posfácio

HOMENS QUE SÃO VERDADEIROS DEFENSORES DAS MULHERES

Ao escrever *Pense e enriqueça para mulheres*, eu propositalmente citei apenas Napoleon Hill e nenhum outro homem. Minha meta era abordar os princípios do sucesso de Hill pelos olhos de uma mulher. É importante saber que as mulheres não podem alcançar o sucesso sem entender o quanto é importante que trabalhem junto com homens que possam apoiá-las e orientá-las ao longo do caminho. Existem muitos homens incríveis que são defensores das mulheres. Eles não apenas reconhecem o papel imensamente importante que as mulheres desempenham em nossa economia, como aplaudem e ajudam a pavimentar o caminho para que as mulheres atinjam seu potencial máximo como líderes e histórias de verdadeiro sucesso por seu próprio direito.

Pedi a alguns homens muito especiais, que não só me influenciaram em minha jornada profissional, como têm sido verdadeiros defensores e mentores a postos para outras mulheres, para compartilharem seus pensamentos sobre a importância de *Pense e enriqueça para mulheres.*

DA FUNDAÇÃO NAPOLEON HILL

Alguém pode perguntar por que um livro para mulheres é escrito mais de setenta e cinco anos depois de Napoleon Hill escrever *Pense e enriqueça*, presumivelmente o livro de autoajuda mais influente já publicado.

No início do século passado, apenas umas poucas mulheres frequentavam a faculdade, e hoje as mulheres excedem em grande número os homens matriculados. O papel das mulheres na sociedade cresceu enormemente, e as mulheres com frequência encaram desafios que os homens não encontraram.

Sharon Lechter, com sua experiência como autora (ela coescreveu quatro livros da série *Pai Rico, Pai Pobre*) e formação no setor financeiro, oferece seu insight para ajudar mulheres de hoje que querem expandir seu lugar na economia.

Como membro do Conselho Consultivo de Cultura Financeira do presidente, contadora pública certificada (CPA), e defensora da cultura financeira, ela está no ambiente ideal para dar conselhos oportunos.

Sharon compartilha sua sabedoria e a sabedoria de mulheres de diversas situações de vida, de executivas de negócios à reitora de uma grande universidade, para permitir à leitora aprender e se inspirar para alcançar o potencial que Deus lhe deu!

Sharon faz seu trabalho com paixão, um dos motivos para seus livros anteriores terem sido *best-sellers*. *Pense e enriqueça para mulheres* é simplesmente um livro que precisava ser escrito para a mulher de hoje, para ajudá-la a crescer e servir aos outros.

Don Green, CEO da Fundação Napoleon Hill

DO DR. CHARLES JOHNSON

Napoleon Hill foi um homem de grande visão e notável percepção.

Ele tinha uma capacidade incrível de pegar conceitos densos e moldá-los em fatos que todos nós podemos entender e utilizar para nosso aperfeiçoamento.

O que Napoleon Hill carecia era de habilidade que requeresse atenção ao detalhe. Duas mulheres proporcionaram essas habilidades, sem as quais ele poderia nunca ter tido o enorme impacto que teve em nosso mundo e nossa vida.

Foi sua madrasta que reconheceu o potencial latente de seu enteado desorientado. Sem a orientação dela, Napoleon poderia muito bem ter continuado sua vida de desobediência, tornando-se nada mais que um patife e delinquente tacanho (e nunca teria concretizado o potencial jornalístico que viemos a conhecer e apreciar). Foi ela que o persuadiu a largar a pistola em troca de uma máquina de escrever.

A outra mulher foi uma doce mas firme "solteirona", minha tia, que era a CEO de fato de uma grande firma editora em uma cidadezinha da Carolina do Sul.

Annie Lou, que se tornou esposa de Nap, era dotada de grande aptidão para a organização e perspicácia empresarial, que usou para direcionar as habilidades e o brilhantismo de Napoleon na escrita. (Cabe observar que foi Annie Lou que encorajou Napoleon a apoiar minha paixão por cursar a faculdade de medicina.)

Parece apropriado que Sharon Lechter agora possa emprestar seu conhecimento e entendimento bem definidos dos princípios do sucesso de Napoleon para ajudar as mulheres a estilhaçarem quaisquer vestígios da barreira de vidro da discriminação de gênero.

Charles Johnson, doutor em medicina, sobrinho de Napoleon Hill

DA FAMÍLIA HILL

Nos anos 1940, Rosa Lee Beeland fez a última tentativa de proporcionar uma perspectiva feminina a *Pense e enriqueça*. Seu livro *How to Attract Men and Money* (*Como atrair homens e dinheiro*) fracassou. O livro tinha méritos, mas não caiu bem entre as mulheres norte-americanas do pós-Segunda Guerra Mundial, que haviam começado a aspirar mais que um bom casamento. Além disso, o pensamento e a apresentação do livro era Napoleon Hill clássico, com pouca perspectiva feminina até os capítulos "Dear Abby" no fim do volume.

Portanto, foi com alguma reserva que comecei a leitura do manuscrito de *Pense e enriqueça para mulheres* de Sharon Lechter. Eu sentia que este livro precisava ser escrito; só não achava que alguém pudesse fazer-lhe justiça. Eu era fã de Sharon Lechter desde que li a série Pai Rico, Pai Pobre; eu deveria ter imaginado.

Sharon fez muito mais do que apenas acrescentar uma perspectiva feminina à obra monumental de meu avô; ela a reescreveu. A nova edição é contemporânea para o século XXI e reflete o pensamento de desenvolvimento pessoal das mulheres, que evoluiu ao longo dos últimos 75 anos. Fiquei encantado com este novo livro. Agrega valor e amplitude à grande obra de Napoleon Hill.

Acredito que *Pense e enriqueça para mulheres* é o livro certo e foi escrito no momento certo para levar a ciência da realização pessoal de Napoleon Hill para milhões de mulheres. Está destinado a se tornar um clássico para todas as mulheres com o desejo de realizar este potencial.

Dr. James Blair (JB) Hill, neto de Napoleon Hill

DE LÍDERES ATUAIS DO PENSAMENTO

Sem dúvida, um dos livros mais inspiradores e importantes de minha biblioteca é *Pense e enriqueça* de Napoleon Hill. Li quando era um jovem empreendedor em busca de orientação e reafirmação. Teve tamanho impacto em minha vida e carreira que o recomendei a milhares de leitores dos meus livros como uma leitura obrigatória.

Mas era verdadeiramente um "mundo dos homens" quando tomei conhecimento da obra-prima de Hill nos anos 1960. Felizmente para as mulheres, Sharon Lechter reconheceu que os passos para o sucesso de Napoleon Hill aplicam-se a todos, entendendo que as mulheres simplesmente abordariam esses passos de modo diferente.

Com sua compreensão dos papéis em evolução das mulheres na liderança e no ambiente de trabalho, Sharon compartilhou *insights* de mais de uma centena de mulheres de sucesso que demonstraram como esses treze princípios ajudaram-nas a transformar obstáculos em oportunidades. Por certo que recomendarei esta obra às minhas filhas, netas e mulheres de qualquer idade que estejam em busca de inspiração enquanto deixam sua marca no mundo.

Harvey Mackay, autor de *Swim with the Sharks Without Being Eaten Alive, best-seller* #1 do *New York Times*

•

Comecei a ler *Pense e enriqueça* em 1961. Isso me ajudou a ganhar milhões de dólares e construir um negócio que opera por todo o mundo. Acredito que sou uma das poucas pessoas vivas que tem lido trechos deste livro todos os dias há mais de cinquenta anos. Quando se considera que Napoleon Hill escreveu no masculino e que na maior parte entrevistou apenas homens, há de se concordar que é deveras incrível que ninguém houvesse preparado essa informação para as mulheres antes. ... Sharon Lechter merece uma medalha por escrever *Pense e enriqueça para mulheres.*

Pense nisso, e você vai concordar que é espantoso que tenha demorado tanto para alguém tomar a iniciativa de fazer o que Sharon está fazendo. Tenho milhares de livros em minha biblioteca e, quando me perguntam quais os quatro ou cinco principais livros que li, *Pense e enriqueça* está sempre no topo da lista. Este livro vai impactar a vida de milhões de mulheres ao redor do planeta, e com razão, pois os princípios sobre os quais Napoleon Hill e Sharon escrevem são universais e vão funcionar para todo o mundo em toda parte. Qualquer mulher que faça do conteúdo deste livro uma parte de sua maneira de pensar, uma parte de seu estilo de vida, vai atingir todo objetivo que lhe vier à mente.

Quando *Pense e enriqueça* chegou às minhas mãos pela primeira vez, o senhor que o deu disse que o autor do livro havia passado a vida inteira pesquisando as vidas de quinhentos dos indivíduos mais bem-sucedidos do mundo. Seria uma atitude prudente de sua parte se você passasse o resto da vida tentando entender e aplicar o que Napoleon Hill escreveu. Em resumo, permita-me sugerir que você passe o resto da vida na tentativa de entender e aplicar o que Sharon escreveu, visto que ela passou a maior parte de sua vida na mesma busca que Napoleon Hill.

Bob Proctor, presidente do Instituto *Proctor Gallagher*, autor de *You Were Born Rich* e apresentador em *O Segredo*

•

Toda mulher deseja intrinsecamente abundância, realização, felicidade e saúde para si e sua família. Quer um futuro digno dela, que cumpra o destino que Deus lhe deu. Quer crescer, expandir-se, sentir-se plenamente viva e servir de maneira grandiosa com amor. Conforme certa vez me disse Mary Kay Ash, fundadora e catalisadora da Mary Kay Cosmetics: "Toda mulher prefere ficar tão empolgada e ativa fazendo grandes coisas que prefere se desgastar do que enferrujar". Historicamente, esses direitos humanos básicos têm sido negados às mulheres.

Os tempos mudaram. O pensamento mudou.

Conforme Dickens escreveu em *Um conto de duas cidades*: "Foi o melhor dos tempos e o pior dos tempos". É o pior dos tempos se você deixar se abater pelos noticiários noturnos e os previsores de desgraça e trevas. É o melhor dos tempos ao você ler em profundidade, absorver e compreender as verdades atemporais contidas neste livro. Quando partilha desta obra maravilhosa que mescla os princípios atemporais de sucesso de Napoleon Hill com os belos e práticos *insights* de Sharon Lechter e outras grandes mulheres neste livro, você se torna melhor ainda do que era antes.

O doutor Napoleon Hill ajudou-nos a sair da Depressão e estimulou a mudança para liberar as mulheres com seu clássico Pense e enriqueça. Abriu a mente de todos os leitores – homens e mulheres. *Pense e enriqueça* tem centenas de milhões de leitores e fãs, e conheci indivíduos ao redor do mundo que me disseram pessoalmente que suas fortunas foram iniciadas, ampliadas e multiplicadas pela leitura repetida da obra. Funciona para todos que colocam a funcionar. Tenho orgulho de dizer que me ajudou a fazer milhões em sete iniciativas empresariais – inclusive na venda de mais de 500.000.000 (isso é meio bilhão) de livros da Chicken Soup for the Soul, como cocriador/autor com Jack Canfield. Depois de vinte anos, nosso livro ainda tem vendas vistosas, está se expandindo em mais produtos como *Chicken Soup for the Soul* – Dog Food, e um filme a ser lançado em breve pela Alcon. Sou muito grato pelo livro original, e hoje estou ainda mais exultante porque minha amada esposa, Crystal Dwyer Hansen, contribuiu para o novo volume.

Agora, graças ao brilhantismo vivaz de Sharon Lechter e à sua perspicaz liderança visionária ao reescrever esse clássico especialmente para as mulheres, prevejo que as mulheres do mundo estão prestes a mudar e melhorar positiva e imensamente sua vida e seu estilo de vida. As leitoras irão verdadeiramente descobrir e energizar seu pleno potencial nos negócios e na vida. Neste livro, as mulheres terão uma pedra de toque filosófica que as ajudará a manifestar seus maiores sonhos, seus desejos mais sublimes e a trabalharem juntas em grupos de Mente Superior para tornar 100% da humanidade bem-sucedida econômica, física e socialmente.

O mundo pode dar certo se as mulheres puderem assumir o papel de liderança a que estão destinadas. Conhecer e aplicar estes princípios transformadores ajuda a fazer isso acontecer.

Minha visão para a obra-prima de Sharon é de que mais de um bilhão de mulheres a leiam nesta década para acabar com a pobreza. Entendo que se trata de uma meta grandiosa – basicamente um oitavo da população mundial total –, mas sou de pensar grande e desejo o melhor para as mulheres. Mulheres com a missão de compartilhar isso com outras mulheres são indomináveis. Nosso amigo doutor Mohammed Yunus, ganhador do Prêmio Nobel, diz: "A pobreza pertence a um único lugar – o museu". Assim, vamos acabar com a pobreza e criar abundância ilimitada, alegria e a satisfação das leitoras com este livro, à medida que elas manifestem os desejos que guardam escondidos para o bem maior.

Mark Victor Hansen, cocriador de *Chicken Soup for the Soul* e *One Minute Millionaire*

•

Em 1908, Napoleon Hill foi encarregado da oportunidade singular de se reunir com os líderes de pensamento da época para descobrir os passos e pensamentos utilizáveis na criação de uma vida de abundância sustentada.

Avance mais de cem anos e encontramos Sharon Lechter carregando a tocha para o movimento moderno atual.

Tenho certeza de que você concorda que este livro destilou *insights*, ideias e orientação incríveis para criar uma vida com a qual a maioria apenas sonha.

A pergunta é: o que faremos com tal conhecimento?

Assim como um piano que não é tocado não produz som, sabedoria não aplicada produz poucos resultados.

Você tem em mãos um mapa literal para qualquer coisa que possa desejar da vida.

Deixe o dia de hoje tornar-se o catalisador que você esperava para descobrir seu tesouro pessoal para o sucesso.

Pergunta: como poderia ser a sua vida amanhã aplicando o que você sabe hoje?

Use este livro como guia e, antes que perceba, você pode se separar dos 99% que sonham com o sucesso para o 1% superior que de fato chega lá.

Congratulações de antemão – você é uma campeã!

Greg S. Reid, autor *best-seller de Stickability*, coautor de *Think and Grow Rich: Three Feet from Gold*, cineasta e palestrante motivacional

•

PARCERIA PLENA PARA MULHERES: Sharon Lechter e eu passamos os últimos quarenta anos viajando para locais do mundo que ninguém consegue pronunciar em idioma nenhum, bem como capitais federais e estaduais. Ministramos palestras e educamos líderes de grandes nações a líderes de aldeias tribais obscuras, defendendo a parceria plena para as mulheres, pois em muitas nações as mulheres ainda são consideradas como nada além de "sapatos" que os homens também possuem, ou danos colaterais porque se apaixonam por alguém de fora do local ou tribo de sua família. Mais de dois bilhões de mulheres não têm direito a propriedade, voto, nem desfrutam de nada próximo de "parceria plena", seja dentro de casa ou fora da vida doméstica. Pois dois bilhões de mulheres vivem em encarceramento involuntário e escravizadas por homens, carecendo de qualquer voz ou possibilidade de ir em busca de seus sonhos. Sharon e eu trabalhamos juntos incansavelmente para que essas mulheres e as meninas que vão nascer nos sigam.

Tio Nappy – tendo eu crescido no colo de Napoleon Hill –, "ele" aprovaria *Pense e enriqueça para mulheres* de Sharon Lechter para seu bilhão de leitores – e eu também aprovo. Toda leitora de *O segredo*, *Pense e enriqueça* ou *Chicken Soup for the Soul* deve ler *Pense e enriqueça para mulheres* e distribuir cópias para todo mundo. Libertar dois bilhões de mulheres de sua prisão sem muros. Fornecer a elas as informações e ferramentas que lhes darão poderes para mudar seus paradigmas, criar liberdade econômica para si mesmas e para as mulheres que vierem depois.

Berny Dohrmann, fundador e CEO da Space Internacional e autor *best-seller*

•

Já faz séculos que as mulheres dentro do lar têm sido a pedra fundamental da estabilidade. Nos últimos cem anos, as mulheres tornaram-se inovadoras em empresas de ponta no mundo inteiro. No futuro, as mulheres se tornarão líderes mundiais, trazendo aos poucos a paz e a prosperidade globais para a humanidade. O novo livro de Sharon Lechter, *Pense e enriqueça para mulheres*, é uma leitura obrigatória para virar o jogo!

Sharon Lechter é autora best-seller, ícone do mercado, mãe incrível e empreendedora ultra bem-sucedida. Seu maior predicado é a capacidade de trazer à tona o melhor de todos que chegam à sua presença. Com o novo livro, *Pense e enriqueça para mulheres*, seu belo espírito agora tocará milhões ao redor do mundo. Não posso pensar em uma melhor combinação para essa mensagem do que Sharon Lechter e a Fundação Napoleon Hill. O momento é divino!

Sharon Lechter está dando o audacioso passo de apresentar ao mundo a mensagem crucial que se faz necessária à economia global de hoje - para inspirar mulheres a saírem da zona de conforto e se tornarem brilhantes líderes mundiais de negócios. As palavras deste livro vão mudar o pensamento de milhões de mulheres, para que saibam para sempre que é bem bom chegar ao seu melhor nos negócios.

O impacto da mensagem de Napoleon Hill em minha vida fez eu me tornar tudo que sou hoje. Lancei a Powerteam International e esta veio a ser líder mundial em educação de sucesso para empreendedores. Minha sincera visão para Sharon Lechter é ajudar a levar sua mensagem a quinhentos milhões de mulheres pelo mundo.

Sharon Lechter tem animado os outros com sua presença constantemente. Agora essa visão viverá para sempre nas palavras de sua obra-prima. É muito empolgante saber que o legado da mensagem de Napoleon Hill será levado a um nível superior por intermédio do movimento de *Pense e enriqueça para mulheres*.

Estimulo você a compartilhar este livro com todos que conhece. As histórias vão inspirar seu coração e incitá-la a se tornar a melhor que pode em tudo que faz!

Bill Walsh, especialista norte-americano em pequenos negócios e autor de *The Obvious*

•

Há apenas cem anos, era muito normal um rapaz encontrar um serviço de aprendiz enquanto sua irmã ficava em casa cuidando das tarefas domésticas, como cabia a uma mocinha. Era perfeitamente normal e aceito pela maioria, que considerava ser este o papel da mulher na sociedade e no cenário familiar. Enquanto os rapazes aumentavam seu conhecimento, habilidades e confiança, muitas mulheres eram impedidas de se tornar tudo o que poderiam a fim de se ajustar às expectativas da sociedade e ao dogma da época.

Bem, os tempos mudaram e agora existem muitas mulheres que quebraram o modelo e despedaçaram a noção de que o lugar da mulher é na cozinha criando os filhos enquanto espera o marido trazer para casa o dinheiro para cuidar da família.

Sharon Lechter é uma dessas mulheres que aprendeu a assumir seu poder e utilizar todas as aptidões que Deus lhe deu para estilhaçar a barreira de vidro financeira e encontrar equilíbrio entre família, finanças e sucesso.

Há cem anos era normal os rapazes encontrarem mentores e professores; hoje, Sharon é uma nova estirpe de mulher, orientando e fortalecendo mulheres para que encontrem o poder interno e externo de alcançar a vida de sucesso e equilíbrio que são plenamente capazes de alcançar.

Pense e enriqueça para mulheres mostrará a cada mulher, exemplo após exemplo, que não são suas circunstâncias ou seus recursos que controlam seu destino. É a sua atitude, mentalidade e desenvoltura.

Pegue este livro e estude. A leitura vai motivá-la, enquanto o estudo vai empoderar e inspirar você. Preste atenção em como cada mulher apresentada superou suas limitações para atingir uma vida de propósito, significado e sucesso.

Agora é a sua vez de soltar o que quer que a tenha impedido de viver a maior e melhor versão de sua vida, de modo que se sinta satisfeita, no controle e com poder para alcançar todas as suas metas e sonhos.

John Assaraf, CEO da Praxis Now, apresentador em *O Segredo*, e autor de *The Answer* e *Having It All*, *best-sellers* da lista do *New York Times*

•

Toda mulher, e toda pessoa, tem bem dentro de si o desejo de satisfazer seu pleno potencial de saúde, felicidade e abundância.

Sharon Lechter, uma das mais respeitadas e estimadas autoridades do mundo, agora proporciona às mulheres o mais poderoso e prático sistema para o sucesso já descoberto.

Nunca houve melhor época para as mulheres do que a atual. Seus talentos especiais em cada setor estão enriquecendo e transformando nossa sociedade.

Com este livro notável, cada mulher, cada leitora recebe uma fórmula comprovada que pode aplicar imediatamente para realizar mais em menos tempo do que jamais sonharia ser possível.

A grande descoberta é que você se torna aquilo que pensa – na maioria das vezes. Com os 13 Princípios de Napoleon Hill, conforme explicado por Sharon Lechter, você aprende como pensar da melhor forma possível, liberando seu pleno potencial para uma vida extraordinária.

Brian Tracy, conferencista profissional, autor, especialista em sucesso e CEO da Brian Tracy InternationalTM

•

Sinto-me muito honrada e abençoada por esses homens maravilhosos. Para mim, são verdadeiros defensores de todas as mulheres que buscam seus conselhos e orientação. Mas eu seria descuidada se não mencionasse os dois homens mais importantes de minha vida. Sem seu amor e apoio, eu não seria a mulher que sou hoje. Primeiro, meu pai, que disse que eu poderia fazer e me destacar em qualquer coisa que quisesse. Seu espírito empreendedor e suas iniciativas me permitiram crescer em um ambiente sem "barreiras de vidro", onde iniciativas empresariais que atendiam uma necessidade ou resolviam um problema eram recompensadas com sucesso ... não obstante o gênero do proprietário.

E tem então meu marido há trinta e três anos, Michael, o homem que esteve ao meu lado e defendeu a mim e meu trabalho sem questionamento ou descrença. Ele tem sido meu mentor, conselheiro (legal e em outros assuntos), caixa de ressonância para todas as minhas ideias, coach e, acima de tudo, incentivador. Ele é verdadeiramente meu parceiro no amor e na vida.

Espero que você tenha defensores em sua vida, que estejam ali para juntá-la quando você cair, abrir portas para você ao longo do caminho, e saudá-la a cada sucesso.

Agradecimentos

Este livro não teria sido possível sem o empreendimento de vida de Napoleon Hill e seu brilhantismo ao escrever o livro quintessencial sobre o sucesso, *Pense e enriqueça*. Sua mensagem é tão válida hoje quanto em 1937, quando foi originalmente publicado. Quero agradecer a Don Green, CEO da Fundação Napoleon Hill, e seu conselho de diretores pelo incrível privilégio de me conceder a oportunidade de honrar a obra de Hill e compartilhar seu impacto para as mulheres através do olhar de mulheres de sucesso.

Quero agradecer aos netos de Napoleon Hill, Terry Hill Gocke e dr. James Blair Hill, cujo apoio a *Pense e enriqueça para mulheres* e à sua mensagem é tudo para mim. E ao dr. Charlie Johnson, que chamava Napoleon Hill de "tio Nap" e o considera a figura paterna que ele nunca teve, por acreditar em mim e seu tremendo apoio a meu trabalho com a fundação.

Quero agradecer a mulheres do mundo inteiro que foram pioneiras em criar sucesso não só para si mesmas, mas em abrir o caminho para outras mulheres seguirem atrás. Nas páginas de *Pense e enriqueça para mulheres* você vai encontrar *insights* e sabedoria de mais de trezentas mulheres. Quero agradecer em especial às mulheres que dedicaram tempo a escrever suas histórias pessoais, de modo que você encontre não apenas esperança e encorajamento, mas perceba que todas precisamos ajudar umas às outras no caminho. São elas: Margie Aliprandi, DC Cordova, Suzi Dafnis, Rita Davenport, Dina Dwyer, Yvonne Fedderson, Paula Fellingham, Marsha Firestone, Crystal Dwyer Hansen, Mary Gale Hinrichson, Donna Johnson, Loral Langemeier, Sara O'Meara, Michelle Patterson, dra Pamela Peeke, Michelle Robson, Donna Root, Karen Russo, Beverly Sallee, Kimberly Schulte, Adriana Trigiani e Judith Williamson.

Embora Napoleon Hill seja o único homem citado no corpo do livro, quero agradecer aos homens que tiveram impacto em minha vida e na vida de milhões de pessoas ao redor do mundo e compartilharam seu apoio a *Pense e enriqueça para mulheres* no posfácio do livro – John Assaraf, Berny Dohrmann, Don Green, Mark Victor Hansen, dr. James Blair Hill, dr. Charlie Johnson, Harvey Mackay, Bob Proctor, Greg S. Reid, Brian Tracy e Bill Walsh.

Um agradecimento especial a Margie Aliprandi, que não só compartilhou sua história, como ajudou a reunir a sabedoria de mulheres líderes em seu setor de vendas diretas. Essas mulheres são a prova cabal de que você pode criar sucesso com propósito definido correto, iniciativa correta e a equipe certa para apoiá-la.

Em caráter mais pessoal, agradeço à nossa equipe na Pay Your Family First e na Fundação Napoleon Hill pelo apoio sem fim: Angela Totman, Kristin Thomas, Kyle Davidsen, Michael Lechter, Robert T. Johnson Jr. e Annedia Sturgill. Além disso, sou grata pelo encorajamento e a assistência de Allyn e Greg S. Reid, Bill Gladstone, Catherine Spyres, Greg Tobin e Cevin Bryerman. E a todas às mulheres que admiro e tive o prazer de conhecer, incluindo minhas irmãs da Organização de Mulheres Presidentes, que me ajudaram a perceber que este livro era necessário para ajudar outras mulheres em busca de sucesso, em especial minha querida amiga Elaine Ralls, cuja filosofia de "Uma Grande Vida" foi a inspiração para minha mensagem final no livro.

Agradeço a toda equipe do selo Tarcher do Penguin Group pela fé e a empolgação a respeito do livro: a George Joel Fotinos pelo encorajamento e apoio, Gabrielle Moss pela reação entusiástica ao primeiro manuscrito, Brianna Yamashita e Kevin Howell pelas empolgantes ideias de *marketing*, e ao restante da equipe que me ajudou a fazer de *Pense e enriqueça para mulheres* um grande sucesso disponível às mulheres de todo o mundo.

E à minha adorável família, que tem "me amado ao longo do processo" por todos os livros que tenho tido a honra de escrever. Especialmente a Michael, meu parceiro no amor e na vida ... obrigada por ser você!

Sharon Lechter

O propósito da Fundação Napoleon Hill é...

- Promover o conceito de iniciativa privada oferecido sob o sistema norte-americano.
- Ensinar a indivíduos a fórmula de como podem ascender de uma origem humilde a cargos de liderança na profissão escolhida.
- Auxiliar rapazes e moças a estabelecer metas para suas vidas e carreiras.
- Enfatizar a importância da honestidade, da moralidade e da integridade como pedra fundamental do americanismo.
- Auxiliar no desenvolvimento de indivíduos para ajudá-los a atingir seu potencial.
- Superar as limitações autoimpostas de medo, dúvida e procrastinação.
- Ajudar as pessoas a superar a pobreza, deficiências físicas e outras desvantagens e a obter posições elevadas, fortuna e as verdadeiras riquezas da vida.
- Motivar indivíduos a se motivarem para grandes realizações.

FUNDAÇÃO NAPOLEON HILL
www.naphill.org
www.thinkandgrowrichforwomen.com
Uma instituição sem fins lucrativos dedicada a fazer
do mundo um lugar melhor de se viver.

Próximos passos

Pense e enriqueça para mulheres compartilha os 13 Passos para o Sucesso para mulheres pelo olhar e a experiência de mulheres que criaram vidas de sucesso e significado. Agora é a sua vez! Sharon Lechter e suas sócias desenvolveram um arsenal de recursos para impulsionar sua jornada de realização pessoal e profissional. Entre em ação hoje visitando www.sharonlechter.com/women para começar!

LIVRO DE EXERCÍCIOS DE *PENSE E ENRIQUEÇA* PARA MULHERES

Baixe este recurso interativo, que inclui todas as questões centrais de *Pense e enriqueça para mulheres* e lhe permite documentar sua jornada e registrar o processo de busca da Grande Vida que você merece. Baixe o livro de exercícios hoje, usando o código promocional GUIDEME em www.sharonlechter.com/women

SALÃO DO LIVRO DA AUTORA

Participe do Salão do Livro de Sharon Lechter, onde ela guia você através de cada capítulo de *Pense e enriqueça para mulheres*, abordando suas questões e orientando-a pelos Princípios do Sucesso. Esta série *on-line* de webinars e vídeos compartilha os passos que você pode dar agora e as coisas que deveria parar de fazer hoje. Comprometa-se com seu futuro hoje e aprenda com uma consultora e empresária vencedora em www.sharonlechter.com/women.

TREINE SEU CÉREBRO PARA O SUCESSO

AUTOSSUGESTÃO

Tire o ar de mistério da Autossugestão com recursos e ferramentas de treinamento *on-line*. Este programa, seu personal trainer para a mente, ajuda a remover os obstáculos mentais que possam estar lhe impedindo de superar o medo, atingir metas, expandir os negócios e ganhar mais dinheiro. Com esses programas, você tem as ferramentas e orientação necessárias para empregar a Autossugestão de forma eficiente em sua vida – criando a plataforma subconsciente para construir sua base para o sucesso!

CRIE A SUA MENTE SUPERIOR

Você está com as pessoas certas ao seu redor para acelerar seu caminho para o sucesso? Crie ou expanda seu grupo de Mente Superior atraindo mentes e espíritos bem-sucedidos que irão inspirá-la e encorajá-la enquanto você estabelece metas, cria planos de execução e transpõe os obstáculos que possam ficar no caminho. Seu grupo de Mente Superior lhe dará o poder de muitas, a experiência das outras e um dos recursos mais poderosos em sua jornada para o sucesso. Aprenda a criar sua Mente Superior!

PROGRAMAS DE *COACHING*

De acordo com o princípio da Mente Superior de Hill, o programa de coaching Uma Grande Vida coloca você em posição de aproveitar a experiência, *expertise* e os *insights* de mulheres que definiram seu propósito de vida e buscam esse propósito com sucesso por meio dos 13 Princípios de Hill.

ORIENTAÇÃO INDIVIDUAL

Você está à procura daquele catalisador que vai impulsioná-la pela trilha do sucesso e significado? Você pode aproveitar a sabedoria e as estratégias que Sharon Lechter usou para liderar duas das maiores marcas do planeta ao mesmo tempo que permanecia fiel à sua missão pessoal e a serviço de comunidades globais.

Por meio do programa de orientação individual de Sharon Lechter, você aprenderá diretamente com a talentosa empreendedora, paladina do domínio do dinheiro, empresária, filantropa e mãe. Sharon dedica-se pessoalmente a identificar e apoiar seu verdadeiro propósito enquanto acelera seu progresso na jornada para o sucesso.

SEU PRESENTE GRÁTIS

Em sua busca de respostas, você tem certeza de que está fazendo a pergunta certa?

Nosso presente grátis para você ... *A Pergunta Real – A História do 'Por que Não?'*

Sharon Lechter revela a pergunta que pode ser mais importante que qualquer outra ... para abrir portas, descobrir possibilidades e estabelecer o esquema para você chegar ao seu melhor. Esta pergunta foi um fator-chave no sucesso de Sharon. Oferece uma nova perspectiva para confrontar desafios e visão para transformar obstáculos em oportunidades.

Visite www.sharonlechter.com/women e confira usando o código promocional ANSWERTHIS para baixar grátis a pergunta mais importante que você jamais fará a si mesma.

QUEREMOS OUVIR SUA HISTÓRIA!

Visite www.sharonlechter.com/women para compartilhar sua inspiração, seus desafios, triunfos e como você busca seu propósito definido a cada dia. Quer esteja apenas começando ou no meio do caminho para Uma Grande Vida, existe uma comunidade de mulheres esperando para apoiá-la, ser exaltada por você e guiá-la pela trilha para viver uma vida de sucesso e significado.

Sua história pode ser exatamente a mensagem que inspire outra mulher a partir para a ação hoje!

O FUTURO É UMA ESCOLHA SUA!

Visite www.sharonlechter.com/women para criar o seu projeto personalizado.

MULHERES CITADAS POR CAPÍTULO

Último nome	Primeiro nome	Capítulo
Abramson	Jill	9
Adams	Abigail	6
Akasha	Nan	14
Al Qasimi	Sheikha Lubna	7
Aliprandi	Margie	7
Altschul	Randi	5
Amanpour	Christiane	9
Anderson	Marian	5
Anderson	Mary	5
Annis	Barbara	1
Angelou	Maya	1, 4, 10, 12
Antrim	Minna	13
Ash	Mary Kay	1, 6, 14
Auf der Maur	Melissa	11
Avant	Taurea	9
Avila	Janine	9
Bacall	Lauren	5
Balk	Faina	9
Banks	Gloria Mayfield	9
Bardot	Brigitte	14
Barr	Roseanne	10
Barra	Mary	9
Barrett	Barbara	4
Barrymore	Drew	12
Bateman	Deborah	9
Beck	Martha	12, 14
Besant	Annie	12
Betancourt	Novalena	9
Black	Cathie	9
Blakely	Sara	1
Blackmore	Susan	12
Bojaxhiu	Anjezë Gonxhe	1, 10

James	Stacy	9
Janah	Leila	5
Jarrett	Valerie	1
Johnson	Ann	10
Johnson	Donna	1
Johnson	Sonia	14
Jong	Erica	15
Joormann	Jutta	12
Judd	Naomi	14
Kacvinsky	Katie	12
Kane	Susan	9
Karan	Donna	9
Keller	Helen	2, 8, 9, 14
Kelly	Megyn	9
Kennedy	Caroline	7
Kennedy	Jacqueline	14
Kim	Sun-Uk	9
Kimbrough	Emily	9
King	Billie Jean	14
King	Gayle	9
Kirkpatrick	Jeane	14
Klum	Heidi	14, 15
Knowles	Solange	7
Kotb	Hoda	14
Kraus	Margery	9
Krawcheck	Sallie	9
Kroll	Danette	9
Kullman	Ellen J.	9
Kwolek	Stephanie	5
Lagarde	Christine	Intro, 7
Lamarr	Hedy	5
Landon	I. E.	5
Lang	Ilene	9
Langemeier	Loral	7
Lauder	Estée	1, 8
Ledwell	Natalie	9
Lee	Belynda	9
Lhuillier	Monique	15
Lin	Maya Ying	14

Sobre a autora

Sharon Lechter, contadora pública certificada (CPA), CGMA (*Chartered Global Management Accountant*), é uma especialista internacional em dinheiro e empreendedorismo, bem como uma respeitada autora, filantropa, educadora, palestrante internacional, mãe e avó. É fundadora e CEO da *Pay Your Family First*, organização de educação financeira. O presidente George W. Bush reconheceu a paixão vitalícia de Lechter como defensora da educação ao nomeá-la para o primeiro Conselho Consultivo de Cultura Financeira do presidente. Ela serviu os presidentes Bush e Obama no cargo, aconselhando-os sobre a necessidade da educação em cultura financeira. Em 2009, Sharon foi nomeada para a Comissão Nacional de Cultura Financeira do Instituto Americano dos Contadores Públicos Certificados (AICPA) como porta-voz do tema da cultura financeira. Em 2014, a AICPA nomeou-a Defensora da Cultura Financeira. Em 2013, ela liderou com sucesso uma iniciativa para mudar as leis relativas aos requisitos de educação em cultura financeira para graduação no ensino médio do Arizona.

Sharon é coautora do *best-seller* internacional *Pai rico, pai pobre*, mais quatorze outros livros da série *Pai Rico*. Durante dez anos como cofundadora e CEO da *Rich Dad Company*, liderou a organização e sua marca à condição de potência mundial. Seus recentes *best-sellers, Think and Grow Rich: Three Feet from Gold* e *Mais esperto que o Diabo* foram ambos escritos em cooperação com a Fundação Napoleon Hill. Em 2013, ela lançou *Save Easily, Spend Happily* para a AICPA.

Como filantropa comprometida, Sharon retribui às comunidades mundiais tanto como voluntária quanto benfeitora. É membro do Conselho Consultivo Empresarial da *EmpowHer*, companhia dedicada às questões de saúde da mulher. Sharon também atua no Conselho Nacional da Organização de Mulheres Presidentes e no Conselho Nacional da *Childhelp*. É instrutora voluntária na Escola *Thunderbird* de Gestão Global tanto no Projeto Ártemis quanto na parceria com o Departamento de Estado norte-americano e o programa *Dez Mil Mulheres* do Goldman Sachs.

Sharon tem sido constantemente reconhecida pelo trabalho incansável em favor das mulheres. Em 2012, foi agraciada com o prêmio Mulheres Positivamente Poderosas para Liderança Filantrópica. Em 2013, o *Phoenix Business Journal* selecionou-a como uma de suas 25 Mulheres Dinâmicas nos Negócios, o Banco Nacional do Arizona escolheu-a como sua Mulher do Ano em 2013, e a *Arizona Business Magazine* destacou-a como uma das 50 Mulheres Mais Influentes nos Negócios do Arizona.

Sharon vive em *Paradise Valley*, no Arizona, com Michael, seu marido, há 33 anos, e os dois gostam de passar temporadas no *Cherry Creek Lodge*, seu rancho no *Pleasant Valley*, Arizona. Para mais informações sobre Sharon, por favor, visite www.sharonlechter.com.